TIEMPO DE MÉXICO

Las horas violentas

El día siguiente

Las horas violentas

✳

Luis Spota

OCEANO

EDITOR: Rogelio Carvajal Dávila

LAS HORAS VIOLENTAS

D. R. © EDITORIAL OCEANO DE MÉXICO, S.A. de C.V.
    Eugenio Sue 59, Colonia Chapultepec Polanco
    Miguel Hidalgo, Código Postal 11560, México, D.F.
    ☎ 5279 9000   📠 5279 9006
    ✉ info@oceano.com.mx

PRIMERA EDICIÓN

ISBN 970-651-539-9

IMPRESO EN MÉXICO / PRINTED IN MEXICO

Sangre del hombre víctima del hombre.

Alí Chumacero

ÍNDICE

LA HORA PRIMERA

1

Nadie quería ceder. Llevaban muchas horas reunidos, sin avanzar ni retroceder, en torno a una mesa rebosante de papeles, ceniceros, platos con restos de comida. Los hombres sentíanse fatigados. De mal humor. La única que parecía ser ajena a lo que se discutía era la secretaria de Perkins, esa mujer de pelo color arena que operaba la maquinita de taquigrafía. El mismo Perkins, que apenas había hablado una o dos veces desde la mañana (cuando entraron todos con sonrisas en los labios y buenos deseos en las palabras), no disimulaba su fastidio. Arrellanado en la butaca de la cabecera mordisqueaba la uña de su pulgar. Los ojos de Perkins se encontraron con los de Marcos Luquín. Sonrió.

—Con un poco de buena voluntad... —comenzó diciendo Perkins.

Lo interrumpió Luquín:

—Es lo que yo digo. Buena voluntad de las partes...

—Existe, por nuestro lado...

—Claro, para arreglar el problema según le conviene a usted, Mr. Perkins. No según nos conviene a todos...

Lentamente Perkins encendió un cigarro. Los abogados, los consejeros de la empresa, incluso la misma secretaria, quedaron en suspenso, observándolo, tratando de adivinar qué respondería. Perkins jugueteó un momento, pensativo y tranquilo, con su encendedor automático. Era un hombre alto de rostro cordial. Pero sus ojos eran fríos, duros, como de serpiente. Las uñas de la secretaria acariciaron, casi con sensualidad, las teclas de la maquinita.

También los que discutían por el bando de los obreros, esperaban. Marcos Luquín, mirándolo de frente. Ceñudo, el abogado, Ayala; y evitando tropezar con la recta mirada de Perkins, los demás.

Al cabo, encarando francamente a Luquín, tal como si le diera un consejo, o planteara una amenaza, y no como un simple comentario personal, dijo Perkins:

—La huelga nos perjudica a todos, Luquín.

—No la buscamos nosotros...

Sus compañeros del comité asintieron. Uno de ellos iba a hablar. Con una leve señal Luquín se lo impidió.

—Eso bien lo sabe usted, Mr. Perkins. No la buscamos...

Volvió Perkins a hundirse en el sillón. Su cuerpo de extensos huesos, se hizo un ovillo.

—Pero quieren llevarla adelante...

—No tenemos otro remedio...

—Podría haberlo.

—¿Cuál?

—Llegar a un arreglo... Sí, sé lo que va a decirme. Que es lo que todos tratamos. Quiero aclarar: un arreglo bueno...

—¿Por ejemplo?

Perkins se removió, desperezándose. Ciñó sus huesudas rodillas con las manos.

—Por ejemplo, que dejemos las cosas como están.

—Es lo que buscamos. Reinstalar a la gente y todo seguirá así.

Se alzó Perkins. No fue el suyo un movimiento que denotara furia o protesta; ni siquiera contrariedad. Sólo una pequeña, instantánea y pasajera irritación.

—Eso no, Luquín. Estamos aquí dándole vueltas a la cuestión desde por la mañana —se apoyó sobre sus pálidos puños, en el cristal de la mesa; un poco inclinado hacia Luquín, mirándolo rectamente a los ojos—: Eso no. De ninguna manera podemos reinstalarlos. En la Empacadora no necesitamos agitadores, ni políticos. Por más que uno sea su hijo. Estamos dispuestos a indemnizarlos y...

—No nos interesa —intervino Ayala.

—Lo dice la ley. Estamos hablando con la ley en la mano —dijo el hombre de suaves maneras, que estaba a la derecha.

Perkins asintió.

—El licenciado Robles tiene razón. La ley está con nosotros.

—Y con nosotros la justicia...

El gerente destrenzó sus piernas y se levantó. Alzó los brazos al cielo. Cerró los ojos y sacudió la cabeza. Habló después, como muy fatigado:

—¡Oh, Dios! No metamos a la ley en esto. No la metamos. Trataremos de entendernos como personas sensatas...

Hubo un silencio. Apenas se escuchaba el leve mayar de la maquinita de tomar dictado en taquigrafía.

–Personas sensatas —repitió Luquín—; así, creo, estamos tratando de hacerlo, Mr. Perkins.

Éste se encaró a Luquín. Su rostro adquirió una tonalidad purpúrea.

–No, Luquín. Está usted equivocado. Lo que pretende hacer conmigo, con la empresa, no es sensato.

–Da usted mucha importancia al sentido de las palabras.

–...y no es sensato, Luquín, se lo digo yo, que soy su amigo, porque trata usted de arrastrar al caos a sus compañeros, a los trabajadores que lo eligieron secretario general de su Sindicato.

–Me eligieron —indicó Luquín, también tranquilo, también sereno— porque saben que busco lo mejor para ellos. Siempre.

–No en este caso, Luquín. Bien lo sabe.

El licenciado Robles intervino. Con voz pausada hizo un resumen de las circunstancias, de los hechos y detalles que originaron el conflicto. Enumeró, sin olvidar ninguno, los pequeños problemas parciales, aislados, que se suscitaron, semanas atrás, en diversas dependencias de la Empacadora Águila y que fueron causa, al abarcarlos, situarlos y valorizarlos en conjunto, de una crisis general.

–...Inadmisible, bajo todo punto de vista, para la empresa —luego, con precisa exactitud, añadió—: No discutamos aquí una cuestión de salarios. Ustedes, Luquín, son los obreros mejor pagados del ramo, los que de mayores prestaciones y prerrogativas gozan. El lío es otro. He dicho que la empresa habla con la ley en la mano, y digo verdad. De acuerdo con la ley podemos separar a los cuatro elementos —hizo una pausa, para destacar mejor la importancia de su palabra— ...indeseables, indemnizándolos —Ayala intentó interrumpirlo. Robles prosiguió—: Eso es lo que deseamos. Indemnizarlos. Apartarlos de los otros trabajadores, que lo único que desean es seguir ganando su pan en paz, sin mezclarse con saboteadores...

El único que no había despegado los labios en toda la jornada de fatigosas discusiones era Quintana, uno de los cuatro miembros del comité sindical que negociaba con la empresa. Quintana era grueso, moreno, con ojos pequeños que no miraban de frente. La mayor parte del tiempo había permanecido, como si dormitara, con la barba apoyada en el pecho de su camisola de lana azul; en tanto que llenaba con garabatos hojas y más hojas del bloque de papel que tenía enfrente. Pero, al cabo, en cuanto Robles terminó su exposición, intervino:

–Yo creo, compañero Luquín —dijo; se había enderezado un poco, con los antebrazos apoyados en el borde de la mesa; jugueteando, sin mirar a nadie, con el lápiz—, que de todo esto hemos hecho un barullo demasiado grande... Digo hemos, porque soy miembro del Comité; más no porque esté yo de acuerdo...

Perkins y Robles se miraron entre sí, rápidamente, como sorprendidos. Fue Perkins quien advirtió la fugaz contracción en los puños de Luquín.

—Eso no viene al caso, compañero Quintana.

—Lo sé, Luquín. Pero quiero dejarlo aclarado. Como dice aquí Mr. Perkins, de nosotros, de usted, depende o no arrastrar a los demás compañeros a la huelga... Déjeme terminar, compañero... —Quintana alzó la vista, para mirar a Perkins y a Robles; para que éstos lo miraran—: Yo soy sindicalista, ni quien lo dude. Pero entiendo que el sindicalismo puede tener vicios, errores de procedimiento; puede encauzarse mal...

Casi violento Marcos Luquín exigió:

—Déjese de palabras, Quintana. Diga lo que tenga que decir, sin tantas vueltas...

Los fríos ojos de reptil de Perkins calaron profundamente a Marcos Luquín. Vieron cómo el rostro de éste, su rostro tranquilo de hombre de cuarenta y cinco años, se encendía y cómo, una vez más, sus rudos puños empalidecían.

—Necesito las palabras, Luquín. Bien. Iré al grano —Quintana tomó aire. Miró las caras silenciosas de los hombres sentados en torno a la mesa; caras impenetrables, que lo espiaban, que lo desmenuzaban sin piedad. Sintió que en esas caras afloraba, ahora, el desprecio que en otras ocasiones disimulaban la sonrisa o la cortesía—: En mi opinión no es necesario llevar las cosas hasta el extremo de la huelga. Creo interpretar el sentir de los trabajadores: ellos no desean el paro; ningún trabajador que esté ganando buenos sueldos, lo desea tampoco.

—Es cuestión de principios... —lo atajó Luquín.

Perkins intervino. Habló rudamente:

—Déjelo terminar...

—Es que yo...

Ayala contuvo a Marcos, pisándole por debajo de la mesa.

—Que termine, Marcos...

Furioso, Luquín se reclinó en su silla.

Quintana sonreía abiertamente a Perkins, como si de él, o en él, buscara simpatía, apoyo y afecto; lo que no esperaba hallar entre sus propios compañeros.

—Nosotros, aquí, ganamos buenos sueldos. Magníficos —continuó—; ochocientos compañeros nuestros, los que están allá abajo, pendientes de lo que aquí se arregle, aceptan su situación. Hemos pasado, sin problemas, la revisión del contrato colectivo; algo que afectaba a todos.

Perkins asentía.

—Si entonces hubiesen planteado la necesidad de la huelga, bien —indicó, como si adivinara ya a dónde quería Quintana llegar.

Quintana agradeció, con un afirmativo movimiento de cabeza, la interpretación exacta que Perkins daba a sus pensamientos.

—Pero, este caso —añadió— no los afecta en lo absoluto. Cuatro compañeros nuestros son despedidos por convenir a los intereses de la empresa. La empresa paga la indemnización. Entonces, ¿para qué pelear? Aceptemos eso y en paz...

Luquín no se había movido ni una sola vez; no había, incluso, separado ni un instante los ojos de la cara de Quintana. Sentía por él un seco desprecio; algo más, asco.

—Habla usted como un esquirol, Quintana...

Enrojeció éste.

—Mida sus palabras. Soy tan leal a mi Sindicato como usted...

—Bien lo veo...

—Señores... señores —Perkins abría los brazos, recomendando calma.

Habló la secretaria, inmutable, elegante, profesional:

—¿Anoto esto, también?

Nadie le hizo caso.

—Más leal tal vez que usted, Luquín —retaba Quintana, desde el otro lado de la mesa. Yo no defiendo a un hijo mío, sino a ochocientos trabajadores...

—Voy a... —Marcos Luquín intentó saltar por encima de la mesa para golpear a Quintana. Éste no se había movido seguro de que detendrían a su opositor; a ese hombre por el que o contra el que había profesado, durante años, un sordo odio.

Intervinieron Ayala y los otros representantes obreros y calmaron a Luquín.

En el silencio que siguió después, rayado sólo por las silbantes respiraciones entrecortadas de los hombres agotados por el esfuerzo del forcejeo, se oyó a la secretaria:

—¿Anoto esto, Mr. Perkins?

El licenciando Robles sonreía. De soslayo miró su reloj. Eran casi las seis de la tarde y deseaba marcharse cuanto antes. Consideró que la disputa era un síntoma favorable para la empresa, pues demostraba que los obreros, o al menos sus dirigentes, no estaban unidos; y cuando no hay unión, todo lo que se intente, en conjunto, fracasa.

Quintana revelábase como un aliado de la empresa, como el elemento de discordia que todo buen abogado debe tener cuando se negocia la huelga, en las filas del enemigo. Y era, además, entre algunos trabajadores, un hombre con prestigio; por más que el líder respetado y estimado fuese Luquín. No ignoraba Robles, como tampoco ninguno de los funcionarios de la organización, que Quintana y Luquín no eran amigos; aunque tampoco fuesen enemigos. Las relaciones entre ambos eran, hasta cierto punto, cordiales, pero no afectuosas. "Son políticos", solía decir Mr. Perkins. Se gruñían, pero ninguno lanzaba la dentellada. Hasta esta tarde, claro está.

Robles se vio, de pronto, con una carta de triunfo en la mano, y debía jugarla. Quintana era un aliado, no tanto por estar al lado de la empresa, sino por estar en contra de Luquín. Bien jugado ese triunfo se conseguirían dos cosas: conjurar el peligro de la huelga y comenzar a eliminar la influencia que Luquín ejercía sobre sus compañeros; influencia hasta entonces invulnerable, indiscutible, por la honestidad personal y sindical de Marcos. "Ha sacado las uñas Marcos Luquín —razonó Robles— y eso no está bien. Nada nos asegura que sea la última vez que lo haga. Es un hombre peligroso. Preferiría entendérmelas con un pillo como Quintana."

Era necesario, pues, aprovechar la excitación del momento y también el cansancio y la incomodidad física de los allí reunidos. "Curiosamente —pensó Robles— ninguno se ha levantado, ni la secretaria siquiera, para ir al baño. Sólo desean marcharse. Comer. Descansar un poco. Es el momento." Empero, había un obstáculo: Marcos Luquín. Mientras éste siguiera allí nada podía hacerse. Robles se volvió levemente. Buscó con los suyos los ojos de Perkins. Los halló. Perkins comprendió.

—Marcos —Mr. Perkins palmeaba, amable, el hombro de Luquín—, venga. Descansemos un poco, usted y yo...

Una pesada puerta corrediza de caoba dividía la sala de consejo del privado de Perkins. Aquí el ambiente era diferente. La espesa alfombra gris hacía caminar sobre un piso de nubes. Los muebles, modernos, muelles, enervantes, como el ambiente todo del lugar.

—Estamos ya cansados...

Luquín rumiaba su furia:

—Hijo de perra... —gruñó, por lo bajo.

Perkins resopló.

—No se haga mala sangre. Olvídelo.

—Esquirol...

—No lo es todavía —Perkins puso sus ojos azules, en franco

mirar, sobre la cara de Luquín—; pero podría serlo.

Luquín midió a Perkins, y dijo lentamente:

—¿Lo utilizaría, verdad?

Sonrió Perkins.

—No me gustan los traidores, aunque me sirvan. Como usted dice: cuestión de principios...

Luquín sentíase de mejor humor:

—¿Principios... usted... capitalista?

—Empecé como obrero. Igual que usted.

—Un obrero —sentenció Marcos— puede olvidar su origen cuando llega a ser capitalista. Pero un capitalista, nunca; así esté muriéndose de hambre...

—Agudezas, nada más. Hablando se pierde el tiempo.

—Pero también la gente se entiende...

Vino Perkins y se sentó al lado de Luquín.

—No me gustan los que hablan mucho. Desconfío de ellos. Prefiero la acción.

Le ofreció un cigarro. Rehusó Marcos porque no fumaba. Se dio fuego Mr. Perkins.

—Tomemos, por ejemplo, a Robles —Perkins sopló sobre la llamita del encendedor. Robles, y su bufete, me cuestan un cuarto de millón al año. Casi nunca los necesito, y cuando esto ocurre nada arreglan...

—Su licenciado es muy ladino...

Movió la cabeza Perkins, aceptando.

—Sí, en cierto modo. Muy ladino pero muy inútil. Soy hombre de acción. Usted me conoce. Prefiero arreglar las cosas a mi modo. Francamente. En este problema, los abogados sobran...

—¿Para qué los trajo, entonces?

Perkins suspiró a su vez:

—Porque ustedes iban a traer el suyo. Además, ¡que desquite lo que me cuesta! Pero no divaguemos —Mr. Perkins acarició por unos instantes el suave casimir de su pantalón. Sus largas manos tenían el tatuaje de antiguas pecas—: Nuestro problema es más fácil de arreglar de lo que puede parecer...

—Eso digo yo...

—Y si usted y yo nos entendemos, ¡que nos entenderemos!, vamos a solucionarlo y a demostrarles a ésos —cabeceó hacia la puerta, tras de la cual los hombres seguirían apiñados, discutiendo— que nosotros en menos tiempo y sin tanta saliva conseguimos llegar a un entendimiento.

—Así es —indicó Luquín, cautamente.

–¿Cuál es nuestro lío? Bien. Lo hemos repetido mil veces. Una más, no importa... Veamos: cuatro trabajadores de la Empacadora Águila han sido sorprendidos saboteando la marcha de la fábrica...

Luquín lo atajó.

–Sabotaje es una palabra dura, Mr. Perkins. No se les puede acusar...

Perkins asintió.

–Bueno: cuatro trabajadores, su hijo, entre ellos, Marcos —continuó— han incurrido en faltas graves. Por descuido, ineptitud o lo que sea, en un periodo de varias semanas han contribuido a destruir el equipo, a retrasar las normas de producción y a echar a perder miles de pesos en mercancía en proceso de elaboración...

–En cada uno de los casos, se comprobó que no hubo mala fe...

–Aceptemos que como humanos tenemos margen de error. Pero, en los casos que cito, el error fue provocado...

–De haber podido probarlo, Mr. Perkins, el primero en expulsarlos del sindicato hubiera sido yo...

Perkins abrió mucho los brazos, como si quisiera abarcar con ellos al mundo por la cintura, y se puso de pie.

–Marcos, Marcos, no sea niño. Comprenda la realidad... como ya la comprendió Quintana, pese a ser un mal bicho —el gerente trataba de ser convincente, persuasivo; de dar a sus palabras un cálido barniz de verdad; de ayudar a romper el velo de mentira que empañaba la visión de Luquín—: Esos cuatro siguen órdenes de alguien... De alguien empeñado en causarnos trastornos a la empresa, a usted, a todos los demás... Ese alguien es quien los empuja a ustedes a la huelga...

Resopló Luquín:

–En estos tiempos, los que tienen un peso bajo el colchón ven, o creen ver, comunistas en todas partes. Si un hombre exige mejor sueldo, mejor trato, mejores condiciones de vida, es comunista. Si protesta y reclama derechos humanos, es comunista; si se rebela contra la injusticia, es comunista... Antiguamente quien tal hacía era llamado cristiano...

Vino un largo silencio. Los dos hombres se miraban, explorándose. Luquín vio cómo Perkins movía la cabeza, en desaprobación.

–¿Es usted rojo, Luquín? —disparó de pronto.

–No, y usted bien lo sabe, Mr. Perkins. Me conoce desde hace muchos años. Pero uno, como hombre, se rebela ante ciertas cosas...

El gerente caminó un poco por la habitación. Fue a sentarse después en un sillón de cuero de cerdo, color crema, situado tras de su desnudo escritorio. Tamborileó unos segundos en la barnizada superficie.

—Dejémonos de palabras, Luquín, y veamos de arreglar el lío.

—Por mi parte, de acuerdo.

—¿Cree que pueda arreglarse, Luquín? ¿Hay verdaderos deseos de que así sea?

—Sí. Verdaderos.

—¿Quién me lo asegura?

—Yo.

De una cajita de laca de China, Perkins sacó un nuevo cigarro. Lo golpeó sobre el escritorio, suavemente, para apretar su rubio tabaco. Se lo puso entre los labios, que eran una pálida línea.

—¿Hay gente extraña en esto? Quiero decir, ¿elementos políticos o de cualquier otro tipo, ajenos a nosotros?

—Ninguno. Somos nosotros —dijo Luquín, sin agresividad— contra ustedes.

—Bien.

El gerente estiró las piernas y enlazó las manos por atrás de su cabeza. El cigarro le colgaba, en diagonal, de los labios. Observó a Luquín lentamente. No había en él ni odio, ni siquiera prisa. Sólo esa pequeña, nerviosa irritación que le era característica en determinadas circunstancias.

—Vamos a acabar con esto, hoy mismo —dijo, al cabo.

—Eso lo queremos todos. Acabar, Mr. Perkins.

Perkins removió el capullo de ceniza que se había formado en el extremo del cigarro. Lentamente alzó sus tranquilos ojos azules. El color era frío, casi blanco, como de cielo invernal. Dejó que reposaran en Marcos: "Imbécil", pensó. Pero no había furia; sólo algo como un desprecio; sin emoción, sin enojo.

—Somos dos en esta cuestión, Marcos —indicó. Olvidémonos de abogados y hagamos la sopa nosotros.

—De usted depende.

—También de los obreros.

—Usted —Marcos Luquín se encogió brevemente de hombros y dio a su cuerpo una postura más cómoda— sabe cuáles son nuestras condiciones...

—Inadmisibles —Perkins aplastó el cigarro en el cenicero.

—Justas para nosotros.

El gerente se puso de pie. Caminó, con largos pasos elásticos, hasta el ventanal de verdes cristales polarizados. Apartó el visillo. Un dulce atardecer púrpura iba cayendo poco a poco sobre la ciudad, más allá del oscuro primer término de fábricas y talleres, al otro lado del cinturón fabril, tan polvoso, miserable y triste. La luz del sol, de tonos rojos y anaranjados, luchaba contra la sombra violeta de la primera hora nocturna, en los atestados patios del ferrocarril, cuyos rieles eran como serpientes congeladas. Una máquina patiera resoplaba, sudando chorros de blanco vapor, ocupada en formar un convoy de furgones. Perkins permaneció de espaldas. "Oh, Dios. ¿Por qué este maldito lío?" Sin mirar a Marcos, indicó:

—Para ustedes, que piden, quizá sí. No para nosotros.

—No exigimos lo imposible.

Perkins se volvió; no violento; acaso un poco rápido.

—Pero —avanzó hasta Marcos y se plantó ante él, inclinado, accionando su mano derecha; juntos los dedos en actitud explicativa. Pero ¿no comprende que eso es imposible? Que no podemos reinstalar a esa gente. Ellos son culpables —se irguió de nuevo. Cuando habló ya no le daba la cara—: Culpables. Lo saben todos. Usted mismo.

Marcos Luquín se alzó también. Los minutos que había estado sentado en esa oficina habían servido de sedante a sus nervios. Experimentaba ahora un deseo violento de acción, de hablar, de argüir, de pelear si fuera necesario.

—Creo, Mr. Perkins, que vamos a tener que pelear... hasta que usted comprenda que la razón nos pertenece.

2

La Empacadora Águila ocupaba una superficie de tres hectáreas en un pardo barrio industrial del norte de la ciudad. Prácticamente era una isla de arquitectura moderna en aquella zona de viejos edificios casi en ruinas, que albergaban fábricas de ácidos, de pinturas, de hule; o plantas laminadoras de metales o gigantescos depósitos de chatarra. El edificio nuevo, que reproducía la forma de una T mayúscula, era de hormigón, aluminio y cristal. Hacia la derecha, en lo que ahora era un extenso parque de estacionamiento y que a partir del próximo invierno se convertiría en almacén, podían verse todavía los restos del viejo caserón que había levantado con su esfuerzo Ralph Perkins, cincuenta años atrás, y que su hijo había hecho derruir, sin importarle la tradición, cuando la flamante mole de líneas aerodinámicas fue inaugurada.

El viejo Perkins, en su tiempo, había revolucionado los procedimientos de producción a gran escala de conservas alimenticias. Su hijo llevaba adelante, mejorándola, la filosofía paternal de producir más, para ganar más, vendiendo a menor precio. La Empacadora Águila era, en su ramo, la más importante del país y de unos años a la fecha, especialmente desde que se alió, en el terreno financiero, a un poderoso consorcio estadunidense, extendió sus actividades, multiplicándose en media docena más de plantas, a las provincias; y ya se hablaba de la fundación de nuevas sucursales de Águila en Centro y Sudamérica. De hecho, la fábrica de la capital era la que menor volumen de rendimiento daba a la empresa; pero también, por razones de representación económica se le consideraba como la unidad básica de ése que empezaba a ser un gran imperio industrial. Merced a una abundante línea de crédito, el joven Perkins había podido adquirir centenares de furgones de ferrocarril y flotillas de camiones.

Y esa tarde, mientras un lento crepúsculo de junio descendía del cielo sin nubes, los ochocientos trabajadores del turno esperaban a que Marcos Luquín volviera a informarles del resultado de su conferencia con Perkins y los abogados. Las máquinas, en el departamento de hojalata, trabajaban como de costumbre, produciendo envases. Los rudos boteros, con gruesos guantes de lona para proteger sus manos, laboraban bajo la supervisión personal de los jefes de cuadrilla; capataces especializados a cuyo cargo corría la responsabilidad de cumplir, en cada jornada, con la cuota de producción fijada por la gerencia. Y el estruendo proseguía en el departamento de junto. Allí había calor y gases de plomo y estrépito metálico originado por la rápida, casi invisible marcha de miles de cilindros de lámina, todavía ardiente por la soldadura, que eran conducidos a lo largo de centenares de metros de líneas de montaje, a otras secciones del departamento donde, sin que el ruido amenguara, eran terminados; para después ser conducidos en nueva marcha de incansables poleas, de acuerdo con forma, tamaño y capacidad, a las máquinas que los llenaban con chiles encurtidos, jamones, cebolla, dulce, jaleas o aceitunas traídas de España y Grecia, y ricas cerezas del Mediterráneo.

Y la inquietud y la curiosidad y los murmurados comentarios flotaban por encima del estrépito; se hacían presentes en el aire oloroso a vinagre y a salsas; en las conversaciones que, a pesar del ruido, moviendo apenas los labios mientras las manos no cesaban de trabajar ni un segundo, sostenían obreros y obreras. En los patios, filas de fornidos cargadores vaciaban los carros del ferrocarril que habían llegado la madrugada con frutas y legumbres. Se encendían las primeras luces y una fluorescente claridad azul (que no producía sombras, que remedaba la presencia de un día que no fuera de este mundo), convertía en diurnos los minutos grises y rojizos de la sobretarde.

Los capataces, que cobraban las nóminas de los hombres de confianza de la empresa, activaban la labor de sus cuadrillas. Ellos también sentían la presencia, en el aire caliente del atardecer, de algo informe e inminente; amenazador e ignorado.

—Parecen embarazadas —gritó uno de ellos, azuzando a los hombres que como lentas hormigas llevaban cajas y más cajas de tomate a los almacenes—, apenas caminan...

Los hombres, los trabajadores anónimos que sólo aportaban la fuerza de sus lomos, una fuerza sin capacidad de pensar, únicamente de ser conducida o encauzada, se movía sin prisa, aguardando el retorno de Marcos Luquín. Si él decía que debían parar, lo harían. Si anunciaba que todo estaba arreglado, seguirían. Los más de ellos, incluso, ignoraban la causa del conflicto; la ignoraban porque no tenían interés en averiguarla.

Pero en el departamento mecánico, mientras las fresadoras y los tornos laboraban bajo los pálidos destellos acerados de las lámparas, los hombres estaban inquietos.

—Tardan demasiado —dijo uno.

—Es buena señal —respondió Sergio.

—¿Por qué ha de serlo? Llevan encerrados casi un turno.

—Y a la mejor se pasan toda la noche.

—Si no han salido —indicó Sergio— es porque no han arreglado nada.

Pasó, a distancia, un capataz y los hombres dejaron de hablar. Lo siguieron con el rabillo del ojo, hasta que salió del taller.

—Ellos —señaló Sergio al que se había marchado— tienen miedo. ¿Ves cómo nos vigilan...?

—¡Bah! Así son siempre...

—No tanto —indicó el que manejaba la fresadora. Dicen que por las dudas, si vamos a la huelga, traerán gente...

Sergio se encogió de hombros y dio una fumada a la colilla que descansaba, llena de grasa, en el torno.

—Que los traigan. Se pondrán baratas las bofetadas...

Se había acercado, sin que ellos lo notaran, otro hombre. Llevaba en la mano derecha un soplete de soldador y sobre el pelo cenizo, a medio levantar, una máscara metálica con un rectángulo de cristal ahumado para proteger sus ojos.

—Muy bravito, ¿eh?

Sergio lo encaró.

—Sí, ¿y qué? —luego, dirigiéndose a los otros—: Si traen esquiroles tendremos que darles en la madre.

El de la máscara se había agachado para seleccionar unos trozos de metal recién torneados. Con ellos en las manos, comentó:

—Ya quisiera verte en un pleito. El primero que correría serías tú.

Sergio se engalló.

—No sería la primera vez, Pablo.

—¿Eres gallito, eh?

—No me le rajo a nadie —pronunció Sergio, parando violentamente la marcha del torno y empujando la mandíbula hacia Pablo.

Éste distendió los labios en una sonrisa. Le faltaba uno de los dientes de enfrente.

—Tú y tu padre son iguales —y torció la boca.

—¿Qué no te gusta de mi padre? —gruñó Sergio.

—Lo que no me gusta se lo diré a él. No a un mocoso como tú.

Uno de los que operaban la máquina terció:

—Marcos es un tipo. Un hombre.

Pablo, con su soplete de soldador, señaló al que había hablado:

—Cuando te lleve a esa estúpida huelga que busca, no dirás lo mismo.

Encantado, Sergio Luquín arguyó:

—La huelga es justa, Marcos no estaría en ella si no.

—¿Justa porque se trata de que no te corran? ¿A ti y a tus "camaradas"?

—Son compañeros nuestros —indicó otro.

—¿Compañeros? ¡Bah! Rojos revoltosos. Saboteadores.

—Hablas —dijo Sergio— como Perkins, o como tu amigo Quintana.

Pablo alzó de nuevo el soplete.

—Quintana sabe lo que hace. Si él estuviera en el Sindicato...

Sergio escupió entre las virutas de acero acumuladas a sus pies.

—¿Por qué no lo eligieron? Quintana puede engañar a unos cuantos estúpidos como tú, Pablo; pero no a todos los compañeros...

Por un instante Sergio y los otros creyeron que Pablo iba a enojarse, a agredirlo. Pero se limitó a sonreir, aunque estaba muy pálido y había en sus manos un temblor de ira.

—Pues tú y los tuyos han engañado a Marcos. Lo han hecho ir a pelear esa huelga —tomó aire. Hablaba ya un poco más calmado—: Ustedes hicieron sus tarugadas con un plan; buscando algo...

Otro de los obreros, el que había dicho que Marcos Luquín era todo un tipo, intervino:

—Estás loco, Pablo. ¿Para qué Sergio y los otros tres iban a hacer una tarugada, así porque sí?

—Lo que pasó no fue cosa de la casualidad —terqueó Pablo.
Sergio dijo entonces:

—¿Y cuando tú, por borracho, provocaste esa explosión el año pasado, lo hiciste con mala leche? ¿No fue una desgracia? —Pablo no arguyó. Aceptó su culpa con su silencio. ¿Y no iban a correrte, y no fue Marcos, mi padre, quien peleó con Perkins para que no te echaran?

—Es que... Era distinto —dijo Pablo débilmente.

—Que distinto ni qué... Mi padre nos defiende ahora, y pelea por nosotros, como lo hizo por ti. Porque para eso lo hicieron secretario general desde hace quince años...

De mal humor, sin añadir más, Pablo tomó su soplete y se marchó de allí.

El capataz que había pasado antes, se acercaba. Traía el ceño fruncido. Los hombres, al advertir su presencia, disimularon fingiendo trabajar.

—¿Sobre qué tanta plática? —preguntó.

Hicieron como que no lo escuchaban.

—¿Están sordos? Pregunto qué... —dijo en voz alta.

Sergio paró el torno y la voz del capataz resonó como el derrumbe en una montaña.

—No grite, que no estamos sordos —retó con insolencia.

Enrojeció el rostro del capataz. Los otros obreros se habían dado cuenta de que algo ocurría y lo miraban.

—¿Qué quería? —era Sergio quien interrogaba.

—Que hablan demasiado y trabajan poco.

Lo dijo y se alejó rápidamente, sintiendo sobre sí las miradas de burla de los hombres del taller.

—¿Qué les parece el angelito? —Sergio echó a andar de nuevo el torno. Ni hablar se puede.

Alguien preguntó:

—¿Habrá lío?

El hijo de Marcos Luquín, que vigilaba un corte en el hierro que giraba en las fauces del torno, asintió.

—De seguro que sí.

—¿Y qué pasará?

—¿Qué quieres que pase? La huelga la ganaremos nosotros.

Otro preguntó, atento al ir y venir de la cuchilla de la fresadora:

—¿Y si traen gente de fuera?

—No pueden —afirmó Sergio—: No pueden y no los dejaríamos.

—Pero, ya conoces a los patrones. Son capaces de...

–De todo —interrumpió Sergio—; pero no de eso. No en estos momentos.

–¿Qué quieres decir?

Sonrió enigmático. Movió la cabeza, y no contestó. El trabajo sobre el metal había sido hecho. Removió la pieza y la remplazó por una nueva, oscura, basta, cuya materia comenzó a cortar la filosa cuchilla de la máquina.

–Además —reanudó Sergio Luquín, sin dirigirse a nadie en particular— está jugándose algo más que la chamba de cuatro compañeros, incluido yo. Es una lucha sindical por la supervivencia del más débil ante el más fuerte. Si nos ganan esta vez, nos ganarán siempre... Que tú le caes mal a uno de estos capataces hijos de perra, pues, ¡psch!, te corren; te acusan de saboteador y te echan a la calle... ¿Y no creen que si en verdad, yo y los otros tres, hubiésemos hecho una trastada como la que dicen que hicimos, no nos habrían metido a la cárcel?

–Bueno, ¿entonces por qué quieren correrlos?

Hizo Sergio un amplio ademán con sus brazos llenos de aceite.

–Eso sólo lo sabe Perkins. Y también Quintana —algo no iba bien en el torno. Paró Sergio su marcha y buscó la causa. Puso aceite con una alcuza, al tiempo que hablaba—; Quintana, que siempre ha querido echarle zancadilla a Marcos. Pero el viejo es más listo que él y no se deja... Imaginen qué clase de tipo será Quintana que ni siquiera Perkins le confía. De otro modo lo habrían hecho secretario, aun contra Marcos...

Y como volvía el capataz, ahora en compañía de otro tan ceñudo y áspero como él, ya no siguieron hablando.

3

Perkins vertió café en la taza de Marcos Luquín.

–Gracias. No tomo azúcar —dijo éste.

La secretaria que había llevado el café, con la crema y los pastelillos al despacho del gerente, preguntó:

–¿Algo más, señor?

–No.

Cuando la mujer se hubo marchado, los dos hombres bebieron silenciosamente. El crepúsculo se oscurecía. Aún, a lo lejos, hacia el sur, los destellos finales del sol en descenso pintaban de rojo y dorado las crestas de las montañas que rodeaban al valle. El color violeta de las sombras iba haciéndose cada vez más espeso, más profundo. En los patios, las locomotoras se movían sordamente, entre resoplidos y choques y contrachoques de furgones enganchados. Como una vibrante onda de sonido latía el silencio en ese despacho del segundo piso, por cuyas ventanas, a espaldas de Luquín, se ensanchaban los grandes espacios abiertos de la Empacadora. Perkins, con su tacita en la mano, removiendo mecánicamente su contenido, se asomaba a través de los cristales.

Suspiró:

—Al viejo le hubiera gustado ver esto —comentó. Se refería, y así lo adivinó Marcos instantáneamente, a Ralph Perkins, el fundador de la empresa, cuyo retrato, dentro de un gran marco dorado, colgaba de uno de los muros. Aun en la fotografía, grande, ya un poco sepia por acción del tiempo, Ralph Perkins era un hombre que irradiaba autoridad y fiereza con sus bigotes de puntiagudas guías y sus ojos, precisamente, de águila.

Marcos se puso al lado de Perkins. Miraba también hacia los patios de la Empacadora. En primer término, un largo tren como un insecto gigantesco, del que hombres-hormiga, extraían cajas y más cajas; costales y más costales, de frutas, legumbres, semillas frescas. Visto desde lo alto, el patio y su actividad parecían irreales. Les faltaba la vitalidad que proporciona el sonido; las risas de los hombres, el ruido de los motores, el ronroneo de las pequeñas grúas móviles, pintadas de color naranja que conducían las vagonetas cargadas de materia prima al interior de la planta. Al fondo, uno tras de otro, como vértebras de una mecanizada columna, los gigantescos transportes de 25 toneladas estaban siendo cargados con miles de cajones de latas de conservas, para ser después llevados a la báscula y a la revisión final de los despachadores.

—Sí. Le hubiera gustado... —repitió Marcos, como un eco.

—Usted se formó a su lado, ¿no es así?

Asintió Luquín.

—Sí. Lo conocí. Era yo un niño. Mi primer recuerdo tiene que ver con un pescozón que me dio, por travieso.

Rieron ambos. Perkins se apartó de la ventana y fue a su escritorio. Dejó la tacita y abrió la puerta de cristales que comunicaba con la terraza, exactamente atrás de su asiento. Cuando entró de nuevo traía en sus manos una dorada jaula, con media docena de canarios. La colgó en un porta-jaulas que Luquín hasta entonces no había visto, y la cubrió con un oscuro capuchón de tela.

—Mi padre era un señor —dijo después, con orgullo y nostalgia. Con él nunca hubo problemas. Que yo recuerde, jamás una huelga.

Convino Luquín que así había sido. Caminó Perkins hasta situarse bajo el retrato de su padre. Habló de espaldas:

—¿Por qué, entonces, Marcos, vamos a empezar ahora?

Tintineó, casi bruscamente, pero sin enojo, la taza de Luquín cuando la dejó encima del escritorio, junto a la de Perkins.

—De usted depende, Mr. Perkins.

Éste avanzó hacia él. Sonreía. Pero sus ojos azules, que eran casi blancos a la luz del día y que se hacían pardos al ser heridos por el alumbrado artificial del despacho, permanecían fríos, como muertos. Lo tomó por los brazos, en un gesto patético, convincente y cálido.

—Marcos —comenzó—, no piense que habla conmigo, sino con él, con mi padre...

Luquín sonrió, mirando el retrato que quedaba ante sus ojos.

—Con él —dijo— esto se hubiera arreglado así —tronó los dedos—, así, sin tanto hablar. Y es que su papá sí tenía sentido de justicia, Mr. Perkins.

Perkins retiró sus manos de los brazos de Luquín.

—Habla usted como un agitador de plazuela. Sentido de justicia. Paparruchas, Luquín.

—Bueno, si así lo cree.

Vertió Perkins un poco más de café en las tazas. Esta vez no le pasó la suya a Luquín. Bebió él, con avidez.

—Hemos hablado demasiado —prorrumpió. No ha sido posible llegar a ningún resultado práctico. Ustedes, sin tener razón, se empeñan en fastidiar a la empresa, sin importarles qué consecuencias traerá su terca actitud...

—Ambos somos tercos, Mr. Perkins.

Enrojeció el gerente. Iba a decir algo violento. Sus ojos sin vida refulgieron un segundo con la humana chispa de la furia. Pero la chispa se apagó instantáneamente. Tomó una bocanada de aire, al hablar:

—Olvidemos eso. La cuestión es que ustedes no pueden hacer esta huelga.

—Es el único derecho que tenemos los trabajadores.

—¿Derecho contra qué, para qué? ¿Acaso no quiero indemnizar a los despedidos?

—Cierto. Pero sindicalmente eso no puedo permitirlo. Acusan a cuatro obreros de algo que no les ha sido probado.

—Oh Marcos. No empecemos de nuevo.

Luquín bebió un poco de su café, amargo y caliente. Perkins lo observaba, imitándolo.

Empezó Marcos:

—Mr. Perkins, hablemos claro. Franquéese y nos entenderemos mejor. ¿Por qué razón quiere despedir a esos hombres?

—Ya la conoce. Sabotaje.

—Es lo que usted dice. Pero no todo. Admito que los cuatro, por descuido, hayan podido hacer algo contrario a los reglamentos interiores. Pero —añadió— su falta no es tan grande como para ameritar su separación.

Perkins farfulló:

—No olvidemos nuestras posiciones en este caso, Luquín. Yo soy la empresa. Usted es un empleado mío.

—Y también el representante de sus empleados. En nombre de ellos hablo. Así que —insistió— diga, con franqueza, ¿qué tiene contra los muchachos...?

Asintió Perkins. Midió a Luquín. Era éste un hombre alto, grueso, moreno; con grandes manos y cuello ancho. Más o menos de su edad, pero tan distinto.

—No me gustan. No quiero políticos en mi fábrica. No quiero agitadores. ¿Está claro?

—Muy claro. Pero creo que exagera usted.

Perkins abrió los brazos y dijo, vivamente:

—¿Exagero? Mire... —corrió casi hacia el escritorio. Tiró de un cajón y extrajo una carpeta. Mire y diga luego si exagero...

Dentro de la carpeta había cuatro hojas escritas a máquina. Con tinta roja, en mayúsculas, se destacaban los nombres: "Sergio Luquín Pérez. Instituto Politécnico...". Ya no leyó más. Las otras páginas tenían más nombres, los de cada uno de los obreros en entredicho, y más datos reveladores.

Las depositó nuevamente sobre el escritorio. Mientras leía, Perkins no cesaba de explorar los nítidos rasgos de su rostro y lo vio enrojecer.

—¿Comprende ahora, Luquín? —dijo al cabo, triunfalmente, tras de guardar de nuevo la carpeta en el cajón y cerrar éste con llave. Si digo que los cuatro —evitaba mencionar a Sergio— son elementos indeseables, agitadores, es porque estoy seguro. He mandado hacer esa averiguación. No tengo duda. De allí que desee separarlos de los demás. No quiero líos en mi fábrica y no los tendré, cuésteme lo que me cueste Y otra cosa —impidió que Luquín arguyera—: Para poder creer en su buena fe, Marcos, debe usted proceder como es debido...

Cautamente aventuró Luquín:

—¿Cómo?

—Llegando a un arreglo. Por ejemplo —titubeó un momento—, sé que su situación ante sus compañeros está, o puede estar, comprometida. Pero hay una forma de sacarlo a usted limpio de esto. Mire —se inclinó, confidencial— estoy dispuesto a compensar económicamente a los separados. Les daremos no tres, sino seis meses de indemnización. Y en cuanto a su muchacho...

Luquín intuyó lo que a continuación vendría: el soborno. Sintió un mordisco de furia en su interior. Se irguió, casi violento.

—Déjelo fuera de esto...

Perkins prosiguió:

—...su muchacho podrá ser acomodado en otra parte, al cabo de un tiempo, naturalmente.

Luquín movía la cabeza, rechazando cualquier insinuación, cualquier arreglo. Instantáneamente desconfiaba de la buena fe de Perkins. Trataba de oponer entre él y su rival un muro de respeto; una frontera que delimitara, claramente, sus respectivos campos. Él, como dirigente de un sindicato que lo consideraba honesto, no podía ni siquiera escuchar las ofertas que Perkins hacía. No. Eso nunca. No podía, tampoco, admitir para su hijo un trato diferente al que se daba a los otros tres. Sería tanto como aceptar la culpa de unos y la inocencia del otro. Y así lo dijo:

—Gracias de todos modos, pero no es posible. Y otra cosa, Mr. Perkins. Este asunto debe arreglarse por los caminos correctos...

Perkins sonrió, sardónico:

—¿Quiere decir: pelea?

—Quiero decir... —no concluyó la frase. Se encogió de hombros. No soy yo, solo, quien debe resolver. Son ellos...

—Bien —asintió Perkins. Ellos.

—Yo los represento. No tomo decisiones por mi cuenta.

Vino Perkins hasta él y le palmeó el hombro:

—¿Es su última palabra?

—Sí.

—¿Va a hacer un plebiscito? ¿Una votación?

—Exactamente. Y voy a decir, también, lo que me ha ofrecido usted.

—Sería un error. Nunca conviene ser completamente honrado, ni completamente pillo.

—Pienso de otro modo.

Hubo una pausa. Se miraron fijamente a los ojos. Arqueó las cejas Perkins.

—Si yo fuera usted, Luquín, no saldría de este cuarto sin arreglar las cosas —se tornó más amable. Bajó el volumen de su voz. Parecía un amante en coloquio—: Sería fácil. Mientras menos voluntades entren en juego más pronto se llega a una solución. Decídase usted. No meta a la chusma en este asunto...

–Soy uno de la chusma, Mr. Perkins. No lo olvide. Con permiso.

Al abrir la puerta le dio en la cara el agrio olor a humo, aire viciado, a personas apiñadas, del otro cuarto. Hizo una seña a los suyos y siguió de frente. Los del comité lo imitaron. El último en salir fue Quintana. Perkins, muy tieso, se detuvo en el dintel de intercomunicación. El licenciado Robles frunció el ceño.

LA HORA SEGUNDA

1

Por medio del sistema de sonido local, Marcos Luquín se dirigió a los obreros de la Empacadora. Su gruesa voz tranquila explicó a los trabajadores que las pláticas que sostenían en la empresa se habían roto y que era necesario someter el asunto a votación. Se pedía cordura, orden y respeto para los funcionarios de la negociación y para las propiedades de la misma.

—Para que nos respeten, debemos respetarlos —repetía Marcos—: Dentro de diez minutos nos reuniremos en el patio principal.

Cortó la comunicación.

La primera reacción fue de estupor. Las bocas continuaron abiertas por un largo instante como cuando escuchaban. Hombres y mujeres, silenciosamente al principio, comenzaron a abandonar sus puestos. En la semipenumbra del anochecer las gorras blancas de las trabajadoras parecían un torrente de margaritas. Los overoles oscuros se movían como sombras en la atmósfera azulada. Ya afuera, en cuanto salían de los alargados galpones, empezaba el crepitar de las voces, los comentarios, las risas, las charlas dispersas, desordenadas y sin sentido.

—Ya decía yo —cloqueaba una mujer— Marcos no se iba a dejar.

—Claro. Perkins es un hijo de perra.

—Todos los patrones lo son.

—Ojalá —una obrera, gorda y sudorosa, manchada la cara con la tintura rojiza de las cerezas, resoplaba tratando de emparejar su paso al de las otras— ojalá y Marcos haga una bonita huelga. Ya es tiempo de descansar...

Los choferes de los remolques aguardaban órdenes. Había media docena de grandes camiones color aluminio listos para salir, en cuanto pasaran el trámite del pesaje. Los motores, que quemaban combustible diesel, martilleaban monótonamente. Uno de los conductores, grande y peludo, de piel rojiza y narices aplastadas, embragó la velocidad y movió la máquina hacia un lado para hacer lugar en la báscula al que le precedía.

Dos o tres trabajadores venían corriendo. Le hacían señas con los brazos. La cabeza, colorada como la de un fósforo, se asomó por la ventanilla. Los hombres se veían pequeños, en escorzo, como si fueran únicamente cráneos sin cuerpo.

–¿Qué pasa ahora? —preguntó el chofer.

–Párale ahí, Güero —dijo, ahogándose, el que parecía mandar a los recién llegados—; nadie puede salir.

–¿Quién lo dice? A mí ya me despacharon.

–Pues tendrás que quedarte. Lo ordena Marcos.

–Yo no quiero líos —gruñó el colorado, pisando el acelerador; haciendo rugir el escape de su camión.

–Nadie los quiere. Pero hay que obedecer —el que hablaba rio, con cierta maligna satisfacción. Además, no podrás irte. Han cerrado las puertas...

El hombre sentado ante el volante dentelleó una ristra de obscenidades y apagó el motor del vehículo. Los que habían venido a avisarle se marcharon. Otros choferes se agruparon ante el primero.

–¿Qué dicen?

–Que hay que esperar.

Vino un capataz. Traía en la mano izquierda un rimero de papeles, asegurados con una tenacilla de resorte a una tablita. En esos papeles estaban las órdenes de salida de cada uno de los camiones y el registro, exacto, de la carga que transportaba y de los sitios en que debía distribuirse.

–Vamos, vamos —gritaba. Andando. Muévanse.

Era tan grande y sanguíneo como el chofer al que llamaban Güero.

–Ni hablar, Jimmy. Ya estamos en huelga...

–Qué huelga ni qué demonios —con la mano abierta golpeaba sobre la portezuela del primer remolque. Este camión debe largarse ahora mismo. Mr. Perkins no ha dicho nada...

El Güero echó fuera de la alta caseta su musculosa humanidad. Parecía un edificio de carne y pelo. En su índice hacía girar el llavero del vehículo.

–Es Marcos y no Perkins quien debe decir. Y ya lo dijo —le picó la barriga a Jimmy y se alejó de allí con un reposado y seguro balanceo de sus espaldas de mula rumbo al sitio donde los trabajadores estaban concentrándose.

—El viejo se ha fajado los calzones.

Pablo, con un pedazo de estopa empapado en petróleo, limpiaba la grasa de sus manos y de sus brazos.

—Veremos por cuánto tiempo.

Sergio fingió ignorarlo.

—Claro, no podía ser de otro modo. Perkins tuvo que doblar las manitas.

—Me gustaría ver qué cara tiene...

—Buen regalo para su úlcera...

Pablo se echó sobre los hombros su vieja chaqueta de cuero y aguardó a que sus compañeros del taller salieran, para irse con ellos.

—Llevarnos a la huelga —comentó— me parece una estupidez.

Sergio le escupió casi, al decir:

—Tú debiste ser patrón. No trabajador. Tienes pasta de hijo de perra.

Pablo no se inmutó. Caminaban sin prisa, en grupo, hacia el patio donde ya habían encendido más luces; donde había ya medio millar de hombres y mujeres, en tanto que otros grupos o parejas u hombres y mujeres aislados continuaban llegando.

—Quieres que me enoje —dijo, al cabo. Que me enoje, para pegarme, ¿eh? Pero no te daré el gusto...

Sergio no estaba enojado, ni siquiera violento o molesto. Sentía un placer especial, una clase indefinible de superioridad en insultar a ese hombre, que sabía cobarde y que no lo disimulaba. El placer que se experimenta cuando se molesta a un niño y se le hace llorar o enfurecerse, por gusto.

2

Sobre la plataforma de un camión improvisaron la tribuna. El camión estaba lleno de hombres que pugnaban por aparecer en la primera fila, junto a Marcos Luquín y los otros miembros del comité de huelga. Uno del departamento de electricidad enfocó un gran reflector sobre el vehículo para iluminarlo claramente. Desde lo alto, en las ventanas del segundo piso, se apiñaban las cabezas de los empleados de confianza. Perkins, con ellos; y junto a él, Robles. Los capataces, que no sabían qué hacer, habíanse situado, en grupo, un poco más allá.

La gente estaba divertida, riente, bulliciosa, como esas multitudes alegres que se agolpan para entrar por las angostas puertas que conducen, en la plaza de toros, a las localidades baratas. De la masa, de ese informe amontonamiento de cabezas de hombre y de blancas gorras de mujer, brotó un grito anónimo, rijoso, simpático.

–¡Viva Marcos Luquín!

y

–¡Viva Marcos Luquín! —gritaron todos.

Hubo algunos aplausos, y un nuevo fluir y refluir inquieto del auditorio, que olía a sudor, a cuerpos aglomerados, a vinagre y chiles y pepinillos encurtidos. Después vino otro grito. Éste no alegre, sino áspero, y como fuera de tono y de tiempo.

–¡Mueran los capitalistas extranjeros...!

Las caras se volvieron. Se volvió también, desde lo alto del camión, Marcos Luquín. Esas caras se encontraron mirando a Sergio. Sintió éste que le caía encima un chaparrón de ojos duros, fríos, de reproche.

Hubo silbidos insultantes, o simples silbidos de burla, y risas que no venían al caso. Todo esto mezclado con el rechinar agudo del aparato de sonido, y ecos apagados de quienes urgían al operador para que lo pusiera en marcha. Marcos se aclaró la garganta. En los amplificadores se escuchó su voz.

–Compañeros... Compañeros... —comenzó.

La multitud aún no le hacía caso. Continuaba acomodándose, moviéndose, ajustándose en el centro de aquella masa apretada e intranquila; pero no intranquila por furia o deseos de violencia, sino por inmadurez e infantilismo. Era para ellos, lo que esta noche ocurría, un juego nuevo, un pasatiempo en el que habría un papel para todos.

Al fin, tras reiteradas llamadas de atención, pudo Marcos Luquín conseguir que lo escucharan.

–Compañeros —dijo, con un tono tranquilo, que no quería ser dramático, pero que lo era a pesar suyo—: Nuestras pláticas con la empresa han fracasado... Esto quiere decir que sólo nos queda un camino que tomar —hizo una pausa. La multitud que se había puesto seria, grave, atenta, guardaba un silencio casi religioso. Marcos pudo ver las caras anhelantes dirigidas a él, y también los ojos que pretendían penetrar más allá de lo que su propia cara revelaba. Esa multitud intuía estar al principio de una serie de acontecimientos desusados pero no ajenos a ella; distintos a los de todos los días pero no divorciados de la clase social, humana, a la que pertenecían—: Un solo camino... y ese camino, compañeros, es el de la huelga...

Volvió Luquín a detenerse. Por el micrófono se escuchaba el

silbido de su respiración. Había, al fin, anunciado un hecho; abierto las puertas al dilema de aceptar o rechazar. Hombres y mujeres no pudieron sustraerse al estupor que les causó saber, por boca de su jefe y camarada, del tipo que eligieron, que venían eligiendo desde hacía quince años, que iban a enrostrar el paro; que declaraban la huelga pacífica a la empresa; que iniciaban la lucha, roja y negra, por sus derechos. Un estupor como un mazazo, que los atontó de pronto; pero que inmediatamente después (por acción refleja de honda que se desplaza en sentido inverso a aquel en que fue lanzada), los sacudió con una emoción caliente, y casi fiera, incluso destructiva, y los empujó, del centro a la periferia, a sacudirse como un remolino, y a traducir sus emociones, sus pasiones y su ansia de acción, en aplausos, gritos y silbidos.

Luquín, con el micrófono en una mano, abiertos los dos brazos como un orador de plazuela ("como dice Perkins"), pedía calma, exigía silencio.

—Compañeros... —no dijo más, hasta que el rumor y los gritos, los silbidos y los vivas se acallaron. Compañeros, pero ese camino, el único que nos queda, es el último al que debemos llegar; el último que que tomemos...

Vinieron más murmullos. Las olas de cabezas movíanse de un lado a otro, consultando, comentando, especulando. Se volvieron después, de nuevo, hacia Marcos.

—Hay entre nosotros —Luquín localizó a Quintana. Se hallaba, no con la masa sino separado de ella; muy cerca del grupo de capataces, con Pablo y dos o tres de sus amigos; pero tampoco con los empleados de confianza—; hay, repito, compañeros que no están de acuerdo en que vayamos a la huelga. Dicen que yo quiero arrastrarlos a ustedes al paro sólo para proteger, para ayudar, para hacerle el juego a cuatro de los nuestros... Dicen también esas personas —ahora las cabezas de los obreros comenzaban a volverse, a mirar a donde otras miraban, a buscar a Quintana— que yo trato de obtener ventajas personales a cambio de venderlos a ustedes. Eso no es cierto...

Hubo más silbidos, insultos anónimos, gritos destemplados, que estallaban en el aire como cohetones, pero que no eran dirigidos a nadie en particular. Luquín pedía silencio, con imperiosos movimientos de sus brazos.

—Ustedes saben, compañeros, que nunca hemos tenido una huelga en la Empacadora. Que patrones y trabajadores nos llevamos bien... y que es nuestro deseo seguir llevándonos bien —Luquín sudaba. Se limpió la frente con la manga de su chaqueta—: Ustedes han tenido confianza en mí, por muchos años, y creo no haberlos defraudado.

Cuando se planteó la cuestión de defender a los compañeros en entredicho pedí, y obtuve de ustedes, facultades para hacer lo que mejor conviniera. Quise arreglar las cosas por las buenas, pero no se pudo. Y nadie puede decir que no pusimos nuestra mejor voluntad. Se me ha insinuado, compañeros, que ustedes reprobarán la huelga. Yo pude haber decidido esto, sin consultarlo. Pero no quise hacerlo. Los represento, pero yo solo no puedo tomar decisiones que afecten a todos. Por eso les pregunto, y de lo que contesten dependerá nuestra actitud, si están de acuerdo con declarar la huelga...

De la muchedumbre, que lo había escuchado casi sin respirar, sin moverse absolutamente, con una atención dolorosa y tensa, surgió un grito:

–Sí...

–La huelga —la voz de Luquín acalló rápidamente los últimos ecos— se hace por defender a cuatro de los nuestros. No por otra razón. No obtendremos más victoria que verlos trabajando de nuevo con nosotros. ¿Están de acuerdo?

–Sí.

–Ahora... —Luquín exigía silencio. El rumor fue apagándose.

En eso, una voz más fuerte, casi un grito, desvió la atención de los obreros; la arrebató del dominio de Marcos Luquín para centrarlo en Quintana. Éste había trepado sobre unas grandes cajas de madera y abría los brazos. La multitud lo encaraba, dando la espalda a Marcos.

–Un momento, compañeros. Un momento. Tienen que oírme antes. Es necesario que me oigan...

La voz de Quintana se escuchaba apenas, ahogada por los murmullos, por los comentarios sorprendidos de hombres y mujeres, por el ruidoso mover y remover de pies. Para los que estaban más próximos a Luquín y que habían quedado en la última fila del auditorio que escuchaba a Quintana, esos gestos, esos ademanes, esos movimientos del orador, carecían de sentido, porque no los ilustraba el sonido de sus palabras.

Con su pesada voz de hombre corpulento, el Güero bufó:

–No se oye... Que hable por micrófono...

Explosiones de comentarios, de ruidos, corroboraron, aprobaron, autorizaron lo que el chofer sugería. Otras bocas pidieron:

–Marcos, que hable... Déjenlo hablar...

Quintana saltó al suelo desde lo alto de la caja. Lo escoltaban Pablo y sus amigos cuando cruzó por entre la multitud, que se había separado apenas lo suficiente para permitirle el paso, rumbo al camión donde se improvisara la tribuna.

Ya arriba, Marcos le cedió el micrófono. Se tomó Quintana unos segundos para regularizar su respiración, antes de hablar.

–Éste, compañeros —dijo, aún jadeando—, es un mitin de obreros. Sólo nosotros podemos hablar. Pero sería conveniente que escuchásemos a la empresa, que es la otra parte en el problema...

Hubo otra explosión de gritos, de mueras; de silbidos que ahogaron las palabras de Quintana quien, empero, continuaba hablando. Al restablecerse nuevamente el orden, proseguía:

–...si fuera una huelga exclusivamente nuestra, estaría bien. Pero no es así...

Sergio Luquín había saltado, también, a la plataforma. Allí gritó, para que lo escucharan todos.

–Que se explique el esquirol... Que hable el vendido a la empresa.

Sobrevino un forcejeo. Querían que Sergio abandonara el camión, pero el muchacho se resistía. Su padre, al fin, lo puso en calma de un empellón. Sergio permaneció abajo, su cabeza a la altura de los pies de los que dirigían el mitin.

–Bien —aceptó Quintana—: Me explicaré. Yo no soy esquirol. Soy un trabajador como ustedes. Pertenezco al comité. Soy dirigente. Por eso deben creer mis palabras. Marcos Luquín los está vendiendo. No a la empresa, que sería lo menos malo. Sino a los comunistas. Por eso ha organizado esta huelga. Por eso quiere llevarlos a poner las cochinas banderas... Como obreros decentes, no debemos hacerle el juego a esa pandilla... Echemos de nuestra fábrica a los rojos... o de lo contrario, ellos nos echarán a nosotros...

La marea cambió instantáneamente. Las caras se tornaron duras. Las bocas se cerraron, en un gesto áspero y cruel. Cayó el silencio, de un solo golpe, como una losa de cementerio.

El Güero, con su vozarrón, exigió:

–Que se vayan a Rusia...

–Fuera los rojos...

–No queremos comunistas...

Y alguien más gritó:

–Vamos a colgarlos. ¿Quiénes son?

Y alguien demandaba:

–Que hable Marcos... Que hable...

La multitud se había enfurecido. Ya no razonaba. Ya no se divertía. Quintana había llegado, con unas cuantas palabras, a su fibra sensible. Fructificaba en ese instante una campaña de muchos años, dirigida por Perkins, utilizando folletos de propaganda antirradical;

repitiendo conceptos de eso tan abstracto que es la democracia; machacando hasta el cansancio, por todos los medios, en todas las ocasiones, sobre la fortuna que tenían los obreros nacionales de no estar contaminados con las ideas exóticas; filtrando en las mentes de hombres y mujeres el sagrado terror a todo lo que significara socialismo, comunismo o marxismo. Perkins, desde su ventana, sonreía. Su labor daba resultados. No habían sido ni tiempo ni dinero mal empleados.

Comentó a Robles, por lo bajo:

–Quintana lo ha planteado hábilmente...

Robles asintió:

–Sí. Pero es un mal bicho...

Perkins pasó, amable, su brazo por encima de los hombros de su abogado.

–De todos modos, lo hizo en el momento oportuno. Ahora le será difícil a Marcos calmar a su gente...

Marcos Luquín impuso su autoridad. Arrebató el micrófono a Quintana y exigió silencio. Algunos grupos seguían metiendo bulla. Marcos gritó:

–Si no se callan... —no necesitó completar la frase. Todos guardaron silencio.

Quintana sonreía. Sentíase ancho, importante, tranquilo y seguro de sí mismo. No se sustrajo a la vanidad de voltear hacia las ventanas de la gerencia. Al ver que continuaba todavía allí Mr. Perkins gozó del placer indescriptible de intuirse grato al gerente.

Luquín dijo, pausadamente:

–Quiero dejar aclarado esto, compañeros: Yo no tengo interés en declarar la huelga. Por eso lo he consultado con ustedes. Si vamos a ella será para defender a cuatro compañeros...

Quintana gritó:

–Y a su hijo, que es rojo...

–Defendería al tuyo también, Quintana. Es mi deber... Éste es un sindicato democrático...

Bocas anónimas silbaron. Quintana, con sorna, preguntó:

–Si es un sindicato democrático, ¿tengo derecho a seguir hablando?

Antes de que Marcos pudiera decir algo, Pablo y los amigos de Quintana, e incluso algunos que habían vitoreado a Luquín, exigieron:

–Que hable. Que diga todo...

Quintana tomó el micrófono. Gozaba, paladeaba su triunfo. Sentíase apoyado, por primera vez en su vida, por esos hombres y esas mujeres que eran sus compañeros, pero no sus amigos.

–Seguramente —comenzó— muchos de ustedes no creen lo que les he dicho: que Marcos Luquín y su hijo de acuerdo con los rojos, tratan de arrastrarnos a una huelga inútil. Ahora voy a probarlo...

Alzó la mano derecha y llamó a alguien. Todas las cabezas se volvieron en la dirección señalada por Quintana. Los ojos de los trabajadores situaron a dos hombres, ambos ancianos, vestidos con pobreza. Los reconocieron. Eran dos que la empresa quería despedir. En silencio, cabizbajos, avanzaron.

Quintana los invitó a subir. Sergio Luquín sintió, dentro de sí, un aleteo de inquietud. La boca se le llenó de saliva helada, como ocurría siempre que las cosas marchaban mal.

Hizo Quintana que los dos hombres se pusieran a su lado. Luego indicó:

–No necesito decirles quiénes son, ¿verdad?

–Noooo —respondieron varias voces.

–Ellos... nuestros compañeros... han sido utilizados como instrumentos de maniobra en contra de la empresa, en contra de nosotros mismos...

Mientras Quintana hablaba. Sergio se movió, con cortos pasos laterales, para quedar situado exactamente frente a los dos hombres. Ellos lo miraron al mismo tiempo y vieron el puño de Sergio que se crispaba en algo que no podía ser otra cosa que una advertencia, una amenaza.

–A este par de hombres —continuaba Quintana— los utilizaron como instrumentos... los obligaron, casi, a delinquir: a sabotear a la empresa, a fin de provocar el conflicto. Ellos me lo han dicho. Ellos lo dirán a ustedes...

Los obreros como puestos de acuerdo, guardaron silencio. Sergio buscó nuevamente las miradas de los dos hombres que iban a hablar. Lo invadía ahora, junto con el miedo, una furia terrible; un deseo destructivo y feroz. Y su puño, con disimulo, estaba presente ante los hombres como mudo símbolo de represalia.

Inició Quintana un interrogatorio:

–¿Hablaron ustedes conmigo, anoche?

Entre la pregunta y la respuesta medió una eternidad de angustia.

–No —dijeron casi simultáneamente los interrogados.

Del bloque de cabezas surgió un murmullo sorprendido.

Arriba, Perkins comentó:

–O mucho me equivoco, o Quintana se ha metido en un hoyo.

Robles no dijo nada.

Repetían los altavoces en todos los rincones de la fábrica:

—Ustedes —la voz de Quintana trataba de intimidarlos— me dijeron anoche, cuando fueron a buscarme a casa...

Uno de los hombres, el más viejo, rechazó con un temblor:

—No hemos ido nunca a su casa...

Quintana perdió los estribos, y con la mano libre cogió al anciano por el pecho de la camisa.

—Habla, desgraciado. Repite aquí —le metía el micrófono bajo las narices— y di lo que me dijiste: Que el hijo de Marcos y sus amigos te habían obligado a hacer lo que hiciste... y que te prometieron...

El hombre, obstinadamente mudo, movía la cabeza de un lado a otro, resistiendo, no como si sólo quisiera Quintana que hablara, sino como si éste pretendiera hacerle tragarse el micrófono.

Marcos Luquín intervino rápidamente, apartando a Quintana. Se adueñó de la situación. Habló en forma simple y directa:

—Han visto, compañeros, cómo un engaño no puede durar mucho. Éstas son las pruebas que tenía Quintana contra mí. Han visto, también, que sus testigos han actuado libremente... y lo han desmentido...

Se armó una batahola tremenda. Marcos sentíase nuevamente fuerte, seguro y tranquilo. Dejaba que la gente, que se había puesto en su contra, desahogara su mal humor en insultos, imprecaciones y mueras contra todos. Alguien, anónimo, dio un empellón por la espalda a Quintana lanzándolo hacia las primeras filas de espectadores. Marcos intervino. Había que evitar la violencia. Calmaba a sus compañeros en tanto que Quintana, resentido y golpeado, se abría paso a puñetazos entre los obreros.

Restablecida la calma, habló Marcos:

—Yo no los engaño. Yo no soy político —ponía una vibración cálida, fraternal, sincera en sus cortas frases. No lo he sido nunca. Soy uno de ustedes, nada más. Que sabe dónde le aprieta el zapato —hubo risas—; ya conocemos que nuestro "amigo" Quintana —lo interrumpió una salva de chiflidos— sí es político y no vacila en utilizar la calumnia...

Ahora la masa pedía:

—Emplúmenlo...

—Mátenlo...

—Cuélguenlo...

Eran gritos, más que de enojo, de burla. El mismo Luquín reía, al parejo de los otros.

Pidió silencio.

–Pero, olvidemos eso... ahora debemos pensar por nosotros mismos. Estos dos hombres no serán despedidos si ustedes no lo quieren. Les faltan unos meses para obtener su jubilación. ¿Vamos a negarles el derecho de una vida tranquila, después de treinta años de trabajo?

Casi un millar de voces respondió:

–Nooo...

–La huelga será dura. Puede durar poco o mucho. No lo sabemos. Somos un sindicato pobre. La empresa es rica. De ustedes depende ahora seguir o no. Ir al paro o continuar como hasta hoy... pero con cuatro de los nuestros en la calle...

–Huelga...

–Huelga...

–Abajo la empresa...

–¿Creen que nuestra causa es justa?

–Sí...

–Y otra cosa —Marcos abrió dramáticamente los brazos y estuvo así, hasta que el silencio fue absoluto—: Los que no quieran acompañarnos, pueden irse. No tendremos nada contra ellos... Pero ya no podrán ser nuestros compañeros... Ahora, a votar... para que no digan —miró hacia la ventana de Perkins —que no hacemos las cosas correctamente...

Una selva de manos se alzó al cielo, que ya era de color azul marino. Y casi en hombros, reclamado por esas manos rudas y activas, Marcos Luquín abandonó la tribuna.

Perkins se había tornado sombrío. Cerró de golpe el cristal corredizo de la ventana. Encendió, en silencio enfurruñado, un cigarro.

–Los embaucó el bastardo —escupió, al cabo.

Más tranquilo, menos furioso que Perkins, el licenciado Robles suspiró:

–A él lo han embaucado también...

Perkins, nerviosamente, empujó sus largos pasos hasta la ventana. Corrió el visillo. Abajo, en el patio, los obreros continuaban apiñados en torno a un núcleo central que no podía ser otro que Marcos Luquín.

–Dentro de un momento estarán aquí —farfulló, dejando caer el visillo.

Robles se arrellanó en la poltrona.

–¿Por qué no transa con ellos, Perkins?

Rojo de ira, el gerente lo encaró.

–Eso, nunca. Es como tener polilla. Deje que entre una sola a su ropa y la devorará toda.

–Admita a esos cuatro tipos —decía Robles, fríamente. Después, dentro de unos meses, podrá mandarlos a cualesquiera de las otras sucursales...

Perkins se rehusaba a aceptar cualquier sugestión. Fue al escritorio. Oprimió un botón. Dijo a Robles:

–Podremos reventarlos. Nunca transar...

En la puerta de la sala del consejo, apareció la secretaria del pelo color arena.

–Consiga —gruñó Perkins— una llamada a Nueva York. Para —miró su reloj de pulso—, para las once. A mi casa.

Asintió la mujer y se marchó tan silenciosamente como había llegado.

Robles se alzó.

–Más vale un mal arreglo que un buen pleito, Perkins.

–¿Y cree que no lo sé? Pero, no olvide. Tengo socios. Debo consultar...

3

Perkins los recibió de pie, fríamente. Apenas despegó los labios.

–Al fin lo hicieron, ¿eh?

Había en su voz un resentimiento helado. Se apoyó en el respaldo de su silla de cuero, para que los hombres no vieran que las manos le temblaban. El licenciado Robles, de espaldas al grupo, curioseaba a los pálidos canarios ingleses que brincaban, inquietos, en un piar nervioso, dentro de su jaula.

–No por gusto nuestro —repuso Luquín.

Los otros del comité de huelga, los que habían estado en la discusión y los que fueron nombrados después, en cuanto se marcharon Quintana y los suyos, asintieron dolorosamente. Para casi todos era ésa la primera vez que pisaban el despacho de Perkins, y la suntuosidad del lugar los abrumaba, los hacía sentirse pequeños, desarmados.

Con un tono de reproche abierto, de reto casi, el gerente intentó sonreir, así que decía:

–No lo creí nunca de usted, Luquín. Nunca.

Intervino el licenciado Ayala; el de los obreros:

–¿Para qué seguir hablando, Mr. Perkins?

Éste asintió, lentamente.

–Claro, ¿para qué hablar?

Sobrevino un silencio. Se escuchaba tan sólo presente el piar de los canarios; y lejano, amortiguado por las barreras de cristal de las ventanas, el movimiento incansable de las máquinas patieras en la estación de carga. Los hombres se miraban las manos en la profunda pausa vacía de palabras; desviaban los ojos para no mirar a nadie, para no tropezarse con los ojos del vecino o de Perkins, que también callaba y, al hacerlo, prolongaba esa como angustia, que era sólo embarazo de los hombres.

Ayala habló, al cabo:

—Sin embargo —propuso— estamos dispuestos a negociar.

Robles se apartó de la jaula y vino a situarse junto a Perkins:

—Es razonable. Lo menos que podía hacerse.

—Tenemos buena voluntad de arreglar esto —añadió Ayala—: no hubiera sido necesario llegar al extremo de...

Vivamente Perkins dijo:

—Así pienso. Pero se llegó...

Cabeceó Ayala hacia los que estaban un paso atrás de él:

—Ellos, los trabajadores, no lo hubieran hecho si...

Había peligro de enredarse en una nueva discusión que no conduciría a ninguna parte. Perkins volvería a insistir, en tono de reproche, que los trabajadores traicionaban a la empresa declarándole una huelga que se le antojaba absurda e inútil; y los obreros, por medio de Luquín, de Ayala o de cualquier otro, machacarían que la justicia los amparaba, que la razón les pertenecía. Y podían pasarse toda la noche discutiendo, como ya se habían pasado todo el día. Por ello, Robles terció:

—Queda un recurso: el único bueno para ustedes y para nosotros —hablaba tranquilamente, con una voz monótona. Ir a la Junta, mañana...

Impulsivo, Perkins ignoró a su representante legal y se encaró a Marcos Luquín.

—De usted depende, ahora, aquí, evitar el paro —comenzó.

—Ya no es cosa mía, Mr. Perkins. Los hombres votaron la huelga.

Explotó el gerente:

—Al diablo con ellos.

—Respeto su voluntad. Si hubieran votado en contrario...

Perkins movía la cabeza, rehusándose a entender otra razón que no fuera la suya. Sus pálidos ojos estaban más fríos, como muertos.

—Paparruchas —gruñó. Es una marranada lo que me hace, Luquín. Esperar a que tuviéramos las bodegas llenas.

–Yo no escogí el momento.

–¡Claro que sí! —Perkins estaba realmente furioso. Su puño, de exangües nudillos, golpeaba la silla. Y lo escogió bien. Tenemos cuatro millones de pesos en las bodegas. Cuatro millones de mercancías que mañana estarán podridas —fue a la ventana, cruzando el cuarto ante los hombres, y descorrió el visillo. Apuntaba al exterior con el índice, mientras ladraba su ira, a los del comité—: Y ustedes hacen su huelga, precisamente hoy, cuando empieza la estación de la fruta y la legumbre; cuando más daño pueden causarnos...

Marcos Luquín sentía que las palabras de Perkins iban dirigidas a él; que las decía para ofenderlo, para hacerlo sentir como un canalla. Pero Perkins y los demás no ignoraban que la huelga no se planeó con el fin determinado de perjudicar a la empresa; que no se escogió, como insinuaba, ese preciso día para ir al paro. Era, sin embargo, una lamentable coincidencia el que estallara el movimiento cuando las bodegas de la Empacadora Águila estaban llenas de frutas y legumbres perecederas, que en circunstancias normales estarían siendo ya procesadas en ese momento. Lo dijo así, pero Perkins no deseaba escucharlo. Tenía su propia idea de las cosas y no había modo de hacerlo cambiar.

–No fue nada personal —protestaba Luquín.

–Es una canallada, Luquín. Una cochina canallada...

Robles intervino nuevamente para calmar los ánimos.

–Es inútil seguir discutiendo, Mr. Perkins —dijo firme, nítidamente—, al menos aquí y en este plan —se volvió a mirar a Ayala. Estoy seguro que los trabajadores desean, tanto como nosotros, llegar a un arreglo pronto. Mi colega, el licenciado, no desconoce que estas cuestiones pueden solucionarse fácilmente, si las partes lo desean; lo desean en verdad —recalcó el sentido de sus últimas palabras.

Ayala repuso:

–Por nuestra parte no rechazamos negociar... Si lo desea —se volvió a mirar a sus representantes, luego a Perkins y a Robles— usted y yo, licenciado, podíamos seguir conversando sobre el particular para...

Robles no necesitó que Ayala terminara su frase. Asintió, interrumpiéndolo:

–Naturalmente que sí...

Nuevamente hubo una larga pausa silenciosa. Robles metía en su portafolio de piel de cocodrilo un legajo de papeles. Chasqueó la cerradura, al terminar.

Marcos Luquín dijo, al fin:

–Hemos venido, Mr. Perkins a notificarles, oficialmente, que desde este momento los obreros de la Empacadora están en huelga. Y —se aclaró la garganta, para luego proseguir sin detenerse, sin titubear, rápidamente, como si quisiera cuanto antes salir de un atolladero—, y también a pedirles que desalojen las oficinas.

Intentó Perkins hacer una última, desesperada resistencia:

–¿Las oficinas? —su rostro se encendió. De ninguna manera. Aquí hay papeles, documentos valiosos. No puedo permitir que...

En voz alta, casi golpeada, Marcos le detuvo:

–Somos huelguistas, no ladrones, Mr. Perkins —por unos segundos, se dejó arrastrar por la furia. Añadió, más calmado—: Nadie tocará nada de lo que hay aquí. Usted mismo —señaló el cancel de madera— puede cerrar con llave...

Perkins se encogió de hombros. Nada le importaba. Bruscamente cerró los cajones del escritorio y apagó las luces. Echó a caminar por delante, sin hablar. Cruzó las puertas corredizas y siguió de frente.

Marcos preguntó:

–¿No cierra?

–No.

El elevador privado los esperaba. Cuando descendían, Perkins preguntó a Luquín:

–¿No podían esperar... un día, dos?

Marcos negó.

–Ya sabe cuáles son nuestras condiciones, Mr. Perkins. Basta que usted diga: "Marcos, esos cuatro muchachos siguen con nosotros", para que los obreros vuelvan a su trabajo en quince minutos...

El ascensorista había abierto la puerta al llegar al vestíbulo. Perkins, firmemente, rechazó la proposición de Marcos. Los otros empleados de la empresa —taquígrafos, contadores, secretarias, jefes de sección, que no pertenecían al sindicato— se marchaban también, utilizando la escalera monumental. Estaban desorientados, sin saber qué hacer.

Perkins hizo, con sus brazos, ademán de que se acercaran.

–Están ustedes enterados de lo que ocurre —dijo. Se ha cometido contra nosotros un atraco. Pero no voy a juzgar de ello, ahora. Tenemos huelga. La fábrica se cierra y no sabemos por cuánto tiempo. A ustedes, que han permanecido fieles, les agradezco su lealtad. No la olvidaré, lo prometo. En cuanto todo se arregle se los haré saber...

Hubo murmullos, comentarios, despedidas rápidas de hombres y mujeres que alargaban sus manos para que las oprimiera distraídamente Mr. Perkins. A la muchacha de pelo color arena le ordenó:

–La espero mañana en casa.

–Sí, señor...

Quedaban ya, en el amplio vestíbulo de pisos de mármol y paredes revestidas de finas maderas tropicales, Perkins, Robles y los obreros. El gerente abrió los brazos, como era su costumbre, y giró sobre sí mismo, abarcando con ellos aquel ámbito. Era una despedida.

Cuando salían, tras de empujar la puerta giratoria, Robles preguntó, con su habitual cordialidad, a su colega:

–¿Nos iremos juntos, licenciado?

–Como usted guste, abogado...

Media docena de automóviles esperaban en los patios. El más grande y reluciente, el de Perkins. Un chofer de uniforme oscuro le aguardaba junto a la portezuela abierta. Grupos de trabajadores vagaban por los alrededores, fumando, conversando, o simplemente mirando hacia el grupo de hombres que salía de las oficinas.

Ayala se retrasó unos pasos y dijo:

–Estoy seguro de que pronto tendremos una victoria. Yo seguiré en contacto con ustedes, Luquín. El licenciado Robles y yo quizá arreglemos esto...

Luquín dijo que confiaba en él. Le dio una palmadita y lo vio reunirse con Robles, que lo aguardaba ya dentro de su propio automóvil.

El automóvil de Perkins fue el primero en partir. Quienes vigilaban la puerta metálica la franquearon para que saliera. Cabezas de hombres y mujeres se agachaban a su paso, en su deseo de espiar la cara del hombre que era el patrón, el dueño, el dios de la empresa; ese hombre enfurruñado, que miraba rectamente por encima de la nuca del chofer, y que no se volvió ni una sola vez.

4

Los del comité se habían marchado para ver la forma de organizar a la gente, en esa primera noche de huelga. Luquín había preferido quedarse a solas por un tiempo, para ordenar sus ideas; para hallar la punta del enredado ovillo. Era ésta la primera vez en su vida que participaba en un movimiento de tal naturaleza. Y se hallaba, de pronto, ante una realidad dolorosa y desagradable; no sabía qué hacer, por dónde empezar. Bajo uno de los reflectores que alumbraban el patio, ya desierto y silencioso, se detuvo. Miró nuevamente el último balance de los fondos que el sindicato poseía. La cifra no era consoladora. Menos de diez mil pesos. ¡Diez mil pesos para sostener a setecientos huelguistas! Y estaban, además de los regulares, los trabajadores eventuales, esos que cada año, al comenzar la gran temporada de labores, en primavera y verano, eran empleados en número de trescientos. Pagaban cuotas de paso y gozaban, por la vigencia de su contrato, de ciertas prerrogativas sindicales. A ellos también debía sostenerlos, alimentarlos, alojarlos el comité.

Guardó Luquín la hoja de papel amarillo, doblada en cuatro pliegues, y empujó sus pasos por el patio. Entró al galpón de bajo techo de diente de tierra, que albergaba la chilería; el reducto principal de la producción de la Empacadora. Una hora antes un ciento de obreros laboraba en el envase de encurtidos. Ahora el sitio veíase silencioso, con sus largas mesas atestadas de latas a medio llenar. De las máquinas no fluía ya el atareado rumor del vapor. Los enormes tanques de agua hirviente o agua helada eran como platos de gigantes abandonados en un pánico. Apagó las luces y el silencio se hizo más denso, más doloroso. Al fondo había un resplandor rojo, azul, naranja, de los focos que enmarcaban el pequeño altar donde los trabajadores tenían su imagen religiosa.

Durante un tiempo, solo, escuchando el golpear de sus zapatos en los pisos húmedos, caminó Luquín por los diversos departamentos de la Empacadora. Fue apagando las luces. Todas, excepto las de los altarcitos. Experimentaba la sensación de ser el último guardián de un cementerio. La luz, al ser suprimida, sumía todo aquello en un nicho de muerte.

Llegó por último al departamento donde él trabajaba: los depósitos de vinagre. El lugar era frío, casi helado. Por venir del aire puro y tibio del exterior sintió más aún el cambio de temperatura, y el áspero aroma amoniacal le arañó las narices. Cinco de esos grandes depósitos habían sido hechos por él con sus propias manos, en los últimos años. Con ternura, pasó sus palmas encallecidas con la emoción caliente de los padres, sobre la barnizada superficie. Luego, lentamente, se volvió al otro extremo. Allí, como un ventrudo ídolo color caoba estaba el tanque mayor, su obra maestra. Su orgullo profesional. Era casi tres veces más grande que los otros, y muy nuevo. Y a pesar de ello el que mejor vinagre producía.

Se paró ante él, con las manos enlazadas por la espalda. Nunca como esa noche le pareció más perfecto, más bello, más imponente ese tanque. Perkins lo había felicitado al terminarlo: "No tiene nada que pedirle al mejor del mundo", fueron sus palabras y Luquín se sintió feliz. Y luego vinieron fotógrafos y tomaron placas con Perkins y el químico y Marcos Luquín, muy orgulloso, en medio de ellos. Conservaba una de esas fotografías.

–"Al mejor tonelero del mundo"... —repitió la dedicatoria con pudor, en voz baja, pero lleno de orgullo.

Estuvo un rato más allí. Alguien se acercaba. Alguien repetía su nombre:

–Marcos... Marcos...

Reconoció la voz y se dirigió a la salida. Apagó la luz de la dependencia y salió al patio.

Quien lo buscaba era Sergio, su hijo.

–Andaba buscándote, viejo —dijo Sergio, emparejando su paso al de su padre.

–¿Qué quieres?

–Nada, sólo verte. Hablarte.

–Ah.

–¿Sabes? Hiciste una muy buena faena, en el mitin.

Luquín sólo gruñó algo ininteligible.

Sergio lo tomó por el brazo.

–Casi me asusté, cuando Quintana les dijo a los tipos que tenía pruebas contra ti.

Sin mirar al muchacho, Luquín repuso:

–No podía acusarme de nada.

–Claro, claro...; pero pudo muy bien equivocar a la gente. Y entonces no tendríamos esta bonita huelga...

–No le veo lo bonito a la huelga —escupió Marcos un grueso salivazo—: La gente va a sufrir si no se arregla pronto...

Sergio, sin detenerse, encendió un cigarro. Expulsó el humo. Continuaba hablando animadamente, con alegría:

–Ya nos ayudarán... Puedes estar seguro.

–¿Quiénes?

–Bah. No faltará.

–¿Tus amigos?

–¿Por qué no?

–No quiero saber nada de ellos.

–Hablas como un reaccionario.

–Hablo como una gente decente. Por tu culpa, y bien sabes a qué me refiero, estamos metidos en este lío...

Sergio estaba divirtiéndose. Se encogió de hombros:

–Todo dirigente sindical debe tener una huelga de cuando en cuando. Proporciona madurez...

Luquín se detuvo bruscamente. Encaró a su hijo. La luz que venía de uno de los reflectores colocado en la barda, como un collar en torno a la Empacadora, le daba de lleno a Sergio.

Éste, sin parpadear siquiera, sin dejar de sonreir ni un instante, resistió la mirada de su padre.

–Tú y tus cochinos amigos —barbotó— han venido a meter la cola aquí. ¿Quién demonios los llamó...? Pero sí he de decirte algo: en cuanto esto se acabe tú y ellos van a largarse para siempre...

–Si crees que esto es obra de los Rojos, como les dices —retó Sergio— ¿por qué no quisiste arreglarte con la empresa?

Sin mucha seguridad repuso Luquín:

–Porque defendía una causa que creo justa. No por ti, sino por los otros pobres diablos que enredaste...

Volvieron a caminar. Se aproximaban ya a la puerta principal, que había sido cerrada, excepto en la angosta tronera por la que apenas podía pasar un hombre. Los que aguardaban, al ver llegar a Marcos comenzaban a levantarse, a moverse, a comunicarse unos a otros, dentro y fuera de la Empacadora.

–Me odias, ¿verdad? —preguntó Sergio sin acritud. Luquín no respondió. Sergio añadió—: Seguramente preferirías que fuera como mi hermano, como Carlos, que estudia para cura...

Luquín se detuvo. La tenaza de su mano se clavó en un brazo de Sergio. Lo hubiese despedazado a golpes; pero una media docena de trabajadores venían ya a su encuentro. Miró con toda la capacidad de ira de que era capaz la cara del hijo. Lo soltó.

–No sé qué le hice a Dios que me ha dado dos hijos de perra.

Sergio movió la cabeza. Sonreía cuando dejó colgar de sus labios el cigarro.

La hora tercera

1

La calle parecía una feria. El arroyo carecía de pavimento. No porque estuviera roto o abandonado sino porque jamás lo había tenido. Años atrás las autoridades municipales lo cubrieron con adoquines y, más tarde, cuando Perkins edificó el nuevo grupo de edificios, esas mismas autoridades le impidieron modernizar, con cemento armado, aquella parte del barrio.

Era una calle angosta, perpendicular a una avenida pavimentada, de tránsito intenso para los camiones de las otras fábricas; para los grandes transportes a remolque que llegaban a llevar o a recoger carga a la estación. Estaba mal iluminada, como todas las de la zona. A tramos de cincuenta metros, un farol tuberculoso. Del lado opuesto, paralela a la avenida formando una H con la callecita intermedia, reptaba un sinuoso callejón desierto que corría como un río seco, oscuro y maloliente, al pie de los muros de la Empacadora. Y frente a ésta, en la acera contraria, se extendían las paredes traseras, polvorosas y desconchadas, de un par de almacenes de chatarra. Pero entre ambos alzaba su angosta estructura de dos pisos un pequeño edificio pardusco, con ciegas ventanas en los altos, entre las cuales parpadeaba la luz intermitente de un letrero.

HOTEL PARAÍSO

Había gente en esas ventanas y también en la puerta del hotelito; y más gente en la otra acera, mirando con tranquila curiosidad a los huelguistas; y vendedores de fruta y de chicharrones de harina, y un tipo con un carrito que imitaba a una locomotora cuyo silbato, a vapor, hacía sonar de cuando en cuando para pregonar los olorosos camotes asados que los niños y las mujeres y todo aquel que sentía hambre iban a comprarle, en esa primera hora del movimiento. Y otras mujeres, muy pintadas, con sus bolsos de mano en vaivén incesante, comenzaban a mezclarse entre los obreros sentados en la banqueta; y esas mujeres que mascaban chicle y que usaban faldas brillantes muy por encima de las rodillas, que tenían vientres abultados y fofos senos bajo las chaquetillas cortas de tela imitación piel de leopardo o astracán, reían e invitaban a los trabajadores a cruzar el angosto empedrado y pasar al hotel. Y vino luego un viejo doblado por el peso de una caja inmensa; y colocó la caja, que era un cilindro tan viejo como él mismo, en un palo y dio vuelta a la manivela; y el aire de esa joven noche de julio se llenó con la música alegre y transparente, como de cristal, de una melodía popular.

Había también un coche, un polvoso Ford parado ante el hotel, pero no como si aguardase a alguien que estuviera dentro; no, sino en vigilante espera, casi tan tenso como los dos hombres que lo ocupaban y que no eran obreros, ni tampoco curiosos, ni casuales transeúntes. Uno de los hombres, el más tranquilo, era joven. No llegaría a los treinta y su rostro era angosto, como el de un ratón; y su piel tenía, como si fueran pecas, muchos volcanes de acné, tan agrupados en ciertos sitios de su cara que fingían ser manchas. El otro era mayor, robusto, y parecía no encontrar acomodo a su cuerpo en el asiento delantero del coche. Apoyaba sus dos manos en la rueda de la dirección y se movía cada diez segundos.

—Estáte quieto —dijo el más joven, el de la cara de ratón, sin mirarlo, porque sus ojos no se habían despegado ni un solo instante, en la media hora que llevaban allí, de la ancha puerta metálica pintada de gris mate, de la Empacadora.

—Es que ya me cansé —protestó el otro.

—Bájate, entonces.

El tipo permaneció cosa de un minuto, mirando a los grupos de obreros moverse en la calle como un rebaño sin pastor ni guía, o formar corros en torno a los vendedores, que se alumbraban con hachones de petróleo o con velas envueltas en papel periódico.

—Y hasta música tenemos —comentó.

El joven de la cara de ratón comenzaba a irritarse, no por la espera, sino por la charla incesante de su compañero. Su delgado cuerpo estaba tenso. Era como un resorte oprimido al máximo, pero ya pronto a expanderse.

—Cállate.

El otro lo miró de soslayo. Vio su cara flaca y pálida, áspera de granos, y su fina boca sin labios firmemente apretada.

—Está bien, hombre.

Al cabo de un tiempo, dijo:

–Míralos —señaló a los obreros. Había cierto desdén furioso, impotente, en sus palabras—, son como bestias. Sin sentido de clase, ni de organización.

Su compañero se encogió de hombros. Se movió por primera vez desde que esperaban, apoyando sus descarnadas espaldas en la parte interior de la portezuela.

–Al contrario, será fácil.

–No saben nada de estas cosas. Es su primera huelga.

–Por eso mismo. Son como un cuerpo al que nunca le han dado medicinas. Con un poco de cualquier cosa responde... y sana.

El otro hizo:

–Ah... —y rumió un rato, hasta digerirlo, el sentido de las palabras del muchacho. Sonrió como para sí, suspirando. ¿Pero, te acuerdas de Atlixco? Allí sí la sudamos...

El flaco empalideció, más aún. Su rostro se puso gris unos segundos. Apretó la tenue línea de sus labios.

–Te he dicho que no lo repitas. Algún día vas a meterte en un lío...

La cara bonachona del tipo sentado ante el volante se puso color púrpura. Tartamudeó:

–Sí. Hablo demasiado. Y eso no es bueno...

Fijamente lo miró el otro.

–Claro que no es bueno. Pero te vas de la lengua. Otro, que no fuera yo, te habría metido en un chisme...

–Sí, tienes razón —cerró los ojos suavemente, sin torturarse, y golpeó con su puño cerrado su frente. No debo hacerlo...

Después de una pausa, el flaco dijo:

–Aquello... Atlixco... fue duro, porque los tipos estaban bien organizados y no tragaron...

–Yo sentí una cosa: haber tenido que tirar la pistola, en aquella zanja.

Se animaba el más grueso.

–Un día de éstos iré a buscarla. ¿Crees que la encuentre? Era una bonita pistola. La usaron en la guerra de España.

–Que la olvides, te digo —gruñó el flaco. Su tono fue levemente más alto, más áspero.

–Sí. Ivo. Como digas —aceptó el otro.

Después de un tiempo, al que llamaba Ivo, volvió a hablar:

–Con esta gente —se refería a los huelguistas— puede hacerse un buen movimiento. No tienen conciencia sindical, porque nunca han sufrido una huelga ni se han endurecido en una pelea; pero pueden responder bien. Tenemos tiempo para prepararlos. Al principio, lo usual: buena comida, buen alojamiento...

—Y a Ivo hablándoles bonito... —subrayó el más grueso.

Ivo pasó por alto la observación, el elogio sincero y cálido de su compañero.

—...más tarde, algo que los caliente, que los haga mantenerse unidos. Ya sabemos que eso les hace falta a los hombres; si la pasan demasiado bien se ablandan...

En eso se abrió la puertecita de tronera y Marcos Luquín salió de la fábrica. Tras él, otros hombres, y por último Sergio.

Ivo indicó, abriendo la portezuela:

—Ahí está —saltó a la calle. Rodeó el coche por delante y se aproximó de nuevo al que lo conducía—; será duro de convencer pero lo haré... Quédate aquí.

Cruzó la calle y se encaminó, directamente, hacia Marcos Luquín.

2

Alguien preguntó:

—¿Qué hacemos ahora, Marcos?

Titubeó Luquín. Disfrazó su propia ignorancia con una sonrisa. Él mismo no sabía qué hacer, qué decidir, qué ordenar. Los hombres y las mujeres no se preocupaban mucho en esa primera hora de la huelga, pero las cosas no podían seguir así, indefinidamente. Intuía Marcos que algo debía hacerse, pero desconocía cómo y con qué.

—Bueno, creo que lo mejor será esperar...

Ivo se había acercado. Nadie reparó en su alta figura delgada ni en su flaco rostro, pálido y enfermizo. No habló tampoco, esperando que Luquín terminara de hacerlo.

Éste decía:

—El licenciado Ayala sigue pendiente del asunto. Quizá esta misma noche se arregle todo. Yo creo que ahora Mr. Perkins que ha visto que la cosa va en serio, acepte nuestras condiciones...

Entonces habló Ivo:

—Todo eso está muy bien, Marcos —éste y sus compañeros se volvieron a mirarlo—, pero, mientras, hay que hacer algo...

Por un instante nadie acertó a decir nada. Veían a Ivo como los perros de una manada ven a otro, desconocido, que se planta ante ellos y se mezcla en sus asuntos. Ivo sintió sobre su escasa carne esos ojos, no hostiles pero sí duros y sin afecto.

–Y otra cosa —indicó. La huelga puede prolongarse, durar ésta y muchas noches más. Y a la gente hay que acomodarla...

Marcos lo había reconocido. "Es el cochino rojo pandillero que anda con Sergio", pensó. Experimentó, dentro de sí, el hervor de la furia. "¿Qué diablos viene a buscar aquí?", se dijo.

–...que acomodarla y pensar en qué va a comer, y a dónde va a dormir, y todo lo demás —proseguía Ivo.

Los hombres miraban, alternativamente, a Ivo y luego a Marcos. A éste de un modo especial, como si esperaran de él una orden para arrojar de ahí a ese tipo desgarbado y granujiento que con tanta frescura metíase a opinar sobre lo que no le importaba, que no debía importarle. Marcos sintió también que era necesario decir y hacer algo. Después de todo él era el jefe; él había llevado a su gente a la huelga, y esa gente esperaba que él resolviera los problemas.

–Eso —dijo Marcos, secamente— lo haremos nosotros...

–Sí, claro. Ustedes. Yo sólo vine a ayudarlos...

Luquín lo midió, lentamente, con la mirada, barriéndolo de arriba abajo.

–No necesitamos ayuda.

Ivo sacó de la bolsa interior de su angosta chaqueta un papel. Extendido lo mostró a Marcos.

–Me envía Modesto —dijo, simplemente. Pero será mejor que leas...

Luquín tomó el papel. Vio las caras de sus compañeros, y en ellas un gesto curioso que lo urgía a leer el contenido del papel. Se colocó en el puente de la nariz unos viejos anteojos con arillos de acero. Leyó un par de minutos y tendió el documento a Ivo.

–Puedes guardarlo —indicó éste.

Lo hizo Luquín, de cualquier modo. Sus compañeros, en su mudez, exigían una explicación. Ivo sonreía.

–Este tipo —dijo Luquín, no con desprecio, sólo sin afecto, refiriéndose a Ivo— viene a ayudarnos. Lo mandan...

Alguien dijo, agrio:

–No queremos ayuda...

Luquín añadió:

–...lo mandan de la Central: Modesto, personalmente. Él firma la carta.

Ivo les sonrió a esas caras oscuras, hoscas y herméticas; a esas bocas apretadas que le negaban afecto y simpatía; a esos ojos de desdén, desconfiados.

–Se trata —indicó, al cabo— de que trabajemos juntos; de que

esta huelga tenga un sentido y no sea, solamente, un movimiento inútil —su voz carecía de emoción. Era clara, baja, cortante y helada. Una
voz funcional, casi sintética; como el contenido de un documento oficial. La Central y Modesto tienen mucho interés en esta huelga. Me
han mandado a que los ayude, a que los oriente.

Luquín lo atajó.

—Nosotros sabemos qué hacer —dijo, con dureza.

Ivo lo miró de soslayo.

—¿Lo saben?

—Sí.

—¿Has pensado ya en cómo alimentar a esta gente?

—Bueno, es que... —titubeó uno de los compañeros de Luquín.

—¿Y en dónde van a dormir? ¿Y en las guardias que deben hacerse, y en las medidas de seguridad que deben tomarse? —los miró.
Sus ojos iban encendiéndose con un fuego destructor y tremendo;
con una pasión de fiebre; con una furia implacable. No, qué va. Nada
de eso han hecho. Una huelga no consiste en poner una bandera, sino
en organización. Y eso les falta.

—Todo lo vamos a hacer —arguyó Marcos Luquín.

—¿Sí? ¿Cómo? ¿Cuándo? —Ivo paseaba el barreno de sus ojos
por todas las caras—: Eso se piensa, se prepara desde antes —se volvió para señalar a los obreros, a los grupos desparramados por la calle; a la multitud que comía y se reía y se concentraba en torno a los
mecheros de los vendedores de fritangas—; eso no puede seguir así.
Una huelga no es una fiesta. Hay que organizar a los hombres...

Ninguno respondió. Escondían la cara. Dejaban que fuera el
vecino quien contestara a las palabras de Ivo. Marcos Luquín fue el
único que habló:

—Nunca hemos tenido una huelga —dijo, a manera de disculpa—: Pero ya haremos todo. Además, la huelga no durará mucho...

Ivo se encogió de hombros.

—Eso no lo sabe nadie, y hay que estar preparados para una
jornada larga y dura... Dentro de una media hora vendrán otros compañeros a darnos una mano —luego, volviéndose a Luquín, con firmeza. Necesito hablar contigo, planear cosas...

Lo tomó por el brazo para apartarlo de los demás. Algunos de
éstos echaron a caminar tras ellos.

Los encaró Ivo, con un gesto autoritario; intimidante.

—Si los necesito, los llamaré —apuntó, con la quijada, hacia la
calle. Mientras, vayan sacando de aquí a todos los que no sean trabajadores...

Tomaba ya el mando. Los otros obedecieron, casi sin darse cuenta. Ivo indicó a Marcos que lo siguiera. Entonces vino hacia ellos Sergio.

—¿Qué hay Ivo?

Éste, sin emoción, respondió apenas a su saludo. Ordenó después:

—Encárgate de que echen a los mirones...

3

Caminaban por los patios desiertos de la fábrica, uno junto al otro, en silencio. Luquín iba de mal humor, no sabía si era por la intromisión de ese hombre mandado por la Central, o porque Ivo, en cierta forma, le había puesto en ridículo ante los del comité de huelga al hacerlo admitir que desconocía la técnica a seguir en una emergencia de tal naturaleza.

Ivo parecía adivinar sus pensamientos.

—No vengo a quitarte el mando, Luquín. Sólo a ayudar. La Central tiene interés en que esta huelga resulte, como te dije.

Al cabo de un silencio habló Marcos:

—¿Y desde cuándo tiene tanto interés Modesto en nosotros?

—Él siempre te ha estimado. Te considera un amigo.

Entraron al departamento de chilería. Lo iluminaba, tan sólo, el destello multicolor de los pequeños focos de la imagen.

Sonrió Luquín, con sorna.

—¿Un amigo? Lo he visto, acaso, una vez.

—Modesto no olvida a los camaradas.

—¿Y eso? —gruñó Ivo.

—Es un altar de los muchachos.

—¡Apágalo! —casi gritó el flaco.

—Hombre, no veo para qué...

—¡Apágalo!

Marcos, repentinamente intimidado, obedeció.

Ya afuera, Ivo dijo, como si tratase de justificar su actitud:

—Por un descuido podría haber un incendio...

Visitaron los otros departamentos de la Empacadora y en cada uno, aun sin que Ivo lo pidiera, Marcos fue apagando los altarcitos.

—Oye —preguntó Marcos—, ¿qué hay detrás de todo esto? Quiero decir, ¿por qué le ha entrado tanto amor a la Central por nosotros?

—Tu sindicato pertenece a ella...

–No me refiero a eso. Esta huelga no es ni siquiera importante. No merecerá ni diez líneas en los periódicos.

–Pero puede serlo —repuso Ivo, enigmático.

–Bah. Tengo la corazonada de que hoy mismo va a arreglarse.

–Lo que parece fácil en un principio —sentenció Ivo— resulta a veces muy complicado...

–Pero, no me has contestado —insistió Marcos. ¿Qué busca Modesto en nuestra huelga? ¿Qué le ha picado?

Iban llegando al frío cobertizo que albergaba los grandes toneles del vinagre. Percibían ya el irritante olor ácido.

–Modesto —repuso Ivo— busca sólo ayudarte, Marcos Luquín. Esta huelga no puede perderse.

Con una quieta vanidad que no se empeñaba en disimular, dijo Marcos:

–No se perderá. La tenemos ganada.

–Sí. Lo sé. Pero ha de ganarse como Modesto quiere...

Se detuvieron ante la puerta del cobertizo. Allí el olor amoniacal era más intenso, casi insoportable para alguien, como Ivo, no acostumbrado a él.

–Aquí trabajo yo —dijo Marcos, con orgullo.

Ivo se colocó bajo las narices un sucio pañuelo que había sido blanco; que era ya tan sólo un trapo grisáceo.

Entró.

–Yo he hecho casi todos los toneles —añadió Luquín.

Ivo no dijo nada. Por un tiempo, no más de un minuto, se dedicó a mirar en torno. Luquín había encendido las luces fluorescentes y de la barnizada madera antigua brotaban destellos. Había un rumor apagado, como el mayar de un gato.

–¿Qué es eso? —preguntó Ivo, retirando apenas el pañuelo de su nariz.

–Un motor. El del tonel grande —Luquín apuntó hacia el fondo; hacia lo que él, Perkins, el químico y todos cuantos lo habían visto, consideraban su obra maestra.

Relampagueó el disgusto en los ojos del organizador:

–Hay que pararlo...

Avanzó hacia el tonel principal. Luquín lo siguió. Buscaba Ivo el switch para desconectarlo.

–Todo debe pararse —repetía.

Luquín dejó caer su pesada manaza sobre el frágil hombro de Ivo. Sintió, bajo sus dedos la delgadez de esos huesos al contener el impulso del muchacho que ya alargaba el brazo en busca de la palanca que detendría la marcha del motor.

—Deja eso en paz.

—Esto es una huelga —protestó Ivo, tratando de librar su hombro de la tenaza. Todo debe parar.

Muy tranquilo, sin coraje, pero decidido a todo, Luquín reiteró:

—Eso no vas a tocarlo. Nadie va a tocarlo —se inclinó y sintió sobre la cara el aliento de Ivo. Eso se queda caminando, aunque estemos un año con las banderas puestas...

Lo hizo a un lado. Ivo lo miró rencorosamente. Así que salían, dijo:

—Los sentimentalismos no son buenos. No olvides eso.

4

En el exterior continuaba el desorden. Cuando Ivo y Marcos salieron de la fábrica, Sergio vino a su encuentro.

—Ivo —informó—: Esto es un relajo. Nadie hace caso —Ivo indicó a Marcos:

—Tú, que eres el jefe, ponlos en paz. Háblales y ordena que una cuadrilla de tus hombres despeje esto...

Marcos llamó a algunos. El Güero entre ellos. Los hombres de ese pequeño grupo comenzaban a sentirse importantes. Les dijo:

—Echemos de aquí a toda esa gente. A toda. ¿Entienden?

—Está bien, Marcos —dijo el Güero y, seguido por los otros, fue a cumplir la orden.

Ivo pidió a Sergio:

—Ve al coche —apuntó el vehículo parado en la otra acera— y que recoja a los muchachos...

—¿De qué se trata ahora? —preguntó Luquín, en tanto que su hijo, corriendo, iba a dar el recado de Ivo. El automóvil se movió en reversa y siguió así hasta la avenida.

—Organización —dijo Ivo, brevemente. Vendrán algunos compañeros de otros sindicatos a ayudarnos...

De mal humor Luquín protestó:

—Ya es demasiada gente ajena a nosotros.

—Son obreros. Son hermanos, también. Hay que tener esto limpio y decente, para que todos se sientan a gusto. Y otra cosa...

—¿Qué?

—La vigilancia es nula —Ivo movía la cabeza, desaprobando. Sería facilísimo que nos dieran un susto.

—¿Quién va a ocuparse de eso?

–No los conoces. Los patrones son capaces de cosas peores. ¿Qué les cuesta armar una pandilla de matones?

–Mr. Perkins no...

–Olvídalo. No hay que perder el tiempo hablando. ¿Hay tres puertas, además de éstas, no?

–Sí.

–La única vigilada es ésta. La única también, que no lo necesita. Debes mandar gente a las demás.

–Bueno.

–Llama a alguien que sepa de electricidad.

Sergio se ofreció:

–Yo iré por Cheve...

Luquín, sentándose en la banqueta, comentó:

–¿Qué no hay mucho teatro en esto? Guardias, gente extraña. Parece como si fuera a haber guerra.

Con cierto frío desdén lo miró Ivo.

–Esto es una guerra.

Volvió Sergio acompañado de un hombre, todavía joven, de cara oscura y nariz prominente. Tenía una cicatriz colgándole del lado izquierdo de la boca.

–Dime, Marcos —dijo, simplemente.

Fue Ivo quien habló:

–¿Eres electricista?

–Sí.

–Entonces, con tu gente, tiendan una línea de focos al centro de la calle. Muchos focos, para alumbrar bien esto...

Cheve encaró a Ivo. Calmadamente estudió cada rincón de su rostro, como si no comprendiera por qué ese hombre, al que nunca había visto en su vida, que no era siquiera parecido a ellos ni en su modo de vestir, se atrevía a hablarle en esa forma, como patrón.

–¿Entendido? —indagó Ivo.

Cheve no respondió. Ivo se quedó mirándolo, confuso por un instante. Luego miró a Luquín. Éste dijo:

–Hazlo, Cheve. Él —señaló a Ivo —está ayudándonos. Es un compañero...

–Está bien, Marcos —fue lo único que respondió Cheve.

Cuando se marchó el electricista, Marcos se puso en pie.

–A esta gente no puede hablársele así. No lo olvides —recomendó. Ellos no saben de líos.

Con un dejo de irritación, Ivo aceptó.

–Bien. Pero cuando quiera un consejo, te lo pediré... —cabeceó a Sergio. Vamos...

Los dos se alejaron hacia el centro de la calle, invadida por los trabajadores. El Güero y sus compañeros iban desalojando, poco a poco, no sin esfuerzo, entre discusiones, a curiosos, vecinos y vendedores de fritangas y golosinas.

5

Traspuso la valla de hojas de lámina, viejas y pintadas de rojo mortecino, que separaban el baldío de los patios del ferrocarril. A la escasa luz de los pequeños focos amarillentos, diseminados como lunares en tramos de cien metros, reconoció, identificó bajo sus pies la tierra aplastada, dura y como más clara, de la vereda que serpenteaba entre la maraña de rieles. Era, ése, su camino de todas las mañanas cuando llegaba a la Empacadora; y el de todas las noches cuando, como ahora, volvía a su casa. Era, también, el camino, el paso obligado, de cientos de trabajadores, no sólo de la Águila sino de las otras fábricas, que lo usaban como atajo para evitarse un largo rodeo. Cuando él llegó al barrio, la ruta había sido ya marcada por otros; y, pensó, al llegar nuevos vecinos seguiría sirviendo. De tanto recorrerla la conocía como la piel de su cuerpo. No era, incluso, necesario que hubiese luz. Recordaba, por costumbre, por repetida intuición, el sitio exacto en donde debía alzar los pies para no tropezar con un carril; o el lugar donde debía hacer un alto para no caer en un hoyo.

Llegaba hasta él, apagado y distante, el rumor de la ciudad.

Hacia el sur, como crucigramas verticales de cemento, los altos edificios del centro; al este, reclinadas en las lomas, y muy distantes, las luces de las colonias residenciales; y al norte, hacia donde empujaba sus pasos pisando el repisado polvo de los patios ferrocarrileros, las bajas, pardas, miserables colonias populares, donde no existía el pavimento, donde las mujeres debían hacer largas colas para poder comprar leche y carbón, e, incluso, agua. Por las mañanas el barrio era distinto. Tenía una especial belleza en sus callejas atestadas, en sus aceras llenas de niños que jugaban con alegría famélica entre largas hileras de ropas puestas a secar; en el vocerío incesante de las madres, de las viejas que tomaban el sol, que echaban agua en los tiestos con flores mustias; mas, de noche, aun en una noche de ejemplar tibieza como ésta del 27 de julio, el barrio se recogía sobre sí mismo; se apagaba, no tanto por la ausencia de luz sino de vida. Y el polvo hacíase dueño de todo; y también la oscuridad.

Tuvo que dar un rodeo. Una máquina, pringosa de aceite requemado, estaba formando un tren. Tiraba y reculaba, sin cesar, acarreando los furgones. Terminó y fue arrastrándolos penosamente a una vía principal. Sonaba el intermitente golpeteo de un poste señalero.

—¿Qué pasó, Marcos?

Éste vio venir hacia él, con su renqueo de pata de palo, al viejo guardavías que había sido amigo de su padre. Vestía de azul y se anudaba, a manera de bufanda, un paliacate al cuello. De su mano pendía, como una luciérnaga, una lámpara encendida.

—¿Qué hay, don Dimas?

—Mucho trabajo —señaló al tren que marchaba ya, despacio, sobre la otra vía. Un extra.

—Ah.

Volvieron a caminar. Don Dimas, al parejo de Marcos, pese a su andar sin ritmo.

—¿Y de la huelga?

—Empezó.

—Mala cosa —movía el viejo la gruesa cabeza de pelos canos, contenidos por una sucia gorra ferrocarrilera que había sido azul. Mala cosa.

—No hubo más remedio.

—Bueno, tú sabes lo que haces. Pero una huelga jamás ha sido buena. Si lo sabré yo...

Vivamente lo interrumpió Marcos. No estaba de humor para oirle referir, de nuevo, lo ocurrido en aquella gran huelga de los años veinte en que Dimas tomó parte.

—Cuanto antes mejor. Aunque se gane, siempre pierden los trabajadores. Son días y salarios que no se reponen.

—Tiene razón, don Dimas.

Siguieron otro tramo sin hablar. El viejo cambió de tema:

—¿Y tu mujer... ya pare?

—En eso está.

—Un día de estos iré a verla —le picó a Marcos las costillas—: Todavía podemos hacer hijos, ¿eh?

Marcos rio:

—Se le hace la lucha...

Llegaron, cruzando toda la anchura del patio, al pie de la otra valla.

—Bueno, ya nos veremos —Marcos le palmeó el hombro al guardavías.

—Hasta pronto. ¡Ah! —lo detuvo. Había recordado algo importante. Esta tarde vinieron gentes de la oficina y dicen que van a prohibir que sigan pasando por aquí.

—¿Qué se les quita? Se ha pasado por años.

—Sí. Pero hay nuevo jefe de patio. Ya sabes cómo son los que apenas llegan: quieren cambiarlo todo —escupió un salivazo que fue absorbido por el polvo—; y quiere empezar cerrando éste —con su pata de palo golpeó un par de veces contra la muralla de lámina acanalada. Será cuestión de hablar con él... o esperar a que se le olvide.

Asintió Marcos, impaciente:

—Sí. Eso. Hablar con él. Adiós...

Cruzó varias calles. Era temprano aún y la gente conversaba en las banquetas. Algunas viejas en sus mecedoras rechinantes se abanicaban sin prisa, haciendo la digestión de la cena. Al reparar en ello, se dio cuenta de que tenía hambre. En una esquina, bajo el letrero La Castellana, una cantina filtraba hacia el exterior su agrio tufo a alcohol. Empujó las puertas de resorte. Alguien le preguntó cómo iba la huelga y respondió que bien. Se dirigió al urinario. Quien le había hablado vino a pararse junto a él.

—Quintana pasó por aquí, hace como una hora, echando pestes.

—Los muchachos lo corrieron —dijo Luquín.

—Estuvo llamando por teléfono.

—Es un pobre diablo...

El otro invitó:

—¿Una copa...?

Titubeó Luquín. No acostumbraba beber, pero la perspectiva de tomar algo de comida, lo animó.

—Bueno...

Les sirvieron un habanero. Los dos hombres chocaron sus copas de vidrio. Bebieron. El otro de un golpe. Luquín a pequeños sorbos. Comió algo de lo que el cantinero había puesto en los platitos: picadillo de carne y un poco de pata de puerco.

—¿Vas a casa?

—Sí. Por un rato.

—Mi mamá está con Lola. Dice que parirá hoy mismo. A más tardar, si no hoy, mañana.

Quiso pagar Luquín. El otro rechazó el billete de cinco pesos que ponía ante el cantinero.

—Hombre, Marcos, invito yo.

—Gracias, pues.

La copa de aguardiente le calentaba el estómago y le llenaba de humo la cabeza. Sentíase tibio interiormente y con una especial soltura en los movimientos. Caminaba a paso vivo, pero no con prisa, casi con alegría. Dos o tres veces, hombres y mujeres, recatados en los quicios de las viviendas, lo saludaron al pasar y le preguntaron por su mujer. Y él, contento, les dijo que estaba bien.

Se encontró, de pronto, pensando en la huelga. La alegría caliente de los minutos anteriores se disipó como una mota de polvo a la que se le sopla. Sintió que se tornaba sombrío. Era ésta, en realidad, la primera vez que estaba realmente solo desde que terminó el mitin. Podía ahora pensar con calma, entablar ese diálogo interior al que solía recurrir cuando deseaba aclarar una duda, hallar una solución.

Pero ¿tenía caso haber declarado la huelga? Al responderse sintió como si una pesada piedra le cayera en el pecho. "Es como el cuento del pelo en la sopa", se dijo. Y eso era. Algo sin importancia, al principio. Después dejó que se hiciera grande y ya no hubo manera de contenerlo. O como había apuntado Ivo: "Una pequeña huelga es como un pequeño embarazo. Una vez que empieza, no hay modo de detenerlo". Reconoció que no había manejado hábilmente el problema; que se había dejado empujar por ciertos intereses que ahora se le revelaban; que Sergio, principalmente, había presionado sobre su ánimo, sobre su voluntad, para arrastrarlo al conflicto. Recapacitó en lo dicho por Perkins y en lo que otros, aun sin decirlo, ya adivinaban: que en esa huelga había demasiada gente extraña; tipos interesados en fomentar el paro; y que él, sin darse cuenta, estaba sirviendo de instrumento. Pero no. Rechazó la idea. Él no era instrumento de nadie. Había procedido correctamente, defendiendo a cuatro trabajadores en entredicho. Esto tranquilizaba su conciencia y, pasajeramente, alejaba de sí ese intolerable sentimiento de culpabilidad que lo abrumaba.

Pensaba en Modesto. "¿Qué mosca le picaría?" ¿Y por qué ese repentino interés en ayudarlo, enviándole a alguien de su confianza, con plenas facultades —como lo decía claramente en el papel que Ivo le dio a leer— para manejar la huelga en su aspecto político y de organización? Se encogió de hombros. Le daba vueltas y más vueltas a la cuestión y no encontraba la respuesta. Modesto era un hombre importante, muy importante, en el movimiento obrero. Tan poderoso como un patrón, pero más fuerte que todos éstos juntos. Y si Modesto así, tan sin aviso, se preocupaba por esa huelga, sus razones tendría.

—Debí haber hablado con él, inmediatamente —dijo, en voz alta. Así hubiera aclarado ciertas cosas...

En el fondo le molestaba, no que Modesto se inmiscuyera en los asuntos de la Empacadora puesto que el sindicato estaba afiliado a su Central, sino que el dirigente hubiese enviado a ayudarlo a alguien que no era ni de la amistad ni del agrado de Luquín.

–Es un cochino rojo, igual que Sergio —gruñó. Debí haberlo echado a patadas y hablar con Modesto.

Reconoció, sin embargo, que no había tenido ni valor ni decisión para eso. Admitió que tampoco tenía coraje para enfrentarse a Sergio y expulsarlo. Se sintió infeliz y estúpido; y lleno de rabia al tener que aceptar que Sergio lo utilizaba, lo ponía como instrumento en manos de sus amigotes, de esos vagos revoltosos, igual que Ivo, que lo acompañaban siempre; que tanto y tan definitivamente lo habían cambiado.

Sí. Lo habían cambiado. Quiso para él las oportunidades de que había carecido. Marcos Luquín no pasó de los primeros años de la escuela primaria y su vida fue dura, de áspero trabajo. Cuando Sergio tuvo edad lo metió al Politécnico, para que siguiera una carrera; para que no fuera, como su padre, un simple jornalero, sino un hombre más útil, más preparado; sin el problema, incluso, de tener que buscar empleo. Perkins lo había ayudado en todo, prometiéndole, incluso, una colocación permanente en el departamento mecánico de la Empacadora. Pero el muchacho tenía otras ideas. Más bien, las tuvo desde el momento mismo en que su hermano, un par de años menor, anunció un día que deseaba más que nada en la vida ser sacerdote, y que el padre José, su padrino, lo había preparado para ello. Entonces Sergio, que sentía por Carlos una amistad superior a la relación familiar, cambió radicalmente. Se fue de la casa y no estuvo presente aquel día angustioso para todos en que Carlos, con una maletita en la mano, se despidió de su padre para marcharse al seminario. Esa noche Marcos Luquín se emborrachó como nunca.

Sergio volvió, tres semanas después, sucio y enfermo; y siguió en la casa, abrumado por la melancolía, huraño e inapetente, hasta que sanó de la gonorrea. Tornó a irse, tras una leve disputa con su padre, que lo reprendió por faltar al trabajo. Supo de él poco después. Estaba preso, junto con otros estudiantes del Instituto, en la cárcel municipal. Lo acusaban de alterar el orden público en un mitin callejero. Pagó la multa; pero Sergio apenas le dio las gracias.

Por temporadas dormía fuera de casa. Marcos lo veía ocasionalmente en la fábrica. Después de un tiempo Sergio participó en un zafarrancho estudiantil. Una turba de muchachos se trabó en combate con elementos de un partido político de extrema derecha. Hubo disparos. Una persona murió en el tumulto y no faltó quien señalara a Sergio como uno de los que habían atacado a los manifestantes. Estuvo casi un mes en la cárcel. Se movieron ciertas influencias, ciertos amigos de Marcos y se consiguió la libertad del hijo. En una de las diligencias fue cuando Luquín conoció a Ivo. No le gustó.

—Sergio es inocente —había dicho Ivo. Y a mí me mandan a ayudarlo.

—¿Quiénes?

—Sus amigos. Nuestros camaradas...

Sergio salió de prisión una tarde lluviosa. Veíase mustio, golpeado físicamente. Traía un bulto de ropa bajo el brazo. Marcos tenía un auto de alquiler esperándolo fuera.

Así que rodaban por entre las confusas calles de la zona penitenciaria rumbo a casa, lo riñó:

—Óyelo bien; ésta será la última vez.

Sergio, enfurruñado, con la cabeza caída sobre el pecho, se obstinaba en callar. Tenía una herida de labios oscuros en el centro de la mancha rojiza del mercurocromo, en la parte trasera del cráneo.

—Si vuelves a tus líos, dejaré que te pudras en la cárcel.

Sergio abrió el cristal de la portezuela y largó un escupitajo al exterior. Cientos de finas gotitas de lluvia le humedecían la cara.

—No te preocupes. Tengo quien me saque...

Esa noche, antes de salir, Sergio se bañó en su casa. El baño era un cubil oscuro, frío y mohoso, con piso de cemento, en el traspatio. Marcos le cedió, sin hablar ni ofrecérsela, una de sus camisas. Así que se vestía vio el cuerpo del muchacho lleno de moretones, de feas manchas de sangre remolida bajo la piel.

—Mira cómo te han puesto —dijo Marcos.

Sergio lo miró con saña.

—¿Y qué? Muy mi gusto.

Marcos se tendió en la cama. Tropezó su codo con un objeto: era un pocillo con asientos de café. Lo arrojó al piso. El cuarto era una pocilga; olía a mugre, a ropa sin lavar, a restos de comida putrefacta y olvidada sobre los platos asquerosos que se apilaban en la mesa.

—No comprendo por qué te metes en líos.

Se encogió de hombros el muchacho.

—Estoy haciéndome hombre. Estoy viviendo; aprendiendo a ser útil a mi gente.

—¿Y quién es tu gente?

Lo miró como si le causara gran extrañeza oir a su padre preguntar tal sandez.

—¿Cómo quién? Los obreros.

—¿Y crees que pasándote la vida metido en líos... en pleitos con todo mundo ayudas a alguien?

–Yo sé mi cuento.

Resopló Luquín.

–Lo que yo sé es que eres un bastardo, bueno para nada y buscabullas.

Con gran ferocidad, ya cuando se marchaba, Sergio inquirió:

–¿O quisieras que fuera, mejor, como el maricón de mi hermano?

Golpeó la puerta tras de sí, al salir, y no le importó escuchar a sus espaldas las obscenidades que le gritaba su padre.

Una semana después Sergio había buscado a Marcos, le había pedido perdón y tornaron a ser buenos camaradas. Por las noches iban a jugar, billar a Los Patitos, o dominó a La Castellana. Y siguió así un tiempo, sin desmandarse. Pero, entonces, los problemas comenzaron en la fábrica: una serie de pequeños accidentes sin importancia en diversos departamentos de la Empacadora. Y, curiosamente, Sergio tenía siempre algo que ver con ellos en una forma o en otra. Hubo un conato de incendio; más tarde una fuga en la caldera principal, que hubiese provocado una catástrofe; a continuación, el deterioro de una de las prensas del departamento de litografía y una contaminación, extensísima, de la materia prima que se procesaba en las cocinas.

Mientras se averiguaba esto último, que muchos atribuían a la ineptitud de un grupo de obreras eventuales que habían sido contratadas para la temporada, Marcos Luquín, otros miembros del sindicato, el jefe conservero y Mr. Perkins en persona, interrogaron a los trabajadores sin obtener nada que corroborara, como suponía Perkins, la intervención de manos criminales. Se resolvió olvidar el asunto pero se redobló la vigilancia. Los inquisidores habían salido de la cocina, sin mirar a nadie, tras de gruñir algunas rápidas órdenes para que todos volvieran a la tarea.

Fue al salir cuando Marcos Luquín tropezó con Lola. Se miraron simplemente, un segundo, en silencio, y cada quien continuó su camino. Afuera, Marcos llamó a Pancho Ramos.

–Necesito un favor, Pancho —se inclinó confidencial. Frente a él estaba la puerta de la cocina.

–¿Qué?

–Que me averigües quién es... una persona.

Pancho siguió el curso de la mirada de Marcos. La vio cruzar la puerta y perderse entre la multitud de mujeres, con gorras y batas blancas, que laboraban en la cocina destazando pollos y pavos.

–¿Cuál de todas? —sonrió Pancho, malicioso.

Marcos sintió que tartamudeaba:

–La de trenzas...

La esperó esa noche, a la salida. Simuló un encuentro fortuito y comentaron sobre lo ocurrido por la mañana. Ella vivía en el otro extremo de la ciudad. "Arrimada a unos parientes", le confesó. Al día siguiente y sin que viniera al caso fue un par de veces, antes de la hora de comida, entre doce y una, a las cocinas. Lola —que tal era su nombre— sintió que enrojecía cuando se miraron, de lejos, sin hablarse y casi por casualidad. Y el paseo se repitió la tarde del sábado. Fueron al cine y luego a merendar a un café de chinos. De regreso él quiso propasarse y ella lo puso en su lugar, con firme y serena decisión.

–Yo no soy como las otras —había dicho.

Marcos se sintió un poco ridículo, según recordaba ahora.

–¿Qué le han contado?

–Que es usted un mujeriego —su voz no tenía reproche, ni resentimiento; sino una especial burla retozona.

Él entonces habló de su viudez; de su soledad. Estaba haciéndose viejo (ella se rio y le dijo que un hombre de apenas 44 años no es un viejo) y no encontraba nada de malo (ella volvió a reir, pero no comentó nada) en buscarse, de cuando en cuando, una compañera para hacer más llevadera su vida. Habló, también, de su hijo y de cómo éste era cada vez más su enemigo. Caminaban a lo largo de la calle que bordeaba un parque oscuro y propicio. Con sus dobles luces amarillas los autos se deslizaban a su lado. Ocuparon una banca. Era julio, igual que ahora, y esta misma fecha: el 27.

–Pero ellas, las otras, no cuentan —le había dicho, y se sorprendió enormemente de la sinceridad que había en sus palabras. Añadió—: llega un momento, y creo que ha llegado para mí, en que se desea sentar cabeza; y para siempre...

En la penumbra olorosa a hierba recién cortada buscó sus manos. Las tomó. Eran unas manos pequeñas que ella decía siempre que eran feas pero que él amaba como a nada.

Dijo:

–Con usted sería para siempre...

Lola había inclinado su cabeza, como avergonzada de algo. Él le besó el pelo. Cuando ella alzó la cara pasó un auto, en la esquina, iluminándola de un golpe. Vio él, en los ojos oscuros, el brillo de las lágrimas. Preguntó qué ocurría.

–Gracias —fue la respuesta entrecortada por un sollozo.

Puso bajo el mentón de la muchacha, de esa muchacha fresca, morena y tan joven que olía a jabón barato, su ancha mano cordial y la obligó a alzar la cara.

–¿Qué le pasa?

Ella dijo que le agradecía que la amara pero que no debía hacerlo. No, si pensaba en serio, como ella misma, a su vez, pensaba.

–¿Qué quiere decir? —farfulló Marcos.

Y Lola se lo dijo. No era virgen. Hacía poco, muy poco, que había dejado de serlo. Una historia, la suya, que él no gustaba jamás de recordar. No hubo pecado, sin embargo; sólo esa ceguera pasajera de los veinte años. A Marcos no le importó. Sus labios rozaron la mejilla húmeda de llanto, y tan suave. Dijo quedamente:

–Te quiero...

Esa misma noche, dejando el parque rápidamente bajo la primera lluvia, Lola y Marcos fueron a la casa donde ella vivía, por la ropa. Y así fue como la muchacha de las trenzas oscuras entró a la vida de Marcos.

La pocilga se convirtió en hogar. Ella no volvió más a la Empacadora y, con sorpresa, Marcos Luquín se dio cuenta de que él mismo había cambiado; de que se sentía como más joven y más fuerte, cada mañana, al levantarse. Y ella siempre se le adelantaba y cuando él volvía del patio, con la cabeza chorreando agua, ella le tenía listo el almuerzo y la ropa y la sonrisa de despedida.

Sergio se había ausentado por una semana. Volvió al amanecer y no disimuló su disgusto de encontrar una mujer allí; ésa, concretamente. Habló apenas unas cuantas frases, se mudó de ropa y se marchó. Por la noche regresó. No iba solo. Lo acompañaba una prostituta ebria. Marcos lo abofeteó cuando él, en voz alta, para que lo escuchara Lola que llena de miedo por el tono violento en que discutían los hombres esperaba al suyo en el tibio lecho, dijo:

–Si traes tus putas a dormir a casa, ¿por qué no he de traer yo las mías?

Esta vez la ausencia de Sergio fue muy prolongada. Lo veía en la Empacadora pero no se hablaban, ignorándose como desconocidos o como enemigos. Lola, por unos días, anduvo cavilosa; por fin, una noche indicó a Marcos que lo había pensado bien y que lo mejor sería que ella se marchase, para no ahondar más la enemistad entre padre e hijo. Luquín no quiso escucharla; y siguieron viviendo en una tranquila felicidad.

Cuando Lola le dijo que estaba embarazada, él se puso loco de gusto; la besó tras de las orejas para que ella riera; y tomándola por la cintura dieron de vueltas hasta perder el aliento. Más tarde, Marcos fue a La Castellana e invitó habanero y cerveza a sus amigos. Le hicieron bromas respecto a su virilidad y él las aceptó, feliz.

Sergio cayó por allí. En su semiembriaguez alegre, Marcos

sintió deseos de perdonarlo. Lo invitó a beber, abrazándolo, cariño-
so. Besándolo, incluso; cosa que no hacía desde que era niño.

Y entonces el muchacho comentó, con rencor:

—Te la pegaron, viejo —bebió un largo trago de cerveza—: A
lo mejor ya traía encargo. ¡Qué casualidad que a ésta le hiciste un hijo
a las primeras de cambio... y a las otras no!

Se escuchó después el escándalo de una mesa derribada y de
copas, botellas y tarros estrellándose en el suelo. Fue necesario que
Pancho, don Dimas y hasta el Güero intervinieran para que Luquín
no matara al muchacho. Esa noche Marcos se embriagó en tal forma
que tuvieron que llevarlo a casa. Lola le preparó café caliente y él, en
cuanto pudo hablar, la llamó ramera, hija de mala madre, y terminó
echándola de casa. Cuando despertó no recordaba nada. Tenía sed y
sentíase enfermo. Llamó a Lola. Ésta no estaba ya.

La buscó todo el día y al hallarla, por la noche, en casa de sus
parientes, le pidió perdón y la hizo volver con él.

Entró en la casa. Cruzó de puntillas lo que era el comedor y se asomó
al interior de la recámara. Una veladora colocada bajo una imagen religiosa ponía destellos en el afilado rostro de Lola. Ésta volvió su cabeza y vio a Marcos, recargado en el dintel. Le sonrió.

—¿Cómo estás? —preguntó él, hincándose a su lado; reteniendo entre las suyas la manita morena de Lola.

—Ya pronto... —respondió ella, en un susurro.

—¿Y doña Cruz?

—No tarda —apenas se podía escuchar su voz—: Ha estado
aquí toda la noche —cerró los ojos casi un minuto. Al abrirlos—: ¿Se
arregló tu asunto?

—No. Estamos en huelga. Vine por mi chamarra...

—Está... está en la cómoda...

Él se levantó para tomarla. Se la puso. Contempló a su mujer,
a la madre del hijo que le nacería esa noche, tan quieta y frágil en la
cama. Se inclinó para dejar un beso en la frente que ardía.

—Te daré tus vueltas —prometió.

—¿Dejas tu pistola? Es ya muy tarde.

—No la necesito...

La contempló otro tiempo. Sentía dejarla, en verdad, pero no
tenía más remedio.

—¿Sabes? —dijo él, como si recordara algo. Cuando te levantes
iremos con el padre Pepe para que nos case...

Ella cerró los ojos y sonrió. Una sonrisa de Virgen María, como pensó Marcos.

–Sí, Marcos. ¡Cuídate!

Asintió él.

–Cuídate tú... Y dile a doña Cruz que me mande llamar si algo se ofrece.

La sonrisa de Virgen María permaneció en los labios de Lola mucho tiempo después de que se fue Marcos.

La hora cuarta

1

Un tipo, al que no había visto nunca antes, le marcó el alto. El extremo de la calle, brillantemente iluminada con un centenar de foquitos, estaba bloqueado por una doble fila de los toneles que en la fábrica se utilizaban para almacenar encurtidos. Pero ahora contenían piedras.

Del otro lado de la barricada el hombre preguntó:

—¿Qué quieres? Por aquí no se puede pasar.

Lo miró extrañado, como si esas palabras que tenían algo de reto insolente no fueran dirigidas, precisamente, a su persona.

—¿Quién lo dice? —preguntó a su vez apartando el único tonel vacío, que hacía las veces de puerta de la barricada.

—Yo —dijo el otro, amenazador.

Marcos Luquín, con el talón de su bota sólidamente apoyado en el barril, lo hizo rodar. Otros obreros, casi todos de la fábrica y muchos tan desconocidos como el que pretendía impedirle pasar, acudieron al estrépito.

—Es Marcos...

—Es nuestro secretario...

—Es el jefe... —decían los compañeros de Luquín.

Trasponía éste la valla cuando tres o cuatro de los otros quisieron detenerlo, tomándolo por los hombros, por las mangas de su negra chamarra de cuero. Luquín consiguió librarse de quien lo asía por detrás y derribó a uno, de una patada entre las piernas. El tipo quedó en el suelo, retorciéndose.

Vinieron más trabajadores de la fábrica, casi una docena, entre ellos la mole rojiza del Güero, y el zafarrancho se terminó apenas comenzado.

—Y para que lo sepan —ladró el Güero, jadeando por el esfuerzo de la carrera —a Marcos Luquín lo respetan todos ustedes, hijos de mala perra...

Resoplando de excitación y coraje, al frente de la tropilla, caminaba Marcos por el centro de la calle hacia el sitio donde la concentración de hombres y mujeres era más densa.

–¿Quiénes son ésos? —preguntó.

Una voz, a su espalda, repuso:

–Vinieron con Sergio y con el flaco.

–Ellos los trajeron.

Masculló Luquín un insulto, no dirigido a nadie en particular; simplemente enunciado por sus labios, apretados y casi blancos por la ira.

–Busquen al flaco —ordenó.

Uno de los que lo acompañaban fue, corriendo, en su busca. Marcos Luquín se detuvo ante la puerta de la Empacadora. Unos cien hombres y mujeres ocupaban las banquetas; formaban corrillos; jugaban a la rayuela, con monedas, como chicos de escuela; o simplemente conversaban. Algunos comían ávidamente, con improvisadas cucharas de palo, el contenido de botes de lata con etiquetas de la Empacadora. Luquín reparó, entonces, en que toda la calle estaba cubierta de centenares de envases vacíos.

–¿Quién les dio permiso de...? —se volvió, iracundo. La primera cara que tuvo ante sus ojos fue la de el Güero.

Éste dijo:

–La gente tenía hambre y hubo que darles...

–¿Dónde está Damián? —gritó Luquín; Damián era el tesorero del Sindicato. El tiene dinero para comprar cosas, en otra parte...

Nadie acertó a comprender. Los tipos se miraron confusos, como si esperasen ver aparecer a Damián en cualquier momento; pero ninguno se movió, ni hizo nada, ni siquiera alzó la voz para buscarlo, para llamarlo.

El Güero reiteró:

–No fue Damián quien sacó las conservas.

–¿Quién, entonces?

–El otro. El flaco...

Quien había ido a buscarlo volvía ahora con Ivo. Caminaba sin prisa pero tampoco despacio, con paso firme, elástico, moviéndose sin esfuerzo entre los grupos de obreros, que cuchicheaban mirándolo de soslayo.

–Vaya —dijo, entre sonriente y sarcástico—: Te he buscado casi una hora... Tienes visita...

La sangre encendió la cara de Luquín. Instintivamente quienes estaban más cerca, al notarlo, se apartaron un paso. De este modo, Marcos y el flaco joven de la cara sonriente, quedaron en el centro de un corro, que engrosaba rápidamente.

—¿Quiénes son esos tipos... los de la esquina?

—Camaradas.

—¿Y por qué, o con órdenes de quién, sacaron todo esto? —Marcos pateó un bote de conservas que fue a estrellarse contra la base de la barrera de pies que los rodeaba.

Ivo lo miró unos segundos, inalterable su rostro; sin que la débil sonrisa hiriente desapareciera de la línea de sus labios.

—Yo lo ordené. ¿Fue malo?

—Fue un robo. No tenemos derecho a...

—Derecho, quizá no; hambre sí... —luego la voz de Ivo se hizo dura y fría—: La gente tenía el estómago vacío, mientras ibas tú a cenar a casa...

Luquín amartilló el puño. Ivo, sereno, lo miraba de frente, directamente a los ojos, sin miedo; ni siquiera en tensión. Sólo en su retadora actitud de hombre acostumbrado a toda clase de emergencias. La mano del Güero, por detrás, frenó el brazo de Marcos aun antes de que lo alzara.

—No fui a cenar —luego se sintió desarmado; hasta ridículo. De todos modos no debieron haberlo hecho. Tenemos dinero para aguantar...

Cesó la tensión. Los hombres y las mujeres lo sintieron. Luquín, aunque alterado, sentíase, a su vez, de otro modo; confuso, inútil.

Ivo lo palmeó por el hombro.

—Mientras estabas fuera —dijo— organicé un poco las cosas. Lo que se tomó de adentro —se refería a los víveres— será pagado... Y se puso la luz y también guardia en cada puerta... —en el exterior del corro sus ojos ubicaron los rostros de sus hombres. Cuando les habló, los obreros se apartaron y se volvieron a mirarlos. Y ustedes, los que vinieron a ayudarnos, sepan que aquí el camarada Luquín es el que manda, es el jefe y hay que obedecerlo...

La gente se disgregó.

Así que caminaban lentamente por el centro de la calle, Ivo indicó:

—Tenemos que hablar un rato, camarada Luquín.

—¿De qué ahora?

—De la organización del movimiento. Arriba —señaló hacia las iluminadas ventanas del hotel— hay gente amiga, esperándonos. Vienen a darte apoyo. Hay que hablar con ellos...

Con acritud repuso Luquín:

–Hay demasiada gente extraña.

–Ya lo dijiste antes, pero no podemos echarla. Somos hermanos todos en el movimiento...

–¿Son rojos, como tú?

–Cambia tu disco, camarada...

Pasaron, en dirección al angosto pasaje maloliente, cinco hombres y una mujer. Tres de ellos eran de los que llevó Ivo. Portaban en las manos largos trozos de plomo. Luquín recordó que de esos trozos sacaban las gruesas postas de cacería en el departamento de municiones.

–¿Para qué llevan eso? —quiso saber.

–¿Las macanas? Buena idea, ¿eh?

–¿Para qué las llevan?

–No para jugar con ellas, te lo aseguro. Para defenderse. Hay que estar preparados, por si nos mandan una camionada de esquiroles...

Marcos rio, mordaz, por una esquina de la boca:

–¿Tienes miedo de que vengan a molernos a palos? —se encogió de hombros. Bah. No ocurrirá. Mr. Perkins no hará eso...

Ivo se detuvo. Miró directamente a los ojos de Luquín. Su voz era seca, baja, fría:

–Más parece que estás del lado de la empresa, no de los tuyos —punzó con su delgado índice el pecho de Luquín—; y otra cosa: no estimula la moral de los hombres que tú pierdas los estribos y que nos peleemos, delante de ellos —luego, con un afecto demasiado pulido para ser sincero—: Tú eres el jefe de la huelga pero yo soy tu organizador.

Entraron al hotel. No había vestíbulo. Sólo un angosto pasillo; mal iluminado por un foco desnudo; y luego una escalera estrecha, con peldaños de madera que rechinaban. Marcos trató de recordar cuándo había sido la última vez que entró a ese hotel con una mujer. Así que subían Ivo dijo:

–¿Sabes? Quizá Modesto venga esta noche.

–¿A qué?

–Hombre, a verte. A animar a los muchachos.

–Muchas molestias se toma...

–Él no olvida a los suyos —se detuvieron un momento en el descanso. Ivo añadió—: Si no te parece cómo manejo yo las cosas, puedes decírselo a Modesto cuando venga...

Luquín lo miró oscuramente. Del extremo del pasillo venía el rumor de una charla. El humo rancio de los cigarros fuertes arañó las narices de Marcos cuando Ivo empujó la puerta del cuarto cuyas ventanas daban a la calle. El sitio estaba velado por una niebla azul de tabaco. En la única silla y en la cama había seis o siete sujetos.

—Ésta es la oficina —anunció Ivo.

Marcos se detuvo, indeciso. No conocía a ninguno. Ivo los presentó por sus nombres; nombres que ni siquiera registró la mente de Luquín, y cada uno de ellos, al oírse reclamado, dijo algo:

—Gusto...

—Buenas...

—¿Qué tal?

Terminadas las presentaciones, Ivo manifestó:

—Y éste es el camarada Marcos Luquín. Un buen tipo —le dio otra palmada en el hombro. Está un poco nervioso. Es su primera huelga...

Rieron todos, y Marcos no supo entonces qué hacer. Sobre la mesa en la que había un aguamanil desportillado, vio una botella de coñac barato, y se encontró de pronto con una copa en la mano. Bebieron todos, excepto Ivo.

—¿Y tú no tomas? —preguntó Marcos, tras de ingerir su trago.

Ivo ponía el corcho en la botella y lo golpeaba, suavemente, con la palma de la diestra.

—No es mi fuerte...

Uno de los hombres dijo:

—Tienes una bonita huelga, camarada.

Luquín miró tristemente por la ventana. Su gente, abajo, parecía ser feliz. Sí, pero ¿por cuánto tiempo? Alzó los ojos al cielo. Una pesada nube comenzaba a empañarlo.

—Ninguna huelga, creo yo, es bonita...

—Según —replicó otro.

—A veces se tiene suerte de tener una como ésta. Con ella puede armarse un buen bochinche. ¿No es así, Ivo?

Éste cabeceó a la afirmativa.

—Claro. Algo grande...

—Lo que no me explico —manifestó Luquín, sentado ya en la cama, entre los otros— es por qué le interesa tanto a la Central esta huelguita. A lo mejor ni dura...

Los hombres se miraron entre sí. Hubo un aleteo de silencio. A lo lejos una locomotora de camino, no la asmática cafetera que anadeaba en los patios día y noche, hizo sonar su silbato anunciando que partía. Ivo dijo, pausadamente:

—Olvida eso —recomendó—, esta huelga puede durar mucho. Mucho más de lo que crees...

–Pero ¿por qué?

Ivo propuso:

–Olvidemos eso, repito... —hubo murmullos de aprobación. Agregó—: Aquí los camaradas, Marcos, han venido a... Pero que sean ellos los que lo digan...

Hablaron, no en plan de discurso, sino como amigos que se encuentran y se unen para resolver sus propios problemas, uno a uno. Entró Sergio y se colocó, para escuchar, atrás de Ivo, junto a la puerta; frente a su padre.

–Así, pues —resumía quien estaba en uso de la palabra— cuentas con el apoyo de nuestros sindicatos. Estaremos con ustedes como un solo hombre...

Ivo sirvió otra ronda de copas y colocó la botella, que aún no se terminaba, junto al aguamanil. Por un segundo vio su rostro delgado y gris en el espejo, fijo en la pared por un trozo de alambre pringado de moscas. Se inclinó un poco hacia la luna y se aplastó un barro.

–Bueno, compañeros. Gracias por haber venido. El camarada Luquín agradece el apoyo... —indicó a todos.

Se dieron las manos y cada uno farfulló alguna frase de amistad y simpatía para los huelguistas.

Ivo salió con ellos. Ya a solas con su padre, Sergio comentó:

–Esto se está haciendo importante —se aproximó a la ventana. Desde lo alto vio a Ivo y a los otros caminar, en grupo, por la calle y dirigirse a la barricada más próxima a la avenida. Todos ellos son grandes en lo suyo...

–Bah. Farsantes...

Sergio lo miró con piedad; con hiriente piedad. Movió la cabeza:

–Te falta educación de clase, de lucha...

–Yo no soy político.

–Ése es tu error, Marcos. No serlo. Si no te lo ha dicho antes Ivo te lo diré yo —alzó el índice y lo movió, como una batuta, frente a los ojos de su padre—: Todo dirigente sindical debe ser político —tiró del cinturón, hacia arriba, como para reafirmar sus pantalones. Esta huelga te enseñará más de lo que has aprendido en quince años de secretario de tu sindicatito...

–Todo el mundo como que está muy interesado en esta huelga...

–Claro que sí. Será algo grande...

–Eso, si yo lo permito.

–Ya no es sólo tuya la huelga, Marcos. La Central...

–La Central y todos los demás pueden irse al diablo...

Lo dijo enojado, dando un puñetazo en la sucia almohada de lana que estaba sobre el lecho.

Sergio rio, por lo bajo.

—No me lo digas a mí, Marcos; sino a Ivo o a Modesto...

—Claro que se los diré...

De un salto se puso en pie. Cruzó el cuartucho y salió azotando la puerta.

Abajo discutía Ivo con alguien. Del descanso miraba sólo al flaco parado en el cono de luz que despedía el foco. De cuando en cuando unas manos, que pretendían ser explicativas, entraban al campo visual de Marcos.

El interlocutor de Ivo era el dueño del hotel; un español bajito, con boina, en mangas de camisa. Mordía un cabo de puro.

—...y me estáis arruinando. Eso. Arruinando.

—Todo se le va a pagar...

El español se volvió al llegar Marcos a su lado.

—¿Usted es el que manda aquí? —preguntó, vivamente.

—Sí.

—Ah, entonces usted va a decirme ¿con qué derecho se ha metido este hombre a mi negocio?

—Bueno, pero no grite —ordenó Marcos.

El hotelero retiró de sus labios el puro y dejó caer al suelo, entre sus pies, un goterón de saliva.

—Me habéis atropellado —con el pulgar señaló a Ivo. Éste... éste entró aquí, como Pedro por su casa... Me echó fuera a las mujeres y a los clientes... Me vació el hotel, ¿comprende?... Yo soy un hombre decente, y vienen a arruinarme...

Ivo aproximó su cara granujienta hacia la del otro. Dijo muy clara y lentamente:

—Mire usted —el del hotel abrió mucho los ojos—: Esto es una huelga, ¿comprende? Un movimiento de hombres y mujeres que luchan por sus derechos...

—Y eso, ¿a mi qué, coño?

—Eso debe importarle. Usted es un patrón. Un crapuloso que gana su honrado pan —recalcó las dos últimas palabras— con el sudor, no de su frente, sino de las nalgas de las mujeres que vienen a este agujero... Y como patrón es enemigo de nosotros, los trabajadores. Así que, o se calla y deja de estar molestándonos, o le cerramos el hotel para siempre...

El hotelero miró alternativamente a Ivo y luego a Luquín. Volvió al primero, ya no furioso, sino humilde y sonriente.

–Hombre, haberlo dicho. Yo sólo preguntaba...

Lo apartó Ivo.

–Se le pagará todo...

Con Marcos se dirigió a la puerta. Desde su sitio, con las manos en jarras, preguntó el hombre de la boina:

–¿Cuándo?

Ivo se volvió a mirarlo por encima de su hombro.

–Al triunfo de la causa...

El español movió la cabeza cuando los dos hombres salieron. Luego, arrastrando los pies, retornó para acodarse en su desvencijado escritorio. Antes de aplanar sus posaderas sobre el taburete sin pintar alzó la vista hacia las dos imágenes coloreadas que pendían del muro: una de la Virgen del Pilar y otra del Generalísimo. Suspiró.

2

–Oiga —dijo el hombre que comandaba el piquete de vigilancia de la barricada—; dos que dicen ser de aquí lo llaman.

Señaló hacia la barricada. A la distancia Marcos podía ver los bultos de dos personas, rodeadas por otras, pero no distinguía sus caras.

Ivo indicó:

–Ve de qué se trata. Mientras, hablaré con los muchachos...

Marcos, a paso vivo, escoltado por el guardián, se dirigió al extremo de la calle bloqueada. Por dentro de la muralla de toneles algunos obreros de la fábrica, hombres y mujeres, hacían bromas con la pareja a la que no dejaban pasar.

–¿Conque noche libre, eh? —y reían, y los dos jóvenes, la muchacha especialmente, reían también, pero apenados; con una tímida vergüenza roja en la cara morena.

–¿Y tu mamá, no vino a cuidarte?

Y otro:

–No vayan a comerse el pan antes de tiempo...

Y la de más allá, una mujer gorda, con rizado pelo mulato ya encanecido y ojos brillantes y maliciosos:

–Noche libre... Cuida tus centavos, mi hijita, o este baquetón te los va a romper...

Rieron todos; inclusive los que no pertenecían al sindicato y que habían ido allí llamados por Ivo.

Cuando vieron a Marcos que se aproximaba, cesaron las risas.

–¿Qué pasa ahora?

El muchacho, inclinándose por encima de los toneles, dijo:

–Don Marcos... ¡Es que no quieren dejarnos pasar!

Luquín miró con ojos duros a los que vigilaban. Éstos no pestañearon.

–No tenemos por qué conocer a toda su gente —expresó uno, altivo.

Marcos apartó el tonel vacío. Hizo seña a la pareja que entrara. Tras de que pasó, colocó de nuevo el barril en su sitio, tapando la brecha. Indicó para que lo oyeran todos:

–Éstos pueden entrar o salir cuando quieran. Lo mismo los demás...

La mujer del pelo rizado resopló agitando su doble papada:

–Porque, para calzones, los nuestros. Sí, señor...

La muchacha se llamaba Lupe y era muy joven. Tendría no más de 17 años y Marcos, mirándola de perfil, llena toda ella de rubor, así que caminaba a su lado, pensó en Dolores; en la mujer que a esa misma hora estaba sola, o casi sola si es que la comadrona la acompañaba, tendida en una cama, sufriendo los dolores del parto, alistándose para añadir al viejo árbol de Marcos Luquín un berreante retoño. Experimentó por la que pronto, en cuanto sanara, sería su esposa ante la ley y ante Dios, una amorosa, desbordante, cálida piedad. Algo muy superior al amor, que es la piedad. Sentíase feliz en ese instante, mientras avanzaba por el centro de la calle junto a los jóvenes.

Los conocía bien. Él trabajaba en empaque. Era un deportista; uno de los miembros, el más entusiasta, del equipo de ciclismo cuyos uniformes y máquinas especiales de carrera había gestionado Marcos, personalmente, con Mr. Perkins. Era Pancho Bicicleta, como lo apodaban; ella tan modosita y ruborosa, tan de buen cuerpo y recatada, firmaba en las nóminas del departamento de barajas, del cual su madre era la jefa.

–¿Vino tu mamá? —preguntó Marcos en voz alta.

–No, don Marcos...

Éste se volvió, para mirarla de soslayo.

–¿Te dejó sola... aquí?

–Sí —asintió la muchacha. Sus mejillas se colorearon intensamente.

–¿Sabe que Pancho vino?

Ella negó.

Pancho dijo:

–No, don Marcos, ¡qué va a saberlo! Si lo supiera, ella —señaló a Lupe— no habría venido...

–Me lo imagino...

Nadie ignoraba en la fábrica que la mamá de Lupe, esa muje-
rona de voz de trueno que tenía a su cargo el afinado de los naipes,
buscaba para su hija un buen marido, y que tenía en mente, por lo menos, tres o cuatro candidatos: el despachador del turno de la mañana
o el hijo del maestro conservero, un pasante de biología que laboraba,
por las tardes, en el laboratorio; pero nadie ignoraba, tampoco, que
Lupe sólo tenía ojos para este delgado muchacho, de franco rostro, de
largas piernas morenas, que era su novio a escondidas y que la esperaba a la salida del turno, cuando se iba sola, para acompañarla hasta
una cuadra antes de su vivienda.

Pancho Bicicleta agregó:

–Don Amapolo está tomado y la señora se quedó cuidándolo...

–Pero vendrá mañana —dijo Lupe, sin entusiasmo.

–¿Así que el borracho de tu padre sigue en las mismas?

Ella dijo que sí, con un movimiento de cabeza. Habían llegado
frente a la puerta del hotel. Marcos vio al español, fumando su puro,
recargado a la jamba. Y también a Ivo que venía en su dirección. Dijo
a los muchachos: —Bueno, acomódense por allí —les guiñó el ojo—
y aunque no esté la suegra, pórtense bien...

Pancho rio, entre confuso y divertido; pero Lupe dijo que sí
con la cabeza y volvió a enrojecer.

Ivo dijo:

–Ven conmigo. Quiero que revises los piquetes de guardia...

Se dirigieron al callejón paralelo a la avenida. Un grupo de
hombres, casi todos ellos del comité que había negociado la huelga,
los vio pasar. Marcos sintió en su espalda las miradas escrutadoras de
sus compañeros que hablaban en voz baja, como si conspiraran,
puestos en cuclillas, mientras bebían jugos sacados de la Empacadora
o fumaban sin prisa.

Ivo alumbraba el camino con una lámpara-lapicero. Hablaba
tranquila y firmemente:

–Las huelgas se ganan con organización —y luego, con algo
que a Marcos le pareció lleno de orgullo, añadió—: Y es lo que estoy
haciendo: organización...

–Tomas muy en serio tu trabajo, ¿eh?

–Soy responsable.

–¿Qué sabes de todo esto?

–Yo, nada.

–¿Entonces, por qué andas aquí?

–Me manda la Central.

–Sigo sin explicármelo... —dijo Marcos, al cabo de un tiempo.

–¿El qué?

–Tanto interés... —machacó.

Ivo no respondió. Sentía por el hombre que marchaba a su lado, tropezando con los pedruscos y pisando los hoyos invisibles, uno como desdén sin odio ni animosidad. En realidad, le tenía lástima por ser tan ciego, tan romo. No comprendía su importancia; y quizá fuera mejor así. "Ésta será una gran huelga —pensó Ivo. Todo el país, dentro de un par de días, estará hablando de ella. Es la chispa que encenderá el fuego. ¡Y qué fuego! No quedaré mal con Modesto ni con los demás. Sé que a algunos no les gusto; que no me quieren y que, si pudieran, me aplastarían como a una chinche. A ellos tengo que taparles la boca. Y ésta es mi oportunidad." Miró a Marcos. Más bien al bulto silencioso que caminaba junto. "Es un cretino —anudó. No tiene educación política. O sea, carece de malicia. Una ventaja más para mí. Es fácil de manejar, siguiéndole la corriente no me causará problemas. Claro, después aprenderá. Le preocupan demasiadas cosas; por ejemplo, lo que sus compañeros puedan pensar de él. Y tiene desconfianza porque cree que soy rojo, ya se le pasará."

La manchita de luz que salía de la lámpara de Ivo era amarilla e inconstante. Las pilas se agotaban. Ivo la apagó y entonces, ida esa mota de claridad errática, pareció como si la oscuridad se echara encima de los hombres, y también el silencio. Había un sopor agobiante en la noche azul marino. Desde más allá del horizonte dentado de edificios alcanzaban a ver como polvo en un día claro, el resplandor de la ciudad. En alguna parte del patio ferrocarrilero tintineaba, con regulada persistencia, la campanita de alguna señal automática.

Una voz, brotada de la penumbra, les marcó el alto:

–¡Épale, quién va!

–Ivo...

Los bañó, como un brochazo de cal, el chorro de luz de una potente linterna.

–Apágale, bestia —gruñó Ivo.

La luz se apagó. Unas sombras se movieron al lado de Marcos. En cuanto sus ojos se habituaron de nuevo a la oscuridad pudo contarlas. Eran cuatro. Dos de ellas fumaban.

Ivo explicó a Luquín:

–En esta puerta hay diez gentes. Siete de los tuyos.

Doblaron el recodo y estuvieron ante un grupo de hombres y mujeres, acuclillados o simplemente sentados sobre pedruscos traídos del callejón.

–¡Hola, Marcos! ¿Cómo van las cosas?

—Bien, bien...

Una de las mujeres dijo:

—Si tuviéramos café... y un poco de "piquete".

Intervino Ivo:

—El compañero Luquín —dijo— ya encargó todo. Café, aguardiente y comida para que no se aburran.

Interrogó una voz:

—¿Es cierto, Marcos?

—Claro —repuso, sin convicción.

Ivo recomendó, antes de marcharse nuevamente:

—Y no se duerman, ¿eh? Puede haber bofetadas y no conviene que los pesquen con los calzones bajados...

Hubo risas. Sus ecos los siguieron así que Marcos, con Ivo, continuaba la inspección.

Marcos preguntó:

—¿De veras crees que habrá lío?

—Como si lo viera. Es natural. Perkins va a traer gente.

—Si tú lo dices... pero yo no lo creo.

—He estado en muchas huelgas, Marcos; y los esquiroles no fallan.

—Mi gente es segura. Harán lo que yo les diga.

—Lo sé. Pero ¿y los eventuales? De ésos echará mano la empresa.

—Ellos son también amigos. Vienen todos los años.

Dijo Ivo:

—Quizá les prometan planta, trabajo seguro. Echando a unos cuantos de los tuyos será fácil acomodarlos. Y otra cosa...

—¿Qué?

—Quintana...

—Oh, ése...

—Quintana puede organizarlos, si la empresa se lo ordena, que se lo ordenará.

—Exageras...

En la oscuridad sonrió Ivo, ferozmente. Dijo con suavidad:

—Pronto verás que no. Antes de que pase mucho...

Prefirió callar. "Pero qué ingenuo es. No me quiere creer. Mejor. Así, cuando las cosas sucedan, pensará de otro modo. Comprenderá que soy yo quien se las sabe todas."

En la otra puerta había, también, un retén de vigilancia de una docena de obreros; dos mujeres y diez hombres. Todos de la fábrica; ninguno de Ivo.

Éste indicó:

–Pura gente tuya, para que veas que les tengo confianza...

A los que vigilaban les prometió café, aguardiente para acompañarlo, mantas y tabaco.

–Y que nadie se duerma —reiteró.

Con Marcos a su lado, caminando siempre a oscuras, prosiguieron el recorrido de inspección.

3

Sus rostros estaban serios y malhumorados. Vino un silencio que hacía daño, lleno de dudas. Sentándose en el suelo, el Güero dijo:

–Pues, hablen con él...

Damián consideró que sería lo mejor:

–Así saldremos de dudas.

–Y sabremos a qué atenernos...

–Yo creo —indicó otro— que estamos haciéndonos tontos solos.

El Güero señaló a Marcos, que volvía con Ivo.

–Allí viene. Llámenlo.

Le hicieron señas. Ivo dijo algo, Marcos asintió y aquél entró al hotel. Luquín se acercó al grupo de hombres.

–¿Qué hay?

–Marcos —dijo Damián— queremos hablarte.

Como los otros, junto a ellos, Luquín se puso en cuclillas.

–Ya organizamos todo —explicó. Hay vigilancia en cada puerta. Y, ¿se fijan?, ni siquiera tenemos banderas.

–Sí. Ni tiempo nos dieron.

–Marcos, pensándolo bien, con calma —comenzó Damián—, ¿no se te hace que nos precipitamos?

–¿Con qué? —preguntó Luquín, poniéndose en guardia.

–Declarando la huelga. No estábamos preparados. No creíamos que se llegara a esto...

Lo miró Luquín fieramente. No ocultó su enojo.

–Bueno, llegamos ¿Qué más?

Los hombres fingieron no haber oído la pregunta de Luquín; mucho menos haber registrado el tono de reto que dio a sus palabras. Los ojos no miraban a nadie y nadie, tampoco, apartaba su mirada de los polvosos adoquines que tenían enfrente.

–¿Qué más? Hablen.

Fue Damián, como los otros esperaban, quien lo hizo.

–Nos agarró de sorpresa. Casi sin dinero.

–Eso se arreglará.

–Y otra cosa. Tus amigos... —señaló a un punto que se hallaba situado a espaldas de Luquín.

Se volvieron todos y miraron a uno de los hombres que habían venido con Ivo. Conversaba en el centro de un grupo de muchachas que reían alegremente, como si estuviesen en un día de campo.

–No son mis amigos —Marcos martilleó sobre las palabras.

–Entonces, ¿por qué están aquí?

–Los manda la Central. Como también manda al flaco.

Otro indicó:

–Son mandoncitos. Se meten en lo que no les importa.

–Eso va a arreglarse —dijo Marcos sin mucha convicción. Bajó luego el tono de voz hasta hacerla confidencial—; además, a mí también me están molestando...

–¿Por que no los echas? —quiso saber Damián.

–Porque no puedo; hasta no hablar antes con Modesto. No sé si sepan que va a venir a vernos.

–¿Cuándo?

–Hoy mismo... Pero, hay otra cosa.

Dos o tres voces ansiosas preguntaron:

–¿Qué?

–Quizá para el mediodía estemos de nuevo dentro —señaló los muros de la Empacadora.

–¿Y si no?

–Bueno, entonces... —no terminó la frase.

Los otros notaron su desaliento. Vieron cómo su cara se tornaba sombría y cómo se hacían más hondos y oscuros los dos huecos de negrura que eran sus cuencas.

Damián punzó:

–¿Por qué no nos dicen toda la verdad, Marcos? Por ejemplo ¿qué hacen esos tipos aquí y el flaco que los trajo? ¿Qué tienes tú que ver con ellos? Debemos saberlo, Marcos. En esta huelga se juega el pan de nuestros hijos, nuestro empleo de años...

Marcos Luquín se puso de pie, lentamente. Algunos de los otros hicieron lo mismo. Vio ante el suyo un semicírculo de rostros preocupados, expectantes, que lo arañaban con sólo mirarlo. En ninguna de estas caras había, en tal instante, ni amistad, ni camaradería, ni comprensión. Sintió un peso enorme; una responsabilidad superior a sus fuerzas. "Ya no me tienen confianza —se dijo. Recelan. Me reprochan al mirarme. Me fastidian." Lo único que deseaba era estar en casa, junto a Lola; impotente para ayudarla en su dolor; pero presente para consolarla.

Los miró a todos, uno a uno, sin rencor; sólo con esa agobiadora fatiga que produce el desencanto. Ellos no tenían la culpa, admitió; eran hombres y en lo primero que el hombre piensa, en situaciones como ésa, es en el estómago; en el pan de los hijos, como habían dicho. Reconocía, ahora, que Sergio tenía razón cuando le decía que la suya no era pasta de líder, de jefe de obreros. No quería luchar si sus propias gentes le desconfiaban.

Dijo:

—En esta huelga no hay nada oculto —esperó a ver el efecto que sus palabras causaban en los hombres. Las caras permanecieron inalterables—; palabra de honor. Ustedes, claro, tienen derecho a no creerme. Los que están aquí, el flaco y los otros, vienen a ayudarnos porque a eso los mandaron... —tomó aire. Le temblaba la voz y advirtió que la transpiración humedecía sus manos. Pero yo no quiero que ustedes hagan nada que no deseen. Reconozco que quizá sí nos precipitamos un poco en ir al paro; creí que era lo mejor para ganar. Tampoco creo tener derecho a arriesgar el pan de sus casas... Yo —ahogado, casi tartamudeó—, yo soy el jefe porque ustedes me eligieron. Ustedes pueden, si quieren, quitarme el mando. No se necesita llamar a los hombres. Ustedes lo decidirán aquí y yo lo aceptaré —los rostros que tenía enfrente se removieron unos segundos. Ustedes sólo digan: "Marcos, no te queremos", y yo me iré. Y de verdad que me harían un favor. Después arreglarían las cosas como mejor conviniera...

Estaba muy pálido cuando terminó de hablar. Un puño de angustia y emoción le cerraba la garganta. No podía escuchar los murmullos del mundo que lo rodeaba. Ni el ulular de la sirena de la ambulancia que pasó por una calle próxima; ni el silbato de alguna fábrica lejana; ni las llamadas de la locomotora del patio. Oía tan sólo el golpetear desesperado de su sangre en las sienes y el volteo de su corazón en el pecho.

Nadie habló por casi un minuto. Los hombres clavaron los mentones en el pecho, como si estuviesen de duelo o como si los avergonzara haber obligado a Marcos a expresarse así.

Fue el Güero quien dijo, al cabo, no muy seguro de la fluidez de sus frases.

—No, Marcos. Tú eres el jefe y seguirás siéndolo. Eres de los nuestros y te conocemos. Lo que tú hagas está bien para nosotros. Si la huelga se arregla, qué bueno; si no, ni modo. Tú manejas esto y lo manejarás hasta el final —luego encaró a sus compañeros. Abombó el

pecho, pero sin que hubiera en su actitud ni amenaza ni presión—:
¿No es así, muchachos?

Casi a coro, farfullaron:

—Sí.

Damián miró entonces a Luquín. Le puso una mano en el hombro.

—Fue bueno que habláramos, Marcos. Era necesario. Como dijo el Güero, eres el jefe y lo serás hasta el final...

Manos sudorosas o manos secas, manos rudas de obreros, chocaron con la suya.

4

Se habían sentado sobre la banqueta, un poco más allá, en la invisible frontera de su amor silencioso. Los rodeaba la gente; pasaba junto a ellos; incluso se detenía a preguntarles cómo la madre de Lupe, tan celosa y absorbente, la había dejado venir, sin tutela, esa noche. Oían, contestaban, pero seguían aislados, próximos, táctiles casi en sus miradas.

Pancho Bicicleta, con un palito de paleta helada, ya seco pero aún pegajoso de almíbar, se ocupaba en separar el polvo acumulado en la juntura de los adoquines que tenía bajo sus pies. Lupe lo miraba en escorzo: su cabeza con pelo rapado a la militar; su cuello requemado por el sol; su perfil, moreno y regular, y su brazo nervudo y delgado.

—Si tu mamá nos viera... —dijo él, sin voltearse.

—¡Uh! —hizo ella.

Pancho se inclinó un poco más para soplar el polvillo.

—No faltará quien se lo diga.

—Claro. Y entonces...

Él se irguió un poco. La miró de soslayo, con una mirada envolvente.

—Un día, quizá pronto, voy a tener que hablarle.

Lupe hizo un puchero.

—Te dirá que no. Ya la conoces.

—Quien debe decirlo eres tú —Pancho resopló, repentinamente enfurruñado. Quebró el palito por la mitad y tiró los pedazos. Añadió, con encono—: No es con ella con quien voy a casarme.

—Ella no quiere. No querrá nunca.

—¿Por el tipo ese? —referíase Pancho al pasante de biología.

—Será que sí.

Ahora la miraba de frente. Algo sombrío advirtió Lupe en los ojos del muchacho; sombrío y tan doloroso.

—¿O es porque yo, yo no le parezco bueno para ti?

—No lo digas. Yo te quiero.

Remoto, tal vez en la avenida, tocaba un cilindrero. La música de una gastada canción venía, por ráfagas, en el bochorno caliente de la noche. Los hombres y las mujeres en huelga iban de un lado para otro, casi alegremente, sin orden, en un bullicio jacarandoso. El escape de un pesado camión de remolque retumbó, como un eructo, en la distancia. Podía percibirse la nitidez con que el conductor efectuaba el cambio de las velocidades. Un reloj golpeó sus campanadas en uno de los cuartos. Ellos no sabían cuál; tampoco les importaba. Pancho buscó la mano de Lupe. Ésta, al sentirla, quiso evitarla. Al fin se impuso él.

—No. Que van a vernos —protestó ella.

—¿Quién se fija en nosotros?

—Todos. Le llevarán el chisme y me regañará.

—Quisiera que lo hiciera. Así podría pararle los pies.

—Es mi mamá.

—Ya tienes 17 años. Ya sabes cuidarte sola...

Ella sonrió. Tenía la cara roja de un placer caliente y nervioso. Le gustaba que Pancho la tuviera de la mano, como novios, en ese pequeño mundo en el que no había cabida más que para ambos. Sus ojos se iluminaron, fugazmente, un segundo.

—Contigo, ¡quién sabe...! —dijo oscuramente, y, más llena de rubor todavía, se volvió para que él no advirtiera cuánta malicia, cuánta audacia había puesto en sus palabras.

Sintió él, a su vez, enrojecer. Se le secó la boca. No tuvo palabras qué responder.

Al cabo, ella dijo:

—Tengo miedo, Pancho.

—¿A qué? —preguntó él, con alarma.

—A lo que pase. Con suerte esto —Lupe miró en rededor— esto dura mucho y...

—No creas. Don Marcos lo arreglará...

—¿Y si no lo arregla?

Él se encogió de hombros. La muchacha estaba muy seria, realmente preocupada.

—Lo hará. Además —añadió él, vivamente, tomándola por las manos; atrayéndola, pese a su resistencia, hacia su propio cuerpo—; además, yo tengo ochocientos pesos.

—Eres rico...

—Casi. Ochocientos pesos para casarme contigo.

—Pero, si estamos mucho sin trabajo, tendrás que gastarlos. Y ¿entonces?

Pancho retiró sus manos de las de Lupe. Por unos instantes, sin hablar, ni mirarla, se entretuvo rehaciendo los nudos de sus agujetas. Dijo:

—De todos modos, nos casaremos... Y si la huelga dura mucho, mejor. Estaremos muchas noches, como ahora, solos...

Un grupo de hombres cantaba una canción desafinada en la otra acera. Otros hablaban o seguían jugando rayuela o a las cartas. El cilindrero se había ido. El del hotel, considerando un despilfarro tener encendido el letrero luminoso en esa noche sin clientela, lo apagó. El calor se acentuó de pronto, convirtiéndose en bochorno; en ahogo.

5

Con dos o tres de los suyos Quintana llegó a la barricada. La gente de Ivo se puso en guardia. Con seguro aire fanfarrón los retó, mirando las piedras, las improvisadas macanas de plomo; la tensión de sus caras, de sus cuerpos.

—Como que tienen miedo, ¿eh?

Uno de los que formaban el piquete preguntó:

—¿Qué quieres, esquirol?

Sin inmutarse, dijo Quintana:

—Háblale a tu patrón... Quiero ver a Marcos.

El hombre, del departamento de carpintería de la Empacadora, se recargó en uno de los barriles. Sonreía.

—¿Y si él no quiere? No le gustan los puercos ni los vendidos.

Nada enojaba a Quintana. Seguía sonriendo, con su calma insolente. Indicó con una seña.

—A mí tampoco, pero vengo a hablarle. Le interesará.

—Está bien. Pasen...

Uno de los de Ivo intervino, para evitarlo:

—Hay que avisarle a Ivo, primero.

—Naranjas. Ivo no manda aquí —el otro lo hizo a un lado para que Quintana y los suyos entraran. Hey, Güero —gritó después, llamando al peludo gorila rojizo—, ven acá.

Se aproximó el Güero. Miró a Quintana con asco.

—Cómo apesta a mierda por aquí —dijo, en insulto directo.

Quien lo había llamado explicó:

—Viene a hablar con Marcos. Llévalo con él...

El Güero dudó un segundo. El otro asintió; entonces dijo a Quintana que lo siguiera. Sus acompañantes se quedaron como rehenes en la barricada.

La presencia de Quintana, caminando unos pasos atrás del Güero, causó conmoción entre los hombres y las mujeres de la huelga. Les sonreía pero sus ojos encontraban rostros mudos, caras sólo curiosas pero no amables. Llamó a dos o tres, afectuoso, pero no obtuvo respuesta. Crepitaban los cuchicheos y bastantes, a cierta distancia, formaron corro cuando ambos —el Güero y Quintana— se detuvieron frente al hotel.

Haciendo bocina con sus manazas llenas de pecas, llamó el Güero:

—Marcos, aquí te buscan...

Dos cabezas se asomaron a la ventana del segundo piso. Luquín adelante; a su lado, un poco atrás, Ivo.

El Güero explicó:

—Un hijo de perra; éste —sin volverse, echó el pulgar para atrás—, pregunta por ti...

Cuando Marcos Luquín apareció, surgiendo de la sombra del pasillo en la puerta del hotel, se hizo un silencio casi absoluto; excepto por algunas risas que venían del fondo, donde varios hombres jugaban rayuela.

—¿Qué quieres? —preguntó Marcos Luquín, sin avanzar; con los pulgares metidos en el cinto.

—Hablarte.

—Dilo.

—A solas.

—Ellos —Luquín señaló a los obreros— pueden oirlo.

No argumentó más Quintana. Avanzó hasta colocarse a medio metro de Luquín. Ivo quiso intervenir. Con el brazo extendido lo contuvo Marcos.

—Caminemos. Después les dirás lo que hablemos.

Quintana lo tomó por el brazo y echaron a caminar, agachadas las cabezas, aislados y confidenciales. Hombres y mujeres se apartaron y volvieron a la banqueta, o se fragmentaron en pequeños grupos de conjeturas.

—Han hablado conmigo —decía Quintana. Quieren negociar.

—Nosotros también, ya lo sabes.

—Sí, pero hay que ceder... un poco. Hay ciertas condiciones.

—Las nuestras son las únicas que valen.

Quintana movió la cabeza, con desaliento. Pasaban y repasaban el mismo camino, sin mirar a nadie, sin distraerse; profundamente concentrados.

–Sé razonable, Marcos. Ya demostraste que tienes fuerza y que puedes hacer una huelga cuando quieras. Eso hará que Perkins te respete en el futuro.

–¿Qué más?

–No pierdas tu ventaja. Úsala para ti, para los tuyos —la voz de Quintana se hizo más confidencial aún. Hablaba muy cerca del rostro de Luquín—: Perkins te hará polvo mañana.

–¿Por qué no empieza desde ahora?

–No pierdas la cabeza, Marcos. Te hará papilla. Podrá demostrar que ésta es una huelga loca.

–La gente no piensa así. Míralos. Ninguno se ha largado.

–Lo harán, Marcos. Son un atajo de borregos. Perkins, como digo, puede acabarte a ti, a todos nosotros.

–Bien podía hacerlo hoy mismo.

Quintana movía la cabeza de un lado a otro, como si Marcos no quisiera comprenderlo.

–No es eso. Mira —se detuvieron. Puede recurrir a los eventuales. Como sea, mientras tienen contrato de trabajo, son tan obreros como los de planta. Esta misma noche, de proponérselo o si tú lo empujas a ello, juntará mil, y los llevará mañana a la Junta. Te hará polvo.

Marcos lo miró, con esa tranquila furia con que miraba siempre que estaba a punto de estallar.

–¿Qué sacas tú de esto, Quintana?

–¿Yo? Pues lo mismo que tú... Entre los dos, con el tiempo, podríamos manejar a Perkins a nuestro gusto.

Marcos le puso una mano en el hombro y lo hizo volverse lentamente, hacia los obreros que los observaban desde lejos.

–Mira, Quintana —empezó calmadamente—, ellos son la huelga; ellos la votarán y sólo ellos pueden cambiar de parecer. Mejor les hablas...

–Está bien...

Marcos gritó:

–Muchachos —la gente se agrupó con gran rapidez ante ambos. Cuando se apagaron los murmullos, añadió—: Quintana quiere hablarles. Quiere decirles que dejen la huelga, porque si no la dejan, como lo desea Mr. Perkins, mañana sus abogados nos harán polvo... ¡Ustedes deciden...!

Quintana estaba rojo de furia. Quiso hablar pero los gritos de los huelguistas ahogaron su voz. Algunos brazos iracundos se alzaban como palas de molino. Lo insultaban. Una mujer lo tironeó por la chaqueta y le mentó la madre.

–Se arrepentirán de esto... —gritaba Quintana, abriéndose paso a codazos entre la gente, que lo empujaba de un lado a otro como pelota. Son unos borregos... Unos cochinos comunistas...

Ivo le cerró el paso. Estaba muy pálido, en contraste con Quintana, que parecía tomate; que se ahogaba en la asfixia. La mesa los presionaba, comprimiéndolos.

–Cierra la boca, hijo de perra.

Quintana le largó un salivazo seco, como un pedazo de algodón. Ivo entonces lo golpeó en el estómago, con una manopla de hierro que ajustaba a sus nudillos. Como un saco de harina aquél cayó al suelo. Algunos pies anónimos lo patearon. Marcos intervino, gritando.

–Déjenlo ya...

Se retiraron los huelguistas, sin dejar de mirar a Quintana, que resoplaba. Ivo gritó:

–Y así, óiganlo bien, manejará Marcos Luquín a los traidores, a los derrotistas, a los esquiroles —llenó sus pulmones de aire. Y el hijo de perra que no esté conforme, puede largarse...

Nadie dijo nada. Tambaleándose, como ebrio, Quintana se dirigió a la barricada, a reunirse con sus compañeros.

Pancho Bicicleta y Lupe no se habían movido. Vieron sólo a los hombres y a las mujeres formar un remolino en torno a alguien que yacía en el piso y a Marcos apartándolos a empellones. Pancho espiaba, desde hacía rato, el letrero que decía "Hotel".

–Si quieres, sería muy fácil.

–¿Qué?

Con el índice apuntó hacia la otra acera.

–Entrar... mira: nadie nos mira.

Muy roja, Lupe rechazó la idea.

–Eso no, Pancho. No.

Mientras la pequeña turba de golpeadores iba disolviéndose, Ivo llamó a Sergio:

–Con dos de los muchachos —le ordenó rápidamente— síguelo. Comprueba bien a dónde va y lo que hace. De seguro lo esperan por aquí cerca. No lo pierdan de vista. Que uno se quede vigilando. Tú regresa a avisarme.

Sergio, corriendo, obedeció.

Ivo volvía al hotel. Estaban ardiéndole los dedos de la mano que había empuñado la manopla de acero.

–Tú —lo llamó Marcos, impersonalmente.

Se detuvo. Miró la cara seca y rencorosa de Luquín.

—¿Qué quieres?

—No me gusta tu modo, muchachito —gruñó Marcos. No quiero verte golpear a nadie, ¿entiendes?

Ivo lo miró. Su cara pálida se animó con una sonrisa. No una sonrisa abierta y franca; sino desdeñosa e hiriente.

—¿Sabes camarada? Eres un trotskista de corazón.

—No me gusta la violencia, y no lo olvides —machacó Marcos.

—Prefieres el convencimiento pacífico, ¿eh? Eso no resulta con los bastardos como Quintana. Hay que zumbarles en el trasero...

Lo apartó Luquín:

—A mí no me vengas con palabras. Ya lo sabes. No quiero que se golpee a nadie...

Ivo no respondió. Por el rumbo de la avenida se escuchó, al tiempo que se veían las luces de los fanales, el llamar imperioso del claxon de un camión. Lejano, el reloj marcó la hora.

La hora quinta

1

Fue necesario remover algunos de los barriles para que el camión pudiera cruzar la barrera.

–Llévenlo al fondo. Allá —ordenó Ivo.

Del otro lado de la barricada había un grupo de curiosos, de hombres, mujeres y niños que estiraban los cuellos para ver mejor lo que ocurría en esa calle, que era prácticamente una privada. El camión se alejó con su rechinante traqueteo en dirección al hotel, marchando a vuelta de rueda entre los grupos de huelguistas que lo miraban sin mucho interés, algunos con indiferencia.

Entre las mujeres que veían a Ivo dar órdenes para que los toneles fueran colocados nuevamente en su sitio, hubo una que le habló. Era alta, más bien gorda, con la cara pintada y los labios brillantes y sebosos.

–Oye —dijo, con un vago aire familiar—: ¿Quién manda aquí?

Ivo se frotaba las palmas de las manos, llenas de polvo, en las perneras del pantalón.

–Yo. ¿Por qué?

Otras mujeres, igualmente pintadas y olorosas a perfume barato, se aproximaron a la que hablaba. Casi todas eran jóvenes, pero con algo triste y fatigado en sus caras.

–¿Por qué nos has partido...?

–¿A ustedes?

–Claro, también nos pusiste en huelga.

–¡No!

–Y sin tener vela en el entierro.

Las mujeres comenzaron a parlotear al mismo tiempo. Chillaban, decían cosas sin sentido; de cuando en cuando él pescaba palabras sueltas en el cotorreo incesante y desordenado.

–Trabajo...

–...una noche perdida...

–Alguien tiene que ganar el dinero...

Ivo extendió los brazos, pidiendo silencio. Al cabo lo obedecieron. Los rostros pintarrajeados de las mujeres lo veían con la atención con que se mira a un mono comiendo cacahuates.

–Que hable una sola... —todas, entonces, callaron. Ivo demandó:

–A ver, ¿qué quieres?

La que había hablado primero dijo:

–Nosotras trabajamos aquí...

Ivo sonrió.

–¿En qué?

–Allí —señaló—, en el hotel. Somos putas.

–Está bien, compañeras. ¿Y qué quieren que yo haga?

–Pues eso, que nos dejen trabajar. Hacer la noche.

Ivo señaló al interior de la calle atestada. Al fondo, ante El Paraíso, aguardaba el camión y quienes en él viajaban entre trastos de todos tipos, echaban pie a tierra; otros descargaban grandes peroles humeantes; ollas de aluminio; pequeñas estufas portátiles; botes, de a galón, llenos de petróleo; y soportes de tiendas de campaña y las lonas de las mismas, y lo iban apilando todo en la banqueta, ante la mirada indiferente de los huelguistas.

–Por hoy, no va a ser posible.

–¿Mañana?

Él se encogió de hombros.

–No lo creo.

La mujer alargó el brazo y sus manos vulgares, de uñas pintadas de rojo oscuro, tomaron a Ivo por la camisa.

–¿Cuándo, entonces? Nosotras tenemos que trabajar, que ganar dinero. No vamos a estar toda la vida, como ustedes, rascándonos...

Ivo, con un firme y tranquilo ademán, se libró de la mano.

–Nadie se rasca aquí —dijo, secamente. Esto es una huelga, no un burdel.

Algunas rompieron el orden y empezaron otra vez a hablar, en voz alta, con grandes ademanes.

Ivo impuso silencio.

–Vayan a otra parte. Aquí no hay lugar para ustedes...

–¡Uy! —exclamó la que llevaba la voz cantante. Hablas como el gachupín —imitó el tono de Ivo—: Vayan a otra parte... ¿Y crees que las otras nos van a dejar ir a hacerles la competencia? Ésta es nuestra calle y ése nuestro hotel...

Se formó nuevamente la batahola. Nadie hacía caso de nadie. La jefa de las mujeres era quien exigía calma.

–Anda, mira —dijo. Déjanos hacer la noche. Hay muchos hombres. Nos repondríamos de los tiempos malos...

Ivo la miró oscuramente. Miró, en efecto, a los hombres. Algunos, como si las hubiesen olfateado, se aproximaban a las prostitutas. Bromeaban con ellas. Decían cosas obscenas que las mujeres festejaban con esa malicia injuriosa tan característica.

–¿Ves? —le decía a Ivo. Ellos no dirán que no. ¿Verdad que no, muchachos?

–Nooo.

Comenzaba Ivo a cansarse. De su rostro se esfumó la sonrisa y se tornó pardo, como de cemento. Gritó:

–Cállense todas... Mira —añadió, más amable—, siento mucho que por hoy no tengan a dónde ir a moverlo. Un descanso les cae bien. Ya... Ya sé que un día perdido no vuelve... Ustedes son trabajadoras. Si estuviesen organizadas... Bueno, eso se hablará después... De todos modos, óiganlo bien: no quiero perjudicarlas... Apenas estamos empezando... Mañana, o pasado, vuelvan. Los hombres las necesitarán... Así que, ahora, largo... ¡Ah! Y sepan de una buena vez: cuando comiencen con lo suyo tendrán que darnos algo para el fondo de la huelga.

Alzó la mano, la agitó en lo alto y se marchó rápidamente. Las mujeres, el grupo revoltoso y empolvado, se volcó sobre sí mismo, rodeando a quien las comandaba. Después, poco a poco, fue fragmentándose en parejas, en tríos, y se desparramó hasta perderse en las sombras de la avenida.

2

Habían terminado de descargar el camión. El chofer hacía maniobras para enfilar la añosa jaula de redilas hacia la salida. Las mujeres que habían llegado en el vehículo comenzaban a distribuir entre los huelguistas panfletos, manifiestos, folletitos de propaganda. Otras, con el auxilio de algunos hombres, asentaban sobre piedras y ladrillos traídos del interior de la Empacadora los ahumados peroles de hierro y las ollas de aluminio, de las que sudaba un vapor oloroso a café. Otras más ocupábanse de armar las tiendas de campaña; de clavar estacas entre los adoquines; de templar los vientos que las sostendrían. La primera de las carpas fue levantada; era grande, firme, abrigadora. Desteñidas letras de pintura de aceite, en uno de sus costados, decían: "Socorro Rojo Internacional".

Ivo destapó uno de los peroles. Un graso olor a carne cocida con repollo le dio en las narices.

—Esto nutre —dijo una de las mujeres que ayudaba.

Ivo la reconoció.

—¿Qué tal, Chuchita?

—Dándole. Dándole. Se portaron bien los muchachos del Sindicato de Maestros... Tendremos puchero todas las noches.

—Bien. ¿Vino Lía?

La mujer de la frente perlada de transpiración, dijo:

—Cómo iba a fallar. Allí está...

Entonces la vio Ivo, y vio también a Marcos Luquín que caminaba un poco atrás de ella. Era una mujer alta, más bien gruesa, de andar firme. Vestía una falda demasiado estrecha y un ceñido suéter que se juntaba a sus senos grandes y movibles. Llevaba lentes de gruesos aros de plástico. Le tendió la mano:

—¿Quíhubo, Ivo?

—¡Cómo vienes esta noche! —Ivo no le miró la cara sino los pechos. Ella no se inmutó.

Encendió Lía un cigarro de tabaco oscuro. Sus movimientos eran firmes, seguros, impulsivos. Lanzó una bocanada al rostro granujiento de Ivo. Miró en torno.

—¿Cómo se portan las fieras?

—Bien. Son mansos... ¿Y tu marido?

—¿Ése? En casa. Se quedó con los niños. Ya lo conoces.

—Hay que trabajar bastante, al menos hoy.

Ella asintió.

—Traje la portátil y las formas de telegrama...

En eso se aproximó, sin aplomo, con una encogida timidez Marcos Luquín. Miró de reojo a la muchacha, pero cuando habló con Ivo hizo como si la ignorara.

—Ivo, creo que... —comenzó.

Él lo interrumpió:

—Mira —se refería a la muchacha del suéter ceñido, húmedo bajo las axilas. Ella es Lía. Una de nuestras mejores camaradas... Éste es Luquín.

Lía ladeó su rostro sin pintar. Tras de los cristales, sus ojos grises empequeñecieron al clavarlos en Marcos. No sonrió:

—¿Así que Luquín, que manda aquí?

Sintiéndose rojo de vergüenza, dijo Marcos:

—Eso parece...

—Ivo me ha hablado mucho de usted.

Divertido Ivo asistía al diálogo. "Sé a dónde vas, cusca", pensó. Marcos farfullaba respuestas a las preguntas impertinentes, profesionales, exentas de afecto o simpatía, de la mujer. Estaba cohibido ante la presencia de Lía. "Estoy seguro —razonaba Ivo— que ya buscas la manera de acostarte con él. Pobre de tu pobre marido. Pero él se lo merece, por descastado."

Al fin ella dijo, tirando el cigarro:

—Bueno, ¿dónde voy a trabajar?

Ivo señaló al hotel.

—Allí. En el cuarto de las ventanas... Hay una cama también.

Lía iba a decir algo. Relampagueó el desdén en sus pupilas color acero. Frunció la boca en gesto que remedaba una sonrisa.

—Está bien —se volvió a Marcos. Ya nos veremos, camarada.

Caminó sin prisa hacia el sitio donde había dejado su portafolio y una máquina portátil de escribir. Al andar balanceaba las caderas, exagerando su movimiento. Ivo soslayó a Marcos. Éste seguía con la mirada la marcha de Lía.

—Buenas nalgas, ¿eh? —Ivo lo palmeó en la espalda. Luego, empujándolo hacia donde se improvisaba el campamento. Por esta noche tenemos resuelto el problema de la comida. Nos la manda el Sindicato de Maestros. También café y unas botellas de Madero...

Marcos se dejó llevar. Mientras Ivo destapaba ollas y peroles, en tanto que hacía circular las primeras botellas de ese coñac criollo y reconfortante, él no cesaba de pensar en Lía y en su cuerpo, tan contorneado y apetitoso. Suspiró. "Hace un mes no toco a una mujer."

3

Al otro lado de la valla del patio ferrocarrilero aguardaba el automóvil negro de Perkins. Las sombras de Quintana y de sus espalderos avanzaban lentamente, por entre las vías, hacia él. Un poco atrás, con agachados movimientos de gatos nocturnos, Sergio y quienes lo acompañaban seguían sus huellas. Quintana salió del patio, por el angosto pasadizo, y se dirigió al coche.

—Desde aquí los veremos mejor —dijo Sergio, muy quedo, acuclillándose, protegido por la sombra, junto a la tronera.

Quintana llegó al automóvil charolado. Se abrió la portezuela y, por un segundo, mientras lo abordaba, se iluminó el interior. El chofer de Perkins encontrábase fuera, recargado al guardafangos.

Perkins preguntó sin dar los ojos a Quintana. Éste lo miraba de perfil, seco y endurecido como una de las caras patricias de las monedas.

–Bien, ¿qué pasó?

Desfallecido, Quintana dijo:

–Nada. No quieren entender razones—señaló, a través del parabrisas, a quienes lo acompañaron a parlamentar con Marcos. Están tercos en seguir adelante.

–¿Les dijo lo de los eventuales?

–Sí. No les importa...

Al cabo de un silencio, con los labios muy apretados, gruñó Perkins:

–Bastardos...

El calor se aglomeraba en el interior del cerrado vehículo. Perkins abrió el cristal de su lado y una vaharada, tan sofocante y pesada como la de un soplete, se coló al interior. Perkins encendió un cigarro.

–Pero estoy seguro, señor —dijo Quintana—, que la huelga no durará mucho.

Gruñó Perkins algo ininteligible. Una chispa cayó sobre su pantalón y, casi inmediatamente, el aire olió a lana quemada. Mientras se sacudía, dijo:

–Eso cree usted.

Más animado, Quintana indicó:

–Lo sé bien, señor. Pude hablar con los muchachos. Todos quieren que haya arreglo...

Lo atajó el gerente.

–¿Y qué esperan, pues?

–¡Oh! —hizo Quintana. Ellos quieren, pero Marcos Luquín y los rojos que llevó los tienen aterrorizados.

–Tres o cuatro no pueden dominar a casi mil.

–Eso, sólo viéndolo señor. No son tres o cuatro. Son más. Y tienen armas. Las he visto.

–¿Qué más?

–Marcos Luquín gritó mueras... contra usted...

Perkins recibió silenciosamente la noticia. No hizo ningún comentario. Quintana lo miró, de perfil, mordisquearse, cavilando, la uña del pulgar.

–Eso hizo, ¿eh?

Quintana sonrió en la oscuridad. Había puesto en marcha un plan de desprestigio contra Marcos; contra Luquín a quien Perkins estimaba mucho. Perkins estaba furioso, no tanto por la huelga, sino porque ésta la había empezado Marcos. Marcos, lo cual era inconcebible. En su interior hervía el rencor. Si otro hubiese hecho el lío, ¡pero Marcos Luquín! Era ya algo personal, y esto no lo ignoraba Quintana y por ello filtraba un poco más de rencor en el espíritu frío y al parecer impenetrable de Perkins.

–Sí. Claro, la culpa no es de él...

Por primera vez en toda la charla, Perkins movió ligeramente su cabeza para que sus ojos pudieran ver, al sesgo, a Quintana.

–¿De quién, entonces?

Con cautela, Quintana se aventuró. Medía sus palabras, con el mismo cuidado con que se adelanta el pie, antes de avanzar, tanteando primero, sobre un camino que se sabe peligroso y difícil.

–No diría que de usted, señor —con un movimiento enérgico de su cabeza apoyaba su insidia. No. Usted sabe lo que mejor conviene; pero si la vez pasada usted lo hubiera querido, yo sería ahora el secretario general del Sindicato, no Marcos...

Perkins resopló. Extendió su brazo ante Quintana y operó el picaporte, abriendo la portezuela.

–Está bien, Quintana. Ya buscaré otra manera...

Ya abajo, apoyándose en la puerta, Quintana metió su cabeza al interior del coche de Perkins.

–Puede arreglarse, Mr. Perkins. Cuestión de que usted diga. Con dinero podía traer gente que rompiera la huelga...

Un poco irritado, Perkins comenzó a subir el vidrio. Quintana retiró su cabeza.

–Olvídelo —gruñó Perkins—: yo lo arreglaré...

El chofer, dejando su sitio de la salpicadera, entró en el coche y puso el motor en marcha. Perkins se arrellanó, profundamente, en su asiento.

–Vamos por Rico...

Partió el auto. Rodó un par de calles y se detuvo adelante de otro, que aguardaba, estacionado, en la avenida. Un hombre saltó de él y entró al del gerente. Se libraba del calor abanicándose con un sombrero de paja flexible.

–¿Resultó algo?

–No —repuso Perkins, malhumorado.

–¿Entonces?

Perkins casi gritó:

–¿Qué diablos quiere que yo haga? —estaba encendido por la explosión de su temperamento. Sus ojos fríos fueron apagándose, hasta llegar a la calma de los grandes lagos norteños. Tengo que esperar a lo que resuelva la gente de Nueva York...

Por unos segundos ninguno de los dos hombres habló. Al cabo Perkins dijo, a manera de disculpa:

–Este maldito calor...

–Lo irrita a uno... —apoyó el otro.

Encendió un nuevo cigarro. Rico, que no fumaba, tosió. Perkins aspiraba el humo ávidamente. Tenía la boca seca y amarga. Sus dedos tamborileaban sobre su rodilla.

–Pienso, nada más, en la fruta...

–Sí, la fruta... —repitió Rico, como si fuera el eco.

–Millones de pesos almacenados. Las hieleras paradas en una noche como ésta...

–Hombre, Perkins; arregle usted las cosas, ¡por Dios!

–Sí. Suena fácil. ¿Cómo voy a decirle a mi junta de directores, en Nueva York, que doblé las manos ante un grupo de cochinos rojos?

–¿Le consta que sean?

–Naturalmente. Está investigado.

–¿Y qué buscan los rojos en la Empacadora?

Con desaliento, Perkins echó la cabeza para atrás. Sus ojos escudriñaron el toldo de seda de su automóvil.

–Es lo que quisiera saber, ¡qué buscan!

–Nunca me pareció que Luquín fuera rojo. Al contrario.

Con rencor, comentó Perkins:

–Pues ya lo ve. Todos ellos son así: hipócritas, serviles, hasta que sacan las uñas. Además están los otros. Sí, Rico, lo sé todo. Alguien quiere hundirme... —miró su reloj. Bueno, vámonos... No, Rico, venga conmigo... Que su chofer nos siga...

Los dos vehículos se pusieron nuevamente en marcha. Perkins indicó al que manejaba:

–Vamos a la Empacadora... Despacio...

Rico consideró que eso era un absurdo:

–No vaya a provocarlos...

–Pasaremos por allí. Sólo para ver...

Como un gran gato negro, el automóvil de Perkins dobló la esquina y enfiló, por el otro carril, hacia la calle de la Empacadora. Se aproximaban lentamente, con el suave rodar de sus llantas blancas.

–Mire —señaló a Rico—, han bloqueado la calle...

Los hombres de la barricada vieron el coche que se acercaba y comenzaron a gritar:

–Allí vienen...

–Es el gringo...

–Son muchos coches...

Los huelguistas corrieron a donde llamaban sus compañeros.

En unos segundos había medio centenar de ellos atentos al paso del coche. Algunos tomaron piedras. Alguien gritó:

—Vienen a echarnos bala...

El automóvil de Perkins cruzó ante la calle. Los hombres vieron al gerente y a quien lo acompañaba asomarse a las ventanillas. Entonces, de cualquier parte, un brazo lanzó una piedra y ésta se estrelló, resonando como si golpeara un tambor, en el cofre del vehículo. Otras piedras cruzaron también el aire para dañar el coche.

—Bájate, marica...

—Cuidado. Van a tirar...

—Muera el hijo de perra...

El coche se alejó rápidamente. Perkins se volvió para mirar, lo mismo que Rico, por la ventanilla trasera. Una turba de hombres, con los amenazantes brazos en alto, habían traspuesto la barricada y corrían, cada vez más lejos, empequeñeciéndose por segundos, en seguimiento del automóvil.

—Vaya susto. Si nos detenemos, nos matan. Hay que avisar a la policía —Rico hablaba de prisa, muy pálido y alterado. Que manden granaderos...

Perkins sonreía.

—No es para tanto. La gente no nos hará nada, mientras nosotros tengamos un auto y ellos sólo piedras.

Rico miró a Perkins, como si le asombrara oírlo hablar así. El gerente no demostraba estar alterado sino, más bien, divertido; con un oculto, lejano, íntimo regusto. En realidad era ésa la primera vez que sonreía en toda la noche.

—Pero, Perkins; le consta cómo se pusieron al verlo...

Perkins suspiró:

—Claro que sí. Los justifico. ¿No se pondría usted furioso si fuera a burlarse, en sus barbas, un patrón hijo de mala madre... como creen que soy yo?

4

Hasta la escalera se filtraba, en el aire encerrado y bochornoso, el olor a café recién hecho. Cuando llegaron al descansillo percibieron también el apagado y monótono traqueteo de una máquina de escribir.

—Lía es una joya —dijo Ivo—, te apuesto que...

Sin terminar la frase empujó la puerta. De un vistazo abarcaron todo el cuarto. Era sí, el mismo cuarto; con sus paredes sucias, pintarrajeadas de obscenidades; con sus tablas llenas de polillas; con su lamentable pedazo de espejo. Y, sin embargo, tan distinto. Parecía flotar en él un aura, una presencia de orden, de arreglo. Con la mano todavía en el picaporte, inmóvil apenas pero no indeciso, Ivo habló suavemente por encima de su hombro.

–¿No te lo dije? Una joya...

Lía escribía, con sus rápidas manos regordetas, en una maquinilla maltratada, sobre la mesita. A su lado había formas amarillas de telegramas y páginas y páginas llenas de apretados párrafos. Marcos pudo verla mejor, abarcarla mejor, en el vistazo; tenía un aspecto seguro y eficiente, pero no deshumanizado ni mecánico; una como fuerza que se dejaba ver aun en el sencillo acto de voltear a ellos, medirlos con los ojos que eran miopes tras de los lentes, y seguir en lo suyo.

Entró Ivo. Luquín, tímido, permanecía aún en la puerta.

–Pasa...

Cerraron. El cuarto olía a café; y era porque el café estaba humeando dentro de una vasija de cristal refractario colocada encima de una parrillita. Había dos tazas. Ivo tomó una y se sirvió.

Lía dijo, entonces, sin dejar de teclear:

–Creo que tiene buen sabor...

Ivo lo paladeó. Asintió y luego fue a colocarse, con la taza en la mano, tras de Lía. Ésta pudo sentir muy cerca de su nuca el aliento caliente de su amigo.

–Perfecto, Lía. No podía ser de otro modo —soslayó a Luquín, que se había sentado en la orilla de la cama, con la timidez con que se aguarda en la antesala del dentista—: Lía hace el mejor café del mundo. ¿Te acuerdas, mujer, de la huelga de la tenería?

Ella asintió pero no dijo nada. Durante cosa de un minuto continuó concentrada en lo que escribía. Al fin, desapareció la seria tensión de su rostro y pudo sonreir, retirando la hoja de la máquina. Se la tendió, en silencio, a Ivo. Leyó éste lo que había en el papel y, al concluir, lo alargó a Marcos.

–Estupendo. Y, además, conmovedor...

Ahora los dos miraban a Marcos. Se había puesto los lentes y leía lentamente, con un apenas perceptible movimiento silencioso de sus labios. Cuando alzó los ojos y antes de que pudiera hablar, Ivo dijo:

–Firma... y ya está.

Marcos Luquín titubeó, levantándose. Una arruga de preocupación desconfiada se le hizo sobre las cejas.

–Yo creo... —comenzó; no siguió adelante. Luchaba desesperadamente por encontrar palabras que, al ser dichas, no sonaran estú-

pidas; que no provocaran la burla de quienes, atentos, casi inquisiti-
vos, lo miraban.

–¿Qué es lo que tú crees? —preguntó Ivo con un tono que era
frío a fuerza de querer ser amable. Puso la taza junto a la máquina. Di,
¿qué es lo que tú crees?

Ella también lo miraba. Sus ojos tropezaron y Luquín tuvo que
desviar los suyos. Se sintió torpe y muy débil e inerme ante ellos.

–Es que...

Con algo de fastidio, ella explicó:

–Es la declaración oficial que hace tu sindicato. La explicación
de por qué se fue a la huelga. Se publicará en los periódicos de la tarde...

–Sí, pero...

–A mí —indicó Ivo— me parece estupenda tu declaración, Luquín.

Marcos arguyó, leyendo nuevamente:

–La encuentro muy... rara...

–¿Qué tiene de raro? —el fastidio era ahora irritación en Lía.

–Pues tantas palabras... Por ejemplo —Luquín leyó—: "...La ti-
ranía del patrón...". Nosotros estamos a gusto con él... "...pisotean los
sagrados derechos del trabajador mexicano..." Y esto otro: "La guerra
sin cuartel a la hidra capitalista...". Y más: "fascistas... negreros... pul-
pos insaciables...". No me gusta —se quitó los lentes y se sintió mejor
tras de enunciar su inconformidad—, no me gusta.

Cruzando sus flacos brazos sobre el pecho, con la cabeza ladea-
da bajo la desnuda luz del foco, Ivo preguntó:

–¿Y por qué?

–Porque nada de eso que allí se dice —con los anteojos dobla-
dos golpeteó Luquín sobre el papel— es cierto. Y tú lo sabes bien.

–Yo sólo sé que estamos en huelga...

–... lo sabes bien —reiteró Luquín—, somos los obreros mejor
pagados en este negocio; Perkins, aunque nos aprieta, se porta bien;
prueba que nunca, en muchos años, hemos tenido un sí o un no... No
—enérgicamente movió la cabeza—: Suena raro...

Hubo un silencio pesado y angustioso. Lentamente Ivo desdobló sus brazos. La luz del foco caía, a plomo, sobre su rostro y la piel
parecía, con sus cientos de pequeños volcanes de acné, un trozo de
paisaje lunar. Sus labios eran una colérica línea gris. Avanzó un paso
enfrentándose a Luquín. Tomó el papel.

–Esto —dijo, sacudiendo la hoja— es lo que va a publicarse en
los periódicos de la tarde. ¿Lo entiendes? Esto y nada más que esto.

Es necesario. No olvides —con el índice, admonitoriamente, comenzó a punzar el pecho de Luquín— que estoy aquí para cuidar el aspecto político, po-lí-ti-co de la huelga...

Luquín buscó a Lía. Ella se había movido, echándose aire al rostro con las manos, en dirección a la ventana. Ivo aguardaba ya con una pluma para que la tomara Marcos. Él se volvió, no tanto para verla, sino para librarse de los tercos ojos fríos de ese colérico muchacho flaco, al que podría despedazar de una bofetada, que trataba de imponerle su voluntad. No encuadró, entonces, a Lía; sino a su grupo doblada sobre el marco del ventanuco. Apartó, enrojecido, su vista del trasero de la mujer.

—Yo sé, Luquín, mejor que tú, cómo se manejan estas cosas...

Luquín, casi sin darse cuenta, tomó la pluma. Sentíase muy débil ante Ivo. Lo miró un poco desconfiado y luego se inclinó para firmar. Dibujaba su laboriosa rúbrica al pie de esas palabras que le eran ajenas y que en cuanto las sancionara con su firma serían suyas, cuando se abrió la puerta. Todos miraron. Era Sergio. Ignoró a su padre. Dijo:

—Ivo...

—Voy... —indicó éste, recogiendo el documento y soplando sobre la tinta fresca. Palmeó la espalda de Marcos—: Ya irás acostumbrándote.

Lía se apoyaba en el alféizar, de espaldas al cielo abierto. Cuando Ivo salía dijo:

—Debe firmar esos telegramas, también —señaló las formas de papel amarillo, apiladas junto al codo de Marcos—; deben despacharse temprano... Ya sabe: protestas y quejas a las autoridades del trabajo. Lo de cajón...

Fatigadamente Luquín empezó a leerlos.

En cuanto cerró la puerta tras de sí, Ivo preguntó:

—¿Qué sucedió?

Sergio dijo:

—Lo que creías. Perkins lo esperaba.

—¿Y?

Pasó el hotelero con un atado de ropa bajo el brazo. Guardaron silencio. Lo vieron desaparecer en uno de los cuartos.

—Habló un rato con Perkins, en el coche —prosiguió Sergio.

—¿Se fueron juntos?

—No. Perkins en su coche. Quintana a su casa.

–¿Sigue allí?

–Debe de seguir. Quienes venían con él lo dejaron en la puerta.

–No hay que perderlo de vista.

–Dejé a uno de los muchachos vigilando.

–Bien. Hazte cargo tú. Hay que saber todo lo que haga Quintana esta noche.

Pasó de vuelta el encargado del hotel. Cruzó entre ellos y se metió a otro cuarto, para dejar en él, seguramente, la poca ropa que ahora llevaba.

–La hormiguita trabajadora —dijo Ivo, con ironía. Luego, a Sergio—: Si sale, síganlo...

Sergio, entonces, olfateó el café. Quiso entrar al cuarto. Ivo se lo impidió:

–Vete ya...

–Hombre, un café antes...

–Vete ya. El viejo —indicó con la cabeza hacia la puerta— está negro de coraje. Hay que dejar que se calme...

–Lía sabe cómo hacerlo...

La garra descarnada de Ivo tomó a Sergio por el cuello y lo hizo caminar, un poco adelante de él, hacia la escalera.

Lía estaba sentada en el marco de la ventana. Su pierna desnuda, con una intensa sombra de vello, se balanceaba en abandono. Nubes bajas se aglomeraban encima de la ciudad. La noche tornábase de un opaco color gris púrpura. A lo lejos repercutían los ruidos de los autos, de las locomotoras, los silbatos de las fábricas; y ese avispeo singular que suele escucharse entre dos grandes silencios urbanos.

–Ya está —dijo Marcos, ordenando nuevamente los telegramas. Se había manchado el dedo medio con tinta azul.

Ella lo miró levantarse y permanecer de pie, vertical, robusto su cuerpo sólido bajo la luz que abría dos grandes huecos negros bajo sus cejas.

–¿Un café? —preguntó.

–Bueno...

Lía paso a su lado. Le sirvió la taza y luego llenó una para sí. Se la dio.

–Es lo mejor. Algo caliente para este calor.

–Sí.

Bebieron, mirándose. Ella encendió un cigarro.

–¿Así que tú eres el padre de Sergio, eh? —lo tuteó.

–Ajá.

–Es un gran muchacho...

–Un vago, diría yo. Un bueno para nada...

Rio ella brevemente. Se dejó caer en la cama. La falda de su entallado traje se corrió por encima de su rodilla. Luquín la miró y apartó, como si los quemara, sus ojos de esa pierna blanca y llena.

–Según se mire —ella se tendió entonces, con pereza, dejando la taza en el único buró—, es hábil para otras cosas.

–Eso dice usted. También Ivo.

–Sergio llegará...

–Sí. A la cárcel municipal... O a la penitenciaría...

Se divertía con las respuestas de Luquín. El café le daba más calor, en lugar de quitárselo. Recargó la cabeza en la almohada, dejando que su pelo colgara.

–Llegará lejos —insistió. A pesar de ser joven le tienen confianza...

–¡Bah...!

–Es cierto —Lía desdobló su cuerpo y lo puso boca abajo. Sus pesados pechos se aplastaron y parecía que iban a saltar del escote. Por unos momentos sus ojos miraron de frente la braguata del pantalón de Luquín—; tiene madera. Es incansable. Le gusta su trabajo...

Luquín dejó también su taza:

–¿Le llama trabajo a andar metiendo a la gente en líos?

–Es una forma de trabajo. No cualquiera puede hacerlo. Ivo, por ejemplo...

–Otro... —comentó Marcos, con desdén.

Ella dijo muy seriamente:

–Con Ivo, Sergio llegará lejos. Ivo es uno de los mejores organizadores que tenemos. Un tipo peligroso...

Por hacer algo, Marcos se levantó y fue a la ventana. Desde allí vio a los hombres y a las mujeres; a sus compañeros empujados por él a esta huelga que, a cada minuto, parecíale más necia e innecesaria. Estuvo pensando un tiempo. "Ellos han metido la mano en esto más de la cuenta", reconoció. "Sí, más de la cuenta. Van adueñándose de todo. De mí, incluso. Yo no quería firmar. No debía hacerlo. ¿Por qué diablos no los eché a patadas?" Experimentaba una irritación dolorosa contra su poco valor. "Me tienen asustado. No comprendo muchas cosas y por eso me siento así: ciego, tonto. Si me hablaran francamente sabría a qué atenerme. Pero no entiendo su cochino juego." Se volvió. Lía estaba junto a él, rozándolo con sus pechos. Marcos se apartó y entonces quedaron frente a frente, de perfil al cielo cada vez más bajo y rojizo.

–Va a llover —expresó la mujer.

Él miró a las nubes. Se tornaban sombrías. Dentro de poco las tendrían sobre los hombros.

–Refrescaría un poco, al menos.

No dijeron más. Luego ella preguntó:

–Tienes miedo, ¿verdad, Luquín?

–¿A qué?

Lía señaló al exterior. A los grupos que charlaban o jugaban a las cartas; a los que disputaban sobre deportes; a los que entraban y salían de la caseta de madera con la que se había improvisado, al extremo de la calle, encima de una alcantarilla, el sanitario colectivo. Señaló también los patios de la Empacadora, desiertos y silenciosos; con sus trenes a medio descargar y sus camiones inmóviles y grotescos; y más allá, los almacenes donde la putrefacción, estimulada por el calor, estaría ya royendo las frutas; y, luego, las grises puertas metálicas clausuradas por la única bandera rojo y negro que había llegado en el camión, junto con Lía y las mujeres que atendían el hervor de los peroles con alimento.

–A eso. A la huelga.

–No lo sé. Claro es una responsabilidad.

–Lo comprendo, Luquín. Yo tuve miedo en mi primera huelga.

–¿Has visto muchas?

–Más de las que creí llegar a ver la primera vez.

–¿Por qué?

–Empecé en un zafarrancho. Nos echaron encima a los granaderos. Nos mataron a tres compañeros...

–¿Qué sucedió?

–Lo de siempre. Una protesta contra los esquiroles. Pero en esta ocasión los rompehuelgas llevaban fusiles y uniformes azules.

Hablaba con una pasión fría y tranquila, como si masticara las palabras; como si dentellara con odio los recuerdos. Una gruesa vena latíale en el cuello.

–A usted, a una mujer, ¿le gustan los líos?

Fieramente, fruncida la boca, ella retó:

–¿Y por qué no?

–¿Qué gana... exponiéndose?

–No se trata de ganar o no. Se trata de cumplir con un deber para con los demás.

–Usted tiene otros deberes. Es casada, me han dicho...

Lía se encogió de hombros. Con los dedos se limpió un poco el sudor que le corría entre los pechos.

–¿Y eso qué? ¿No puedo ser útil?

–Bueno, su casa... su marido... sus hijos.

–¡Mi marido! —ahora estaba realmente molesta. Es un pobre diablo. Un borracho; un descastado. No sé cómo pudo hacerme los hijos que tenemos... Es de izquierda, dice; pero teórico. Está siempre demasiado ebrio para poner en práctica lo que habla...

–¿Por qué se metió usted a esto?

Más tranquila, ella repuso:

–Quizá para no acabar amargada. Para darle un sentido a mi vida. Es tan bonito desnudarse de egoísmo y ayudar —miró a los obreros; había ternura en sus pupilas. Y hay tanta gente que necesita ayuda.

Entró Ivo. Los dos se volvieron. Vino hacia ellos y, con los brazos abiertos, los abarcó. Los tres miraban a la calle, con sus foquitos y sus vivacs improvisados.

–Me alegro de ver que son ya amigos —comentó, mirando de Marcos a Lía y luego otra vez a Marcos.

Lía indicó:

–Le contaba mi triste historia —y rio después. No había piedad en sus palabras:

Ivo asintió:

–Es una historia estupenda. Una pequeña burguesa metida en estos dengues... Y, en serio, Marcos: esta mujer —su mano abierta golpeteó con suavidad las nalgas de Lía—vale por diez de nosotros. Una camarada con toda la barba... —sonriendo la miró a los ojos—, dispuesta a sacrificarse por lo que sea. ¿O no?

Ella lo enfrentó sin rubor.

–Por lo que sea. Lo melindrosa se me quitó hace tiempo.

Marcos no sabía qué decir. Se apartó de ella y fue a sentarse en la cama. Ivo, ante el espejo, comenzó a apretarse los barros de la cara, hasta hacerla sangrar en diversos sitios. Limpió lo rojo con su manga.

–¿Qué hora es?

Marcos y Lía, casi al mismo tiempo, dijeron dos horas distintas; diferentes en cuestión de minutos.

–Pónganse de acuerdo —rio Ivo.

Lía quiso saber...

–¿Vas a salir?

Desde la puerta Ivo lo admitió.

–Ajá —les guiñó el ojo—, pónganse de acuerdo...

Cerró. Lo escucharon alejarse, silbando.

Encendió ella un nuevo cigarro.

–Ivo nunca está contento. Cuando llega a reirse se le hiela a una la sangre. A mí me asusta todavía, a veces... ¡y eso que hemos navegado juntos mucho tiempo!

Resopló su acalorado fastidio. Estiró los brazos, desperezándose. Marcos, que la miraba, reconoció que comenzaba a desear ferozmente a una mujer.

LA HORA SEXTA

1

El camión reculó silenciosamente y se detuvo con un rechinido. El escaso frotarse de sus balatas, al frenar las ruedas, resonó con el estrépito de un trueno. Aquel callejón tenía un oscuro y apelmazado silencio a esa hora. Densa, como de atole, la sombra; y encima de ella, con su color de sangre mezclada con agua, las nubes eran espesas, como de algodón de azúcar. Algún reloj terminaba de marcar la hora, muy lejos del barrio, del sitio donde el vehículo se había asentado como un gran animal mudo y quieto.

Se percibió, luego, otro rechinido; y se oyó, amortiguado, el golpe de una puerta de coche al ser cerrada con mucho tiento. Vinieron después pasos firmes, reposados, nada nerviosos, haciendo crujir las piedrecitas. Los hombres que aguardaban, casi sin respirar, tensos todos y con las bocas secas, se pusieron más atentos todavía dentro de las redilas del camión cubiertas por una lona cochambrosa.

–Es U —susurró una voz.

–Sí. Él.

Los pasos se detuvieron. Nadie hacía ruido al respirar. Dentro molestaba el calor a los que aguardaban. Eran poco más de doce; quizá quince hombres encuclillados, o simplemente sentados sobre las duras tablas del piso. Olía a la brea de la lona.

Alguien habló fuera:

–¿Y el Perro?

Otra voz, que no era la de U, pues U casi nunca preguntaba, respondió:

–No debe de tardar...

–¿Venía contigo?

–Sí, pero él tomó otro camino. Así lo ordenó Ivo.

–También ordenó que estuviera a tiempo.

La voz del chofer se escuchó áspera, irritada:

–No me lo digas a mí, sino a él. Yo estoy aquí, ¿no?

Uno de los hombres empacados en la parte trasera del camión levantó un poco la lona. Desde allí podían adivinar, con un pie en el estribo y las dos manos apoyadas en el marco de la portezuela, a U.

U preguntó en voz baja:

—¿Cuántos trajiste?

—Serán trece o catorce.

—¿Saben lo que tienen que hacer? No quiero tarugadas.

—Se les explicó... —una pausa— y se les dio con qué hacerlo.

Resopló U:

—¡Ese Perro...!

El que espiaba dejó caer la lona que había levantado y apoyó las espaldas contra las duras tiras de madera de la redila. Encendió un cigarro, ahogando el resplandor del fósforo en el hueco de su mano. Alguien tosió.

—Apaga...

Quien fumaba dijo:

—Vaya... —fumó con avidez. Alguien tendió la mano pidiendo el cigarro. Lo tomó y le dio fuego al suyo.

Otra voz quiso saber:

—¿Qué esperamos? ¡Con este calor!

El que espiaba informó:

—Ya lo oíste. A que llegue el Perro con los demás...

En otro extremo de la tienda improvisada con la lona se encendió un nuevo cigarro.

—Esto va a ponerse bueno.

—Claro que sí.

—Fue idea de Ivo.

—¿De quién iba a ser? Él sabe lo que hace.

—Le gustan los jaleos. Pero él no se mete.

Uno de los hombres gruñó:

—Él no es gañán como nosotros. Él sirve para otras cosas.

—Nosotros rompemos las cabezas; pero él se lleva la gloria.

—¿Y qué querías? Ivo es dirigente. Para eso lo tienen organizando esto.

Se escuchó una tos, un acceso apagado y ríspido, ocasionado por el tabaco. Todavía ahogándose, el que lo había sufrido regañó:

—Apaguen. No se puede respirar aquí —la tos volvió por unos segundos, convulsionando al hombre. Al cabo, concluyó— y ustedes llenándolo todo de humo.

No le hicieron caso. Los cigarros continuaron iluminándose,

de cuando en cuando, al ser chupados por los labios resecos de los que esperaban.

Una de las voces reanudó:

—Dicen que Ivo va a llegar lejos.

—Naturalmente. Modesto, y yo lo sé bien, no sabría qué hacer sin él.

—Será que Modesto está ya chocheando.

—No es eso, nada más. Se ha vuelto prudente. Lo han atrapado.

—Pero con Ivo —añadió otro— los asuntos de la Central marchan bien.

—Bueno, sí, asuntos como el que venimos a hacer: apalear a una manada de borregos.

Bajo un zapato desapareció el punto rojo de un cigarro. Se escuchó el chasquido de un escupitajo al aplastarse en la tarima.

—Esto debe de ser importante; Ivo, en persona, maneja el asunto... y mandó a U con nosotros.

—Es que va a ser una carnicería...

—Ya llega el Perro —dijo cualesquiera de las voces.

Los hombres se removieron. Algunos levantaron la parte inferior de la lona para ver. El aire caliente les pegó en los rostros. Un camión semejante al que ocupaban, entoldado y sin marcas de identificación, sin luces siquiera, se acomodaba al lado, tras de maniobrar a fin de situarse de cofre a la avenida. U tiró de la portezuela y bajó un sujeto, con chamarra negra de cuero, fumando un trozo de puro. Lo escucharon farfullar una disculpa por el retardo.

Furioso, U masculló:

—Diez minutos tarde; Ivo va a darte una medalla.

—No fue mi culpa, U... Venía tras éste —señaló al otro chofer, al que había llegado antes— pero, en el cruce, una máquina se puso a mover furgones...

U le hizo ademán de que callara.

—Bueno, ya... ¿Están todos?

—Sí. Traje a diez. Los que mandó la Central.

—OK —ordenó U—, que bajen, sin escándalo.

De los camiones empezaron a saltar hombres. Se formó un grupo compacto, silencioso, de tipos que se saludaban moviendo las cabezas o tendiéndose las manos sin palabras. U les habló:

—Ya saben de lo que se trata, ¿no?

Los hombres asintieron. Ninguno habló, pero sí salió de entre ellos un ahogado murmullo.

—Hay que llegar —siguió U— con las porras listas.

De entre el grupo alguien preguntó:

—¿Y si ellos se defienden?

U los tranquilizó.

—Ni las manos meterán. Ivo arregló eso. Hay una docena de gentes allí, entre hombres y mujeres. Ninguno tiene armas. Ivo se encargó de que no las tuvieran. Hay que darles una buena felpa, por parejo. Pero, ¡no vayan a matar a nadie! Se trata de asustarlos, no de matarlos...

Los hombres murmuraron. Todos tenían con qué golpear: macanas de hule, garrotes forrados de alambre de plomo; los más, manoplas de acero.

—Y otra cosa —les recordó U—: No creo que suceda, pero si alguno de ustedes es tan bruto que se deje coger, allá él... Nosotros, la Central, no podrá sacarlo del lío. Ya lo saben. Si los pescan tienen que jurar, así sea por su madre, que son gente de Quintana; que éste los contrató para atacar a los que vigilan... Y por último, hay que regresar inmediatamente a los camiones...

Ya no dijo más. La pandilla fue escurriéndose, en el oscuro silencio del callejón, rumbo a la puerta que atacarían. Los hombres iban tensos, pegajosas las manos por el sudor; muy abiertos y alerta los ojos. Dieron vuelta al recodo. U se detuvo, repegándose a la pared. Hizo señas para que avanzaran los rezagados.

—¡A darle con fe! —gritó.

Lleno de satisfacción U vio cómo los hombres que él había llevado en los camiones caían sobre los sorprendidos guardianes indefensos de la puerta trasera de la Empacadora. Los obreros no pudieron defenderse; ni siquiera levantarse de los sitios que ocupaban. Los hombres de U gritaban ruidosamente:

—Viva Quintana...

—Muera Luquín...

—Mueran los huelguistas...

—Viva Quintana...

La carnicería concluyó pronto. Las mudas ramas de los golpeadores habían hecho su trabajo y quienes las manejaban volvían, rápidamente, a sus vehículos. En el suelo, retorciéndose algunos, desmayados otros, todos sangrantes y aún confusos, los guardianes vieron alejarse a sus atacantes. Gritaron en demanda de auxilio. Los motores que se alejaban ahogaron sus llamadas.

Como un eco percibían en la noche caliente:

—Viva Quintana...

—Muera Luquín...

Los camiones rodaban ya sobre el asfalto de la avenida. Los hombres, ahogándose por el esfuerzo, se habían tendido bajo la lona. U asomó su cara regordeta por la ventanilla de la caseta del chofer. Preguntó:

–¿No se quedó ninguno?

–No... —le respondieron, cansadamente.

U, cuyo nombre era el impronunciable y vascuence de Urigorticoechea y que había sido abreviado, para comodidad de todos, hasta dejarlo convertido en la letra inicial, comentó para sí, al lado del chofer:

–Si no perdimos a nadie fue perfecto. Ivo va a ponerse contento.

2

Uno de los hombres, con la cara chorreando sangre, fue a avisar que la gente de Quintana había atacado la puerta tres. Marcos Luquín seguido por Ivo, bajó corriendo. Desde la ventana del hotel, Lía los vio hablar rápidamente con el agredido y tomar rumbo al obscuro callejón. Los demás estaban excitados y lanzaban insultos, en grito abierto, contra Quintana, la empresa y la madre de todos ellos. Lía sonrió:

–La cosa marcha —se dijo.

Sintió repugnancia por todo aquello. No era cosa nueva que la sintiera, pero ésta era la primera vez que lo admitía sin ambages. Detestaba los procedimientos de Ivo; de ese flaco y peligroso fanático al que temía y al que, por lo mismo, obedecía y respetaba. "Igual que la otra vez. Sólo que ahora Ivo comienza temprano", pensó. No podía ser de otro modo. Ivo era el responsable de lo ocurrido; que ignoraba, puesto que no habían llegado noticias frescas, pero que podía adivinar. "Así lo hace siempre. Es su estilo. Si lo sabré yo."

Se retiró de la ventana. El pelo le caía, sin gracia, aplastándose en su frente sudorosa. Fue a la cama y se quedó sentada, con las piernas abiertas, y sin saber qué hacer. Con el pañuelo se limpió, por debajo del suéter, el sudor que mojaba sus senos. Quiso fumar, pero los cigarros estaban en la mesa, y experimentó un fastidio agobiador por levantarse.

Durante un tiempo dejó que sus ojos fueran de un lado a otro del cielo raso. "Marcos es un buen tipo —analizó. Un tipo decente. Lo era hasta esta noche. Ahora Ivo lo ha atrapado. Y es inocente como un niño, como ese hijo que espera que le nazca a su mujer. No, inocente, no. Ciego. Eso es lo que es. Un ciego, estúpido que no se da cuenta hasta qué punto es instrumento de otras gentes que lo mueven y lo seguirán moviendo a su antojo..." —hizo una pausa en sus pensamientos. Alzó los brazos, enlazó sus manos y las colocó ante sus ojos, vueltas sobre sí mismas, en tal forma que podía ver sus dorsos y la maraña de sus dedos. "Si Ivo supiera lo que siento me pondría rojas las nalgas a patadas. Pienso como una idiota derrotista. Ivo hace bien. Él cree en algo y se vale de todos los medios para seguir creyendo y para obligar a los demás a que lo imiten. Y yo, ¿en qué creo? ¿Acaso en mi trabajo, como Ivo?", sonrió con desdén. "¡Mi trabajo! Para ellos soy una camarada utilísima, valiente; pero todo eso son pamplinas. Hay algo más. Ivo lo sabe y mi marido también" —se escuchó reir, con la misma crueldad incisiva con que pensaba de su persona, de sus sentimientos; de las razones que había como telarañas, en su cerebro. "Así, ya somos tres que lo sabemos. El castrado de mi marido lo descubrió pronto. Qué tipo odioso. Las primeras veces, en cuanto lo sospechó, lo recuerdo bien, lloraba, gemía, amenazaba con pegarse un tiro; pero no lo hizo nunca; tampoco se portó como hombre. Quizá, si en vez de olerme para saber si había estado con otro se hubiese enfrentado a mí, no habría yo llegado a esto. Ivo fue diferente. Él me lo dijo: él fue quien, con palabras, me puso ante la realidad de lo que soy y que no quería aceptar: una enferma."

Apretó los ojos hasta sentir dolor. Dentro de su cerebro había una cascada de chispas fugaces y círculos y pequeños hilos de luces multicolores. Aflojó la tensión de sus párpados y luego se tendió bocabajo, apoyando la frente en los tibios barrotes de la cama.

—Es un buen hombre este Marcos Luquín —dijo, en voz alta; y sin saber por qué pensó en Sergio y en las veces que se habían acostado juntos. Comenzó a reir—: Sería divertido. Muy divertido...

Su risa se prolongó hasta que las lágrimas brotaron de sus ojos; hasta que tuvo que clavar los dientes y las uñas en el colchón para ahogar el sollozo, el deseo, el sucio pensamiento que la inquietaba desde que encontró a Marcos.

3

Apoyándose en sus compañeros, que venían nerviosos, irritables y coléricos, los heridos entraron a la calle. Los que se habían quedado en espera de detalles se aproximaron hasta formar un grupo lleno de curiosidad, sacudido ante la presencia de la sangre.

—No estorben... Ábranse... —gritaba Marcos, apartando a los que se acercaban.

Llevaron a esos hombres y a esas mujeres maltrechos y sangrantes, llenos de polvo y de lágrimas, a la banqueta. Había tres rotos como muñecos de serrín.

–Al hotel —ordenó Marcos.

–Mejor aquí —Ivo se dirigió a los otros, a los que miraban—: Que traigan algo para curarlos. Que alguien llame a la Cruz...

Entre el grupo hubo un flujo y reflujo de asombro; gentes que no sabían qué hacer ni a dónde ir, todos con buena voluntad de ayudar, pero ignorando cómo hacerlo.

–Muévanse —urgió Ivo.

Alguien partió de allí, corriendo, en dirección a la fábrica. Lo seguía una media docena de obreros. Ya todos se habían acercado. Con largas caras de preocupación y mudo asombro contemplaban a sus compañeros, llenos de sangre y de moretones, sentados unos, tendidos los demás sobre el cemento de la acera. El que había ido a avisar se limpiaba con el dorso de la mano el terco hilillo rojo que le escurría de la cara, hasta el cuello y el suelo.

–¿Qué pasó? —demandaba Marcos.

Nadie podía hablar. Una mujer desmayada se convulsionó un instante y luego tornó a quedar quieta. Marcos miró interrogativamente a Ivo. Éste puso la mano abierta en el pecho de la obrera. Al cabo dijo:

–No es nada. Está sólo desmayada...

El que había ido a avisar, que era uno de los menos golpeados, narró:

–Salieron de entre la sombra, sin hacer ruido. Se nos echaron encima. Ni las manos metimos... —así que hablaba, al mover la cabeza, un rocío de pequeñas gotas de sangre salpicaba los pantalones de los demás, a la altura de las rodillas, y los suyos propios.

Ivo se acuclilló a su lado.

–Sí. Pero ¿quiénes eran?

–No lo sé...

Un rostro deforme, cortado en los pómulos, en las cejas, con los labios partidos por el impacto de una manopla de acero, tartajeó:

–Eran muchos... Gente de Quintana...

Ivo se volvió rápidamente hacia el que hablaba.

–¿De Quintana, dices? —preguntó.

Cabeceó el otro a la afirmativa:

–Sí. Gritaban: "Viva Quintana"... y también, "Muera Luquín".

La mujer había vuelto de su desmayo y comenzó a llorar. A su lado un hombre delgado, de pelo canoso, gemía su dolor, oprimiéndose el costado.

–Nomás nos pegaron y se fueron —dijo, en un pujido—, eran como treinta...

Ivo se levantó. Tenía el gesto duro y pálido el semblante. Alzó las manos para acallar los murmullos.

–Fueron los esquiroles, los rompehuelgas... —comentó sombríamente.

Voces anónimas gritaron mueras a Quintana. Ivo comenzaba a ponerse contento. Era ya cuestión de hacer que los hombres se enojaran; se tornaran coléricos y siguieran así hasta que a Ivo le pareciera conveniente.

–Esto que acaba de suceder —gritó para que nadie quedara sin oirlo— es sólo el principio.

–¡Muera Quintana!

Y un coro apoyó:

–Mueeeraa...

Ivo demandó silencio. Cerca había un tonel vacío, puesto de revés, en el que jugaban a las cartas. Retiró el sarape que lo cubría y trepó a él. Desde lo alto dominaba el bloque de cabezas, de caras de color yeso, que lo miraban atentas, ansiosas. Al fin todos callaron.

–Compañeros —no prosiguió hasta que los nuevos murmullos se apagaron. Compañeros, ustedes han ido a la huelga para defender un sagrado derecho de los trabajadores. ¿No es cierto?

Hubo un titubeo colectivo; luego algunas voces aisladas, de hombres y mujeres, respondieron:

–Sí.

Asintió Ivo, antes de proseguir:

–Ese derecho es el de la propia seguridad. La empresa, valiéndose de artimañas innobles, quiso acusar a cuatro de ustedes; y ustedes respondieron con la única arma legal de los obreros: la huelga —Ivo tomó aire. Continuó, todavía tranquilo, justo, sin alzar mucho la voz, sin darle fuego o pasión; como preparando a su auditorio—; y a la huelga se llegó, les consta, después de agotar los otros argumentos. Se habló mucho, pero no se consiguió nada... Y ustedes, pacíficamente, sin insultar a nadie, sin perjudicar a la empresa, vinieron aquí y decidieron esperar. ¿Sí?

La voces, ahora más que la vez anterior y con una animación superior y creciente, corroboraron:

–Sí.

Ivo sonreía; iba asentándose; ya las palabras no se le ahogaban, como al principio, en la garganta; ya sus manos no temblaban tanto al extenderlas en amplios ademanes.

–Entonces, ¿qué hace la empresa? Yo se los diré. Se vale de un traidor, de un esquirol. Se vale de Quintana. Primero, para inclinar la votación a su favor. Y fracasa. Después, para intimidar a Luquín y de paso a ustedes. ¿Acaso creen que Quintana actuó por sí mismo?

Al fin todas la bocas, como una sola, se abrieron al mismo tiempo.

–Noooo.

Dejó Ivo que se calmara el clamoreo. Alzó la mirada un instante y también un instante vio la silueta de Lía, en la ventana de El Paraíso.

–La empresa es fuerte y ustedes, los trabajadores, aparentemente débiles. Sí, débiles porque no tienen sus armas. Decide entonces desmoralizarlos. Los dineros de Judas pagan el precio de la traición... Ya lo han visto. Se contrata a una pandilla de matones y se les lanza contra ustedes. ¿Y a quién atacan? A un grupo de obreros, de hombres y mujeres, que hacen guardia, que están inermes. No vienen aquí, donde estamos todos y somos muchos para defendernos. No. Se escurren en la sombra y medio matan a estos infelices... Y yo pregunto, camaradas —abrió los brazos en cruz; gritó casi—, ¿vamos a permitir que sigan hiriendo a nuestros compañeros, a nuestros amigos; que nos hieran a nosotros?

Un torrente de gritos ahogó sus últimas palabras. Las cabezas de la multitud, como cocos flotando en el agua, se removían inquietas, embravecidas. Ivo, sudando a chorros, dejó que se desahogaran, que masticaran lo que les había dicho.

–Claro que no lo permitiremos. Ellos tienen armas. Nosotros puños.

–Muera Perkins.

–Muera Quintana...

–Viva Luquín... —los gritos volvieron a interrumpirle.

Enarbolando el pañuelo empapado de transpiración, Ivo tornó a exigir silencio.

–La empresa cree que con la agresión nos asustará. Tenemos que demostrarle que no. Hará todo lo posible por aplastarnos...

El Güero, que estaba en el centro del grupo, alzó los peludos brazos al cielo y gritó:

–Si nos dejamos...

Ahora Ivo se dirigía a él.

–El compañero tiene razón: si nos dejamos... ¿Qué es una huelga, camaradas...? Una huelga es la materialización pacífica de una protesta que de otro modo sería violenta... —nadie entendió lo que dijo, pero todos abrieron las bocas—; eso es. Las huelgas se ganan estando unidos; aguantando...

Desde las últimas filas un hombre gritó:

—¿Y cómo vamos a aguantar, si no tenemos plata?

Rápidamente Ivo localizó la cara del hombre que había hablado. Era un sujeto alto, requemado. Se le encaró.

—¿Dudas que podamos ganar?

El hombre movió la cabeza, negando.

—Yo sólo pregunto de dónde saldrá el dinero para sostenernos. Todos sabemos que nuestro sindicato no es rico... y que la empresa sí lo es...

Su declaración se tradujo en nuevos murmullos; ante la realidad planteada por aquél, el entusiasmo de los obreros se enfriaba por segundos. Los que un minuto antes, cuando lanzaban mueras, eran los más animados, enmudecían con las caras preocupadas. Ivo tuvo la sensación de que los huelguistas le volverían la espalda. Aquel hombre les hablaba con acento de derrota; y eso no podía él permitirlo.

—Tendremos dinero, compañeros. No se preocupen. A partir de mañana el camarada Luquín y el comité de huelga, suministrarán a cada uno de ustedes una cantidad equivalente a la mitad de lo que ganan al día... —la noticia produjo en la masa el efecto buscado por Ivo. Un ininteligible murmullo jubiloso le advirtió que la multitud estaba conforme. Sintió sobre sí, taladrándolo, los ojos de Marcos Luquín. Prefirió no mirarlo. Alzó de nuevo la voz. Y cuando ganemos la huelga, cada día que haya durado les será pagado por la empresa. ¿Están contentos?

El coro, otra vez riente y optimista, repuso:

—Sí...

—Y algo más —comenzó a golpear su puño derecho contra la palma de su otra mano, como si cada uno de esos impactos subrayara sus palabras—: Debemos estar unidos, mostrarnos fuertes, no ceder hasta no haber obtenido lo que en justicia reclamamos... Tienen, compañeros, y los felicito, un gran jefe... Ese jefe es Marcos Luquín... Él buscará para ustedes lo que más les convenga. A él deben obedecerlo siempre...

Se repitieron los vítores y los aplausos; las risas y los mueras a los traidores. Y cuando se calmaba el informe murmurar de las gentes, el obrero que había increpado a Ivo exigió:

—Conocemos a Luquín —lo apuntaba con el índice—, lo conocemos bien. Es uno de los nuestros y por eso lo hicimos nuestro jefe. ¿Y quién eres tú?

No respondió Ivo inmediatamente. Cuando lo hizo su voz era tranquila y firme:

—¿Yo? Uno de ustedes...

—No te conocemos —el obrero avanzaba. Sus compañeros lo miraban con curiosidad perpleja; no te hemos visto nunca.

—Soy tan obrero como tú —repuso Ivo—, lucho por lo mismo que tú.

Estaban ahora frente a frente. La cara requemada del hombre no se alteraba:

—Yo, nosotros —dijo lentamente—, luchamos por algo simple: por el pan de los nuestros. ¿Y tú? ¿Eres uno de esos cochinos rojos?

Ivo no le contestó a él. Se encaró a la multitud, silenciosa, concentrada; llena ahora de reservas; de bocas herméticas; de ojos que no miraban con la franca alegría de unos momentos atrás.

—¿Creen que lo sea? —le repuso el silencio. Las gentes desviaban sus rostros para no tropezarse con el de Ivo. Ustedes bien saben quién soy y por qué estoy aquí. Me ha enviado Modesto... Modesto, el jefe de la Central a la que pertenece este sindicato... para que los ayude, para que los aconseje; para que evite que los derrotistas —se inclinó hacia el que lo interrogaba, lo fustigó con sus despiadados ojos de hiena— y los cobardes los hagan dudar de su propia fuerza... Soy un hombre libre, como también lo son ustedes... Yo no gano nada aquí. Defiendo sus derechos porque son los míos... Pero, por lo visto —movía la cabeza tristemente—, aquí dudan algunos de mis intenciones. Me preguntan si soy rojo... Bien, si no me tienen confianza, si creen que Modesto se ha equivocado al mandarme a luchar junto a ustedes, pueden echarme...

Una vez más los hombres y las mujeres que llenaban la calle, que componían ese rebaño de voluntades, enmudecieron; no porque dejaran de emitir sonidos, sino porque ninguno de ellos osaba hablar, preguntar, proponer.

Enronquecido, Ivo añadió:

—Ya lo han oído. Pueden echarme. Si así lo desean me iré ahora mismo... —continuaba el silencio anónimo de los que lo escuchaban. Ivo se volvió hacia el sitio donde estaba Marcos. Lo señaló. Marcos Luquín sabe quién soy y por qué he venido. ¿Creen ustedes que él haría algo que fuera contra lo que ustedes piensan?

La potente voz del Güero se escuchó, entonces:

—¿Qué dices Marcos? ¿Quién es ese pájaro?

Otras voces propusieron:

—Que hable Marcos...

–Luquín tú eres el jefe...

–Marcos habla tú...

Las caras se volvieron entonces a Luquín. Lo invadió, de pronto, una timidez paralizante. Necesitó casi de un minuto para contestar. Lo hizo, titubeando, sin hallar las palabras, aclarándose nerviosamente la garganta. Ivo saltó del barril y entonces, con el apoyo de algunos brazos tendidos, Marcos subió.

–Amigos... Muchachos —comenzó.

Tuvo que interrumpirse. Un grupo de mujeres, de las del departamento de chilería, estaban aplaudiéndole sin venir al caso.

–No hagas discursos, Marcos —exigió el Güero—; ve al grano. Éste —apuntó con su manaza a Ivo— ¿es un rojo?

Marcos movió la cabeza. Miró a Ivo. Éste le sostuvo el acoso de los ojos sin parpadear. Cortado, quien abatió los suyos fue Luquín.

–No —repuso. Es un amigo nuestro.

Ivo sonrió apenas. Era lo que necesitaba. Una declaración tan simple, pero tan oportuna, como la que acababa de hacer Luquín. Era también el momento de terminar la reunión. A lo lejos, aproximándose por la avenida, se escuchaba ya el ulular de una ambulancia. Marcos había bajado de la improvisada tribuna. Saltó a ella, nuevamente, Ivo.

–Compañeros, ¡que viva Marcos Luquín!

Todos gritaron, a una voz:

–Viva Luquín...

El sonido de la sirena se agudizó; se echó encima de ellos; y un segundo más tarde el vehículo, con su parpadeante luz roja, cruzó la barricada y frenó ruidosamente. La masa se apartó lo necesario para que pasara la ambulancia y luego la envolvió, en tanto que los tripulantes bajaban las camillas. A poco percibieron todos, y se volvieron para comprobarlo, el arribo de otro carro de la Cruz.

4

A esa hora de la noche había poca actividad en la delegación policiaca. El agente de turno escuchaba el prolijo relato, interrumpido por el llanto y el incesante moqueo, de una mujer que acusaba a su marido, allí presente, de golpearla. Insistía en que la había agredido sin piedad como al señor agente le sería fácil comprobar con sólo inclinarse un poco. Pero el representante de la ley, enrojecidos los ojos por la vigilia de un largo turno caluroso, no tenía interés en moverse, en darle otro acomodo a sus posaderas.

Dijo al cabo:

–Usted dice que la golpeó borracho.

–Sí, señor. Sólo me pega cuando anda bebido... y anda así el día entero.

Luquín y su gente, acompañados por Ivo, aguardaban a que terminara la disputa conyugal. El agente se volvió a mirarlos y juntando índice con pulgar, en significativa seña, les indicó desde su sitio que aguardaran un poco más de los quince minutos que llevaban haciéndolo. Los hombres de la Empacadora hablaban entre sí, en voz baja; o fumaban simplemente, apoyados a los muros sucios y llenos de cicatrices; o a la barandilla de madera sin pintura. El lugar olía a orines viejos y a sudor agrio de sobacos y de pies. Marcos pensaba en su mujer y en que, de haber sabido que tendrían que estar allí tanto tiempo sin ser atendidos, pudo haber ido a visitarla, de paso a la delegación, por unos minutos.

Ivo dijo entonces, con un acento que podía ser sincero, pero que era solamente amable:

–Gracias...

Marcos se volvió lentamente. Lo miró al rostro y lo encontró pálido, como de ceniza.

–¿De qué? —preguntó.

–Te portaste como hombre completo...

–¡Ah! —hizo Marcos, no muy seguro de entender lo que Ivo pretendía decirle.

Entre sus pies, Ivo dejó caer un salivazo.

–Pudiste hacerlo. Era tu oportunidad.

–¿Qué?

–Echarme —Luquín arqueó las cejas. Ivo lo advirtió. Prosiguió—; sé que no me tragas; que te molesta que yo esté con ustedes.

No contestó Luquín.

Ivo suspiró.

–Eso pasa siempre. No te preocupes. En todas las huelgas ocurre lo mismo, conmigo o con otros. Especialmente en aquellas cuyos líderes no tienen un entrenamiento político.

–Yo no soy político.

–Lo repites siempre. En fin... Una palabra tuya y me hubieran echado. Y yo me habría ido...

Marcos Luquín sonrió. Una sonrisa fría, desdeñosa. Ivo asentía, como para subrayar su sinceridad.

–¿Te habrías ido?

–Bueno... Me gustó tu valor. Comprendiste que, simpático o no, yo soy útil a tu huelga. Modesto lo cree también.

–¡Modesto...!

–Si tú les hubieses dicho: "Muchachos, éste es un cochino rojo y no lo queremos aquí", ¡pobre de tu amigo Ivo! —lo miró derechamente; más fríos aún sus ojos de hiena. ¿Por qué no lo dijiste? ¿Por qué no aprovechaste el chance?

Pasó un tiempo antes de que Marcos respondiera. Ivo no había alterado la mueca sonriente de sus labios delgados.

–Es lo que me pregunto —Marcos apoyó sus codos sobre las rodillas y la barba entre las manos—, quizá debí hacerlo...

Volvía Damián. La discusión se prolongaba ante el representante de la ley. Insistía la mujer y el hombre, con tartamudas explicaciones, trataba de librarse del cargo. El agente tamborileaba con los dedos sobre el escritorio.

Damián pasó junto a Ivo y luego se inclinó para advertir en el oído de Luquín algunas palabras. Marcos asintió.

–Está bien...

Damián quedó de pie, a su lado. Ivo preguntó entonces:

–¿Qué pasa?

–Nada —fue la respuesta.

El hombre y la mujer se retiraban, al fin; no uno en dirección a las galeras y la otra a la calle, sino ambos, juntos, no del brazo, pero sí próximos, disputando aún ella; defendiéndose él. Los obreros se levantaron al mismo tiempo, cuando Marcos e Ivo se aproximaron a la barandilla. Ivo presentó a Luquín como el secretario general del Sindicato de la Empacadora Águila e hizo una sucinta relación de las causas por las cuales a esa hora, se hallaban allí.

–Hemos sido víctimas de una brutal agresión y queremos levantar un acta —dijo Ivo. Se volvió a Luquín—: ¿No es así, compañero?

Sin mucho entusiasmo, Marcos dijo que así era.

El agente se hizo cargo de la situación y comenzó a interrogar a Marcos para ir obteniendo los datos que luego, con monótona voz soñolienta, entre eructos y bostezos, dictaba al mecanógrafo. De tiempo en tiempo intervenía Ivo para exigir que se asentara éste o aquel concepto; un cargo directo a Perkins o a Quintana.

–Este atentado —martilleó Ivo sobre las palabras, golpeando con el puño cerrado la barandilla— no debe quedar impune. Exigimos justicia. La ciudad, el país, la clase trabajadora debe...

Era ya un discurso. Ivo se dejaba arrastrar por las palabras, por las frases que al ser pronunciadas por él, con ese tono silbante que les imprimía, sonaban a hueco, a falso.

El agente le marcó el alto.

–Bueno, que hable uno solo —Ivo calló. El agente se dirigió a Luquín. Siga usted...

Durante unos buenos diez minutos Marcos Luquín siguió hablando. La vieja máquina goteaba letras, palabras, párrafos y páginas en las fojas del acta. Pese a que el agente no lo escuchaba, o parecía no escucharlo, Ivo continuaba filtrando en el dictado sus propias oraciones. Al cabo el mecanógrafo sacó la última hoja de aquel documento.

El agente tomó un portaplumas, lo mojó en el tintero y lo tendió a Marcos:

–Lea y, si está conforme, firme cada una de las hojas... —señaló un sitio en el amplio margen. Aquí... todas...

Leer aquello, lentamente como era su costumbre, al grado de parecer un ciego avanzando por un túnel de piso irregular, era para Marcos Luquín como estar escuchando hablar a alguien desconocido. Las palabras impresas en las páginas le recordaban a las suyas pero al mismo tiempo eran ajenas; él creía haber dicho las cosas de un modo pero ya escritas no lo parecían. Era como si al pasar los ojos sobre los renglones, tal que si fuera cada uno el equivalente a una cinta de grabación magnética, los signos se convirtieran en vibraciones sonoras que reproducían la voz de Ivo; de este Ivo que leía también por encima de su hombro, respirándole en las orejas.

–Perfecto... —comentó Ivo, al volver Marcos la última de las hojas.

Pero Luquín no terminaba. Había algo en todo aquello que no le gustaba.

–Yo creo —aventuró— que es ir demasiado lejos. No tenemos pruebas de que Mr. Perkins y Quintana hayan mandado a...

Colérico lo atajó Ivo:

–¿Quieres más pruebas que tener molidos a golpes, con huesos rotos, llenos de sangre, a tus propios compañeros, a tus amigos?

–Es que...

–Firma... —exigió Ivo.

Con largos pasos seguros, que arrancaban ecos al corredor embaldosado, venía un hombre preguntando en voz alta por Marcos Luquín.

–Si es el de la huelga, está dentro —le informaron.

Marcos, con la pluma en la mano, ya en actitud de firmar, se irguió para volverse hacia la puerta. Los que lo acompañaban hicieron lo mismo. Vieron, entonces, entrar al licenciado Ayala. Éste avanzó resuelto.

–¿Qué pasa ahora, Marcos? —quiso saber. ¿Para qué me llamaste?

Antes de que Marcos respondiera gruñó Ivo:

–¿Quién es este tipo?

Ayala encaró a Ivo.

–Este tipo es el licenciado Ayala.

–No queremos licenciados...

Marcos casi gritó:

–Es el licenciado de nuestro sindicato...

Ivo se encogió de hombros y se acodó, negligente, en la barandilla, mirando de soslayo a Marcos y a Ayala. Luquín mostraba al abogado los papeles que tenía en la mano.

–Es el acta —explicó.

Ayala estuvo leyendo unos minutos. Los trabajadores se habían acercado y espiaban sus gestos. Al fin, Ayala dijo:

–Es una tontería, Marcos. No debes firmar eso. Empeoraría las cosas.

Ivo saltó.

–Deje que lo firme —dentelló, violento. Él declaró eso y debe firmarlo.

Ayala, volviéndose a Luquín, preguntó:

–Pero ¿tú dijiste todas esas idioteces de orador de plazuela?

Marcos tuvo la impresión de que enrojecía.

–Sí —tuvo que aceptar, dominado por la presión dolorosa, que le cerraba la puerta de la escapatoria, de los ojos de Ivo. Sí. Yo...

Ayala abrió los brazos y luego dejó que se abatieran a los lados de su cuerpo.

–Marcos, usa la cabeza. No dejes que te la llenen de humo. He estado con Robles toda la noche. Hemos avanzado mucho... La huelga va a arreglarse pronto, como queremos que se arregle... Esto que dices allí —señaló las páginas escritas a máquina— va a empeorar la situación.

–¿Cuánto le pagaron, licenciado?

Un acceso de cólera purpúrea afloró el rostro de Ayala.

–No le pego —dijo, después, conteniendo su furia, midiendo cada una de sus palabras— porque no quiero llenarme las manos de mierda.

El agente intervino.

–Señores... No permito que escandalicen aquí...

Ivo despegó su mirada de la cara de Ayala y la posó en la de Luquín.

–Si eres hombre, y no un bastardo que se vende a la empresa por tortillas duras, debes firmar —tomó el portaplumas que Marcos había dejado en el escritorio y se lo ofreció. Hazlo...

Marcos Luquín con la pluma entre los dedos titubeaba. Sentíase acobardado; tenía la sensación de que una fuerza superior a su voluntad lo arrastraba a obedecer a Ivo. "Soy un pedazo de estiércol. Un miserable", pensó. Sus compañeros tenían las caras serias, secas, mudas. En ninguna de ellas encontraba apoyo o calor de simpatía. Miró a Ayala. Este mismo, colérico aún, ya no rojo sino pálido, le negaba afecto. Se vio a sí mismo como un niño, inerme y débil entre gigantes. Si al menos pudiese ganar un poco más de tiempo; no mucho; el necesario para medir la consecuencia que tendría su acto; para vislumbrar lo que habría al fin de ese acto. Pero lo acosaban, lo comprimían, lo trituraban con su mutismo.

Tenía sólo una escapatoria: firmar. Era el camino más corto, pero también el más cobarde, para eludir la situación en que se encontraba. No podía resistir más el reproche, el misterio de lo que pensaría de él cada uno de esos hombres. Después de todo, razonó, lo que estaba escrito en los papeles era la verdad. La agresión había existido. Las víctimas, la sangre vertida, eran los testigos. Pero ¿por qué sentíase tan entregado a la voluntad de otro, de Ivo?

–Firma... y vámonos...

Entonces lo hizo. Garabateó su rúbrica en cada una de las hojas. Al terminar sintióse débil, con un extraño sentimiento de culpa. Se volvió a Ayala.

–Licenciado... —tartamudeó.

Ayala dijo secamente:

–Está bien, Luquín. Creo que ya no necesitas abogado...

Se marchó rápidamente, sin despedirse. Los hombres formaron un grupo lleno de rumores, aparte de Luquín. Quedó éste con las dos manos apoyadas en la barandilla, de espaldas a ellos. Ivo habló un poco con el agente y obtuvo que le dieran una copia de la declaración.

–Bueno, vámonos —dijo. Palmeó la espalda de Luquín y todos se retiraron silenciosamente.

Cuando volvían a la Empacadora, cruzando en el coche de alquiler las silenciosas calles del barrio, Ivo indicó:

–No te hagas mala sangre por lo del abogado. Ya se arreglará todo... —Marcos no respondió. Ivo después de un tiempo, dijo—: Lo que a ti te hace falta es estar un buen rato con una mujer...

5

Lía y las otras mujeres enviadas por Ivo hacían circular, entre los huelguistas, docenas de vasos de vidrio barato con aguas frescas. Los peroles de la sopa caliente estaban casi intactos; lo mismo que los botes del café. La gente tenía calor; y entonces ellas dispusieron sacar de la Empacadora grandes cajas de latas de jugos y, con agua y hielo que mandaron traer de las refrigeradoras, hicieron la mezcla: el refresco que con tanto gusto y con asombrosa rapidez bebían los trabajadores.

Al principio todos querían ser de los primeros en recibir su vaso —destinado al empaque de aceitunas y encurtidos— rebosante del sabroso líquido helado, y casi se formó un tumulto. Lía impuso orden gritando que el reparto se suspendería si no se formaban. Entonces la obedecieron, como chicos de escuela, y la línea humana comenzó a pasar fluidamente frente a los dos grandes toneles llenos de agua de frutas, en los que nadaban, como icebergs, los trozos de hielo partidos sobre la acera con un martillo y después echados dentro. La gente estaba contenta y Lía experimentó el placer de ver que los hombres que volvían y volvían siempre con su vaso vacío hacíanlo, más que para recibir una ración que no se les negaba, para verla de cerca; para clavar, en tanto que se les servía, los ojos en los pechos plenos de redondeado contorno. El calor era intenso. Parecía como si todos estuviesen en el fondo de una olla para puchero y que las pesadas nubes, ahora de un concentrado e irreal color magenta, fueran la tapa que los aplastaba. Volvían, sí, y no la miraban a los ojos sino que dejaban caer los suyos, con intensidad creciente, en el escote entreabierto de su suéter. Y esto no la irritaba, no la disgustaba; incluso no le importaba. Sólo las mujeres de la fila parecían escudriñarla con odio no disimulado.

Luego dejó que las otras se encargaran de seguir distribuyendo el refresco. Ella echó a caminar, lentamente, a lo largo de la calle, pasando al lado de hombres que bebían, fumaban, dialogaban o, simplemente, estaban en las aceras. Esos hombres untaban sus ojos llenos de deseo y de sucios pensamientos a sus caderas, y esto generaba, dentro de ella una voluptuosidad especial, inconfesable. Llegó hasta el fondo, allí donde concluía el adoquinado y se extendía un brazo, como un afluente, de negrura.

Alguien, a su paso, dijo una obscenidad sonriente; una alusión procaz a la forma en que se meneaba y a lo bien que lo haría sobre una cama. Lía lo miró, oblicuamente, sin inmutarse; sin demostrar que el grosero comentario la ofendía. Lo miró y siguió paseando, llevando de sus caderas, como una cauda, los silbidos, los requiebros masculinos y también los comentarios de las mujeres que la censuraban por descarada o incitante.

La calle olía a hombres sudorosos, a tufo agrio, casi sexual y perturbador. Respiró hondo, llenando sus pulmones y hasta la última gota de su sangre, con ese olor obrero, aglomerado, que partía de las ropas y de los cuerpos del grupo que se entretenía jugando, o viendo jugar, a la rayuela. Así olía (aquella mañana en el playón arenoso del río seco, en la hacienda que había sido de sus padres y que sólo subsistía ya en el recuerdo) el vaquero que la violó; ese Nicanor, Nico lo llamaban, que siendo ella una niña de apenas quince años la tumbó de espaldas y le alzó la falda para destrozar una virginidad que su madre, siempre que iban al campo, tanto le recomendara cuidar.

Sí. Un áspero olor a estiércol fermentado, a sudor picante; un aliento espeso a dientes no lavados; y luego el otro olor, ya más suyo, que la acompañó como una acusación después de que Nico se fue, y que siguió con ella esa primera noche llena de dolores y a la mañana siguiente, cuando tuvo fiebre y fue necesario que viniera un médico del pueblo. Y luego el olor fue asociándose al miedo cuando Nico quiso llevarla, a fin de semana, al playón nuevamente; y ella se rehusó y sintió odio y vergüenza y deseos de morir, de matarse.

Por un tiempo, un largo tiempo sin medida, el olor no volvió. Los otros hombres olían diferente y ella misma jamás percibió la presencia humoral de su cuerpo. Fue ése el periodo en que empezó a sentir cosas raras respecto a sí y a los demás; en que trató de convencerse de que el sexo era sucio y, por lo mismo, debía desvincularse de la vida; derivó al misticismo, a una profunda y enfermiza fe. Aspiraba a la perfección. Languidecía, y una noche su madre tuvo una larga charla con ella y le hizo preguntas que la llenaban de rubor y resolvió, al final de la charla, que era necesario ir pensando en buscarle un marido.

Esa noche no pudo dormir. Sentía sobre sí la mancha del pecado, el tatuaje de su culpa, y un odio infinito por cuanto se refiriera a su sexo. Se levantó temprano, cruzó el parque fresco de niebla azul y fría, y entró a la iglesia. Esperó a que terminara la misa. En tanto que se despojaba de sus ornamentos el sacerdote, ese atractivo ministro de pelo gris y recto perfil que tanto gustaba a las mujeres del barrio residencial que constituía su parroquia, le preguntó qué le ocurría, qué la llevaba a visitarlo tan temprano. Ella se lo dijo. Le confesó, llorando, su falta, y le pidió ayuda para entrar a un convento para el resto de su vida.

La sacristía olía a incienso, a humo de ceras, a la dulce fragancia del vino servido en las vinajeras. El hombre del pelo gris le sonrió con bondad y le pidió que subiera a sus habitaciones y que rezara en tanto que él llegaba a seguir conversando. Lo aguardó una hora. Entró con su revolar de sotana negra. Lía vio cómo corría los visillos hasta oscurecer aquel sitio y se dirigía a ella, mirándola fijamente. Dulce y hermoso, según lo reconoció al verlo avanzar hasta su lado, él la invitó a ponerse de rodillas y a hacer juntos un acto de contrición.

Durante semanas no volvió jamás a la iglesia aunque divisó, lo menos un par de veces, a distancia, mientras paseaba por el parque con un librito en las manos, al hombre del cabello gris. Una noche, siendo ya novia del que sería su marido, regresó tarde a casa. Venía alegre con unas copas en el estómago. Tuvo problemas para meter el auto. El velador, un joven moreno y silencioso, la ayudó a bajar. Algo debe haber dicho que lo ofendiera porque él le dio un empellón, derribándola. Luego se tendió a su lado jadeando como un animal. Una ventana del piso superior, la del cuarto de su madre, se encendió arrojando un rectángulo amarillento de luz sobre el césped. Ella pudo haber gritado pero no lo hizo. La luz volvió a apagarse. El velador, que olía como Nico, que era elemental y rudo en sus caricias, la levantó jalándola por el brazo. No opuso resistencia cuando la condujo a las cocheras, ni mucho menos cuando le exigió que se acostara en un burdo lecho de jergas.

Vino la boda y el desencanto. El primer hijo y los disgustos y la repulsión violenta cuando el marido quería dormir con ella. Y comenzó a beber para ahogar su asco; su extraño asco a la ternura, a lo que llamaba con desdén decencia sexual de su compañero. Embarazada por segunda vez comenzó a interesarse por estudiar una carrera, por librarse de su complejo de frustración; pero, más que nada, por escapar de casa. En la escuela conoció otros hombres, otras ideas. Se hizo áspera, independiente, hasta renegar de sus creencias. Sus nuevos amigos la estimularon a realizar algún trabajo social en favor de los obreros. Y se sintió ya totalmente relevada de prejuicios y de ataduras de toda índole la primera vez que volvió a su casa —nacido ya su otro chico— y pudo ver cara a cara al esposo, sin temor de que él notara en su rostro la huella del adulterio.

Y ese olor estaba presente allí, rozándola, envolviéndola, estremeciendo cada rincón de su cuerpo tan deseado, mientras ella veía cómo los obreros jugaban con las monedas y reían y se volvían a mirarla, unos con descaro, otros con tímido rubor. Alguien llegó por detrás y le palmeó las caderas. Lía se volvió. Tenía ante sí el rostro bonachón de U.

–¿Dónde anda Ivo? —preguntó.

–No ha vuelto. Fue a levantar un acta.

–Bueno...

Ella señaló la ventana del hotel.

–Le gustará que lo esperes allá...

Asintió U y al marcharse tornó a rozar con su mano el trasero de la mujer.

Diez minutos después llegaron Marcos, Ivo, Damián y los demás. Lía se adelantó.

–Te espera U —indicó a Ivo, en voz baja.

Ivo dijo a Marcos y a Lía:

–Vamos —así que caminaban, ponderó ante ella la forma en que Marcos se había librado del abogado. Y a Luquín—: Vas a conocer a un gran tipo. Nos será muy útil aquí...

6

Pancho Bicicleta tenía un nudo en la garganta.

–Ven —insistió, hablándole al oído—, un ratito nomás.

Lupe movía la cabeza, con los ojos bajos, mientras sus uñas raspaban la cera de un fósforo apagado.

–¿Y si viene mi mamá? —ella dijo.

–Un ratito.

–Es que... Mira, todos nos están viendo...

Pancho tragó.

–Oh. ¡No seas así! Nadie se fija...

Lupe no respondió. Terminó con el fósforo y luego empezó a destrenzar un pedacito de hilaza que había arrancado de su falda. Pancho se puso de pie.

–¿Sí? —preguntó.

–Si mi mamá...

–Bueno, si no quieres, no —farfulló él de mal humor—, yo voy allá —señaló al callejón oscuro—, ya lo sabes...

Por un instante ella quiso decirle que no se fuera, que continuara a su lado, así muy juntos, muy solos, en su primera noche libre. Pero él avanzaba con sus largos pasos hacia el callejón y un par de segundos más tarde su espalda se fundió en la sombra. Lupe sintió ganas de llorar. Era su primer disgusto en esa noche maravillosa y él habíase marchado enfurruñado, quizá odiándola, por una nadería. Se reprochaba haber actuado así; sobre todo, y se ruborizó al pensarlo, cuando desde hacía rato que deseaba que él la invitara a pasear en el silencioso y vacío callejón oscuro.

Se levantó, y lo siguió.

–¡Shhh!

–¿Qué pasa? —preguntó una voz muy próxima al que había impuesto silencio.

–Shhh. Traigan una lámpara.

Se escucharon rápidos pasos amortiguados. El silencio se hizo más profundo en tanto que retornaba la sombra que portaba la linterna apagada. Las gentes estaban nerviosas. La vigilancia había sido reforzada en las puertas por temor a una nueva agresión, y los que patrullaban tenían los ojos bien abiertos y los oídos sensibles como los de un venado.

–¿Qué es? —indagó la voz, quedamente.

–Anda alguien por aquí...

Avanzaron, encorvados, empuñando las macanas, listos para caer sobre los sigilosos enemigos. Divisaron, muy próxima al muro, una sombra voluminosa. Quien la llevaba alzó la lámpara y la encendió. La luz cayó, como un brochazo, sobre Pancho y Lupe que se separaron encandilados y confusos. Ella, instintivamente, se cubrió el pecho.

Los vigilantes rieron entonces.

–Hey, muchachos —gritó el de la lámpara—, consíganse mejor una cama. Es más cómodo...

Lupe echó a correr, llorando, hacia el extremo opuesto del callejón, en tanto que sus dedos abrochaban apresuradamente los botones de la blusa. Un poco atrás de ella, Pancho. El de la lámpara mantuvo el chorro de luz en los fugitivos, hasta que los vio dar vuelta en el recodo.

–Vaya —dijo, apagando—, les hicimos mal tercio.

–¡Quién sabe quién lo sienta más: si él o ella!

Tornaron a reir a carcajadas, y se alejaron refiriendo experiencias personales semejantes.

LA HORA SÉPTIMA

1

Una limousina, tan grande, charolada y parecida a la de Perkins que los hombres de la guardia comenzaron a tomar piedras, se detuvo ante la barricada, y el que la manejaba hizo sonar, imperiosamente, la bocina.

—Es Modesto... —gritó el que se había acercado para identificar a los tripulantes del vehículo. Se volvió después dando rápidas órdenes:

—Abran... Quiten esos barriles, pronto...

Una media docena de sujetos retiró los toneles llenos de cascajo y la limousina entró.

—¿Dónde está Ivo? —preguntó una voz desde el fondo del asiento trasero.

—Allá. En el hotel. Lo esperábamos...

El vehículo rodó lentamente entre grupos de hombres que se asomaban, curiosos, a su interior y fue a detenerse ante la puerta de El Paraíso. Otros obreros, corriendo, llegaban por detrás y algunos, los más jóvenes, como chicos del arroyo, se dejaban llevar sentados en la defensa posterior.

El que daba los informes trotaba, al parejo del coche. Cuando éste se detuvo, Modesto ordenó:

—Llama a Ivo.

—Sí, Modesto... —y el guía, nuevamente, volvió a correr hacia el interior del hotel.

La gente continuaba apiñándose en torno al automóvil hasta que lo cercó en un cinturón de curiosidad; con una barrera circular de ojos que escudriñaban a las personas sentadas en el interior y hacían conjeturas sobre quiénes podrían ser esas gentes tan elegantes y ricas que venían a visitarlos esa noche. Al lado de Modesto, que se limitaba a sonreir con un gesto de molde a quienes lo espiaban, resopló acalorada su mujer.

—¡Uf! —hizo, echándose aire al rostro con sus manos regordetas, vulgares y enjoyadas. Qué noche tan horrible. Me estoy asando.

Modesto dijo, quedo:

—¡Quítate las pieles, mujer!

—Sería peor —replicó ella y continuó quejándose del calor, de ese calor pegajoso y agobiante que la había atosigado en el teatro, mientras escuchaban *Aída*, y que la hacía asfixiarse aquí, en esta calle miserable, llena de gente sucia e impertinente.

El hombre que iba junto a su propia esposa, en uno de los asientitos plegadizos, indicó:

—Para estos tipos —se refirió vagamente a los obreros pero sin mirarlos; más bien, dándoles la espalda para quedar de frente a la mujer de Modesto— su esposo es más importante que el presidente. Por eso quieren verlo.

Ella murmuró algo que nadie entendió y que a nadie le importaba. Gruñó que su jaqueca era insoportable y que las varillas de la faja estaban apuñalándole el cuerpo. La otra mujer, que hablaba apenas, aventuró con timidez que no se preocupara.

—Es que —volvió a gruñir la mujer de Modesto— mi marido tiene unas ocurrencias...

Cansadamente, como hombre acostumbrado a que lo riñan y que levanta un muro de paciente deferencia protectora en torno a sí, explicó Modesto.

—Es mi trabajo, mujer. Necesito verlos...

—Pero ¿esta noche, precisamente, cuando tengo jaqueca... cuando el calor asesina?

—Está bien. Nos iremos pronto...

—Además —rechinó la mujer, sin dejar de abanicarse—, nos falta ir a cenar.

—Sí, mujer. Iremos...

Por el cubo del zaguán, al fondo, Modesto vio bajar las piernas presurosas de Ivo y, tras él, las de otro hombre. Ivo cruzó la distancia rápidamente, al tiempo que Modesto hacía descender el cristal de la portezuela que mantenía levantado pese al calor.

—Bienvenido, Modesto —dijo Ivo, tendiéndole la mano. Luego se inclinó un poco y saludó a sus acompañantes:

—Buenas noches, señora... Buenas, senador...

Modesto habló:

—¿Cómo va todo?

—Bien. Perfecto. Estamos haciendo las cosas como dijiste.

—¿U?

–Ya hizo lo suyo. Lo leerás en los periódicos. O, si quieres, te lo cuento ahorita.

Suavemente, sin ser brusco sino apenas autoritario, Modesto se lo impidió.

–Después...

–Mañana esto comenzará a ponerse bueno.

Reconoció Modesto que así debía ser.

–A mediodía —ordenó— recibirás instrucciones.

Marcos Luquín se había quedado rezagado, al borde de la acera, junto a los suyos. No se atrevía a avanzar. Nunca había tenido trato con Modesto y no deseaba aparecer como imprudente u oportunista acercándose. Modesto vio su corpulenta figura y su indecisión. Preguntó a Ivo:

–¿Es el secretario general?

Ivo asintió.

–Marcos Luquín, en persona.

–¿Coopera?

–Sí. Pero no creas que con entusiasmo. Es desconfiado como una zorra; y bruto como la pared.

Dijo Modesto:

–No choques con él. Arréglatelas para que sea él quien dé las órdenes y haga las cosas que tú quieras.

–Así lo he hecho —aceptó Ivo—; y otra cosa: sería un gran golpe que lo saludaras...

–Bueno, llámalo...

–No así, Modesto. Yo diría: que bajaras, le dieras un abrazo y le dijeras algo a su gente. Los impresionarías...

Modesto caviló unos instantes. Miró de soslayo a su mujer, cuyo alto busto escotado subía y bajaba agitadamente como el trasero de un niño. Tiró del picaporte para salir.

–¡Por Dios! —dijo ella, débilmente— no tardes mucho, tenemos hambre...

Modesto permaneció a un lado de la limousina tendiéndole la mano a Marcos Luquín. Su traje de etiqueta era un parche en el conjunto de ropas baratas, de pantalones de mezclilla, de camisas percudidas y sin abotonar. Los ojos de los hombres en huelga lo analizaban; lo medían con respeto, considerándolo no como a uno de su propia clase, sino con el silencio contenido, con la actitud sumisa e inferior con que miraban a Perkins, el día víspera de navidad, cuando bajaba al patio y ellos, en fila, pasaban ante él para estrechar su mano y recibir un buen deseo.

Ivo hizo las presentaciones.

–Modesto, éste es Marcos Luquín... Marcos, éste es Modesto...

Estrecharon sus manos. Luquín farfulló su nombre y dijo algo más, cordial y atropellado, rojo de timidez y con la boca llena de saliva nerviosa.

Modesto habló brevemente con Luquín. Lo felicitó por su valiente actitud revolucionaria; por su lealtad a la Central y por el alto espíritu de clase que inyectaba, con su ejemplo personal, a sus compañeros. Luego demandó silencio, abiertos los dos brazos, por más que nadie hablase.

–Muchachos —empezó—, he venido a visitarlos con mucho gusto. Yo soy uno de ustedes. Yo soy un trabajador como ustedes. He estado en muchas huelgas y sé lo importante que es tener buenos líderes... Yo he venido esta noche a felicitar a Marcos Luquín por su honradez y por su espíritu sindical, y a ustedes, miembros de un gran sindicato, de uno de los sindicatos más queridos por mí, por el jefe que tienen... Él y ustedes juntos harán mucho por la causa obrera...

Luquín estaba a su lado y la mano izquierda de Modesto descansaba, apoyada, en su hombro. Sentíase rojo ante los elogios que allí, en voz alta para que nadie quedara sin oirlos, iba desgranando para él, en palabras sonoras e impresionantes, el gran líder obrero; el dirigente sindical que hacía temblar a los poderosos, que alternaba con presidentes y ministros en el mismo plan de igualdad.

Modesto seguía hablando:

–Hombres como mi amigo, como mi camarada Luquín —lo estrechó un poco más—, hacen falta en nuestras filas... Con líderes como él se está haciendo grande el movimiento obrero... Yo, su compañero, su hermano en la lucha por salvaguardar nuestros sagrados derechos, pido a ustedes, que lo apoyen, que lo obedezcan; porque él busca lo mejor para todos...

La multitud que los rodeaba tuvo un instante de confusión. Le parecía insólito lo que veía, lo que escuchaba, y los ojos de todos estaban fijos en Marcos que no acertaba a decir nada, en esa corta pausa que medió entre el momento en que terminó su discurso Modesto y el siguiente, cuando lanzó al aire el:

–¡Viva Marcos Luquín!

Entonces todos ellos, quinientas, seiscientas, quizá setecientas bocas, gritaron a una:

–¡Viva Marcos Luquín...!

Y Marcos, tratando de acallar el homenaje que se le tributara, pidió a su vez:

–¡Viva Modesto...!

–¡Vivaaaa...!

Los dos hombres se fundieron en un abrazo estrecho y prolongado. Vivía Marcos Luquín el momento más feliz de su carrera; el minuto de mayor emoción de su vida de dirigente sindical. Allí, delante de todos, Modesto le testimoniaba, en la sinceridad de ese abrazo, su apoyo, su amistad, su confianza.

Luego una de las mujeres se abrió paso a codazos entre los hombres que rodeaban a los líderes; esos hombres, ahora parlanchines y desbordados, que empujaban con su peso inerte a Modesto y a Marcos hasta aplastarlos casi de espalda a la limousina. La mujer llevaba en una improvisada charola seis tambaleantes vasos llenos de agua fresca.

–Compañero Modesto —saludó. Lo conocía de años atrás—, háganos el favor...

Le ofrecía la charola para que tomara un vaso. Modesto titubeó. Marcos levantaba el vaso y lo colocaba en sus manos.

–Sentimos —dijo— no poder ofrecerle más...

–Está bien así —repuso Modesto, sintiendo cómo escurría por sus dedos el fresco jarabe helado que se derramaba por el borde.

La mujer, que había llegado junto con Lía y las otras, metía ahora la cabeza por la ventanilla.

–Buenas noches a todos... —sonreía, amable, sosteniendo en precario equilibrio los vasos— traje esto para ustedes...

La esposa de Modesto rehusó sin cortesía. La otra pareja aceptó el refresco y bebieron de él, disimulando su asco, a pequeños sorbos. Modesto terminó de apurar el agua fresca y eructó. Luego, abriendo la portezuela, se dispuso a subir. El primero en tenderle la mano en despedida fue Luquín; y tras éste desfilaron, durante otros diez minutos, todos los demás.

Entró al cabo y se dejó hundir en el asiento. No subió el vidrio inmediatamente. Maniobró la limousina y enfiló hacia la avenida. Atrás quedaban, suspendidos en el aire caliente, como ropa puesta a secar, los sonoros:

–¡Viva Modesto!

–¡Viva la Central...!

Del descansabrazos que dividía en dos el asiento trasero la mujer de Modesto sacó un frasco y tomó un poco del algodón que se encontraba al lado de la pistola. Modesto, sin preguntar, extendía hacia ella las manos con las palmas vueltas.

–Anda. Lávate...

Ella vertió una generosa ración de alcohol en las manos de su marido. Durante cosa de un minuto Modesto estuvo frotándoselas con el algodón. La mujer reinstaló el frasco en el disimulado compartimiento.

—Eres demasiado amable con ellos —lo riñó—, así nadie te respetará.

—Bah. Yo sé lo que hago, mujer.

—Toma, por ejemplo, a ese sifilítico... a ese mugroso... ¿cómo se llama? —chasqueó los dedos como invocando el nombre que se escapaba de su memoria.

—Ivo...

—A ese Ivo. Te habla de tú, se lleva de igual a igual contigo, delante de todos.

Suspiró Modesto, cansadamente. No se irritaba nunca cuando discutía con su mujer. Aceptaba la crítica y fingía darle la razón.

—Ivo es un compañero...

—Es un pobre diablo...

—Ayuda como pocos —tiró el algodón por la ventanilla. No quisiera tenerlo de enemigo...

La esposa machacaba:

—Fue una inconsecuencia de tu parte traernos aquí esta noche...

—Era necesario venir, que ellos me vieran...

Ella sonrió, dirigiéndose no a Modesto sino a sus otros dos acompañantes:

—Uno de sus defectos es ser demasiado "demócrata"... Y tú, Modesto —con su uña manicurada picoteó el brazo de su marido—, ya no estás para esas cosas. Ya no eres de la chusma. Eres un personaje. Tienes una hija de 18 años... Una hija que figura en sociedad. ¿Quieres que se burlen de ella sólo porque su padre hace alarde de amistad con la gentuza? Hasta el señor arzobispo, el otro día...

Cansadamente Modesto volvió a suspirar.

—Mujer, no sigas... ¡Y deja en paz al arzobispo!

—Bah —gruñó ella. El arzobispo debía servirte de ejemplo. Él, que a su modo es también un líder, escoge mejor que tú a sus amigos. No anda bebiendo porquerías con mugrosos a media calle y a medianoche. El señor es bien recibido entre la sociedad... Y eso es lo que quiero para mi hija... que no se rían de ella cada vez que su padre aparece comiendo tacos de carnitas entre la broza...

Era inútil argüir, recordarle a su mujer que la situación económica, política e incluso social de que disfrutaban era producto, precisamente, de la habilidad de Modesto para elevarse de la nada a las cumbres del poder. Se volvió a mirarla, sin hablar. La vio fofa, empolvada, llena de joyas y de arrugas, con su temblorosa sotabarba y sus labios coléricos, y la odió. "¡Qué mala memoria tiene! Hace veinte años no pensaba así; chillaba entonces contra los cochinos parásitos de la sociedad a los que ahora venera y respeta. Pobrecita." Le concedía razón en sólo un punto: en que a veces exageraba la nota al fingir una camaradería exuberante con los trabajadores. De un tiempo a la fecha, desde que resolvió sus problemas financieros, comenzó a experimentar hacia sus compañeros menos afortunados, hacia la masa anónima que le proporcionaba su indiscutible poder, un desdén violento; una furia creciente y sin límites, por su estupidez, por su credulidad, por su ceguera. Para quienes lo habían encumbrado y lo mantenían en lo alto Modesto seguía siendo intocable, el limpio, el caballero sin tachas. "Imbéciles, cretinos, hijos de perra", suspiró.

Volvían a la ciudad. Dejaban atrás las luces amarillentas y las calles polvosas y los muros descascarados de los distritos obreros, y rodaban ya por amplias avenidas brillantemente iluminadas, entre jardines cuidados con esmero, al pie de suntuosas residencias, modernos edificios, férricas marquesinas de teatros y salones de cinematógrafo.

–¿Y por qué le interesa tanto esta huelguita, Modesto? —preguntó el hombre, también elegantemente vestido, que los acompañaba.

Modesto volvió de sus cavilaciones.

–¡Ah... huelguita! Mire, senador —repuso—, esta "huelguita", que es como un granito, llenará de urticaria a toda la nación.

–¿Sí? —preguntó el que Modesto había llamado senador.

–Ahora no vale nada. Mañana, en todo el barrio, estallarán tres o cuatro más, en apoyo... A mediodía, las plantas foráneas de la Empacadora irán al paro...

–Entonces, ¡es en grande!

–Y cómo. La cadena seguirá. Los últimos en entrar serán los grandes sindicatos de la Central.

–¿Huelga general?

–Casi, casi, senador. Hay que saber parar a tiempo... y pararemos.

El senador lo miró unos segundos. Pareció haber adivinado lo que pensaba Modesto y sonrió.

–¿Cuántas curules espera obtener si no estalla el paro total?

Modesto suspiró. Sonrió con simpatía a su amigo.

–Se negociará a su tiempo... ¿No es un buen plan?

El senador tuvo que reconocerlo.

–Magnífico, Modesto.

–Tendrán que dejar entrar al Congreso a algunos de los nuestros. Cinco o quizá seis... y lo menos dos senadores...

El coche se estacionó ante la puerta de un lujoso restaurante nocturno. Un portero de librea les franqueaba la entrada.

2

Ivo estaba tendido en la cama, con las manos enlazadas bajo la nuca. Veía a Lía moverse por el cuarto, ordenando papeles al lado de la maquinilla, o poniendo o sacando otros del portafolio. Marcos Luquín, despatarrado en la silla, la miraba también, furtivamente, con un deseo hipócrita y lleno de reserva. U, desde la ventana, se enfrentaba al calor pegajoso que le humedecía su redondo rostro bonachón.

–Pues, sí —suspiró Ivo—, ésta es tu gran noche, Marcos...

Él sonrió y no dijo nada, abatiendo la cabeza, con rubor; cohibido.

–Hombre —indicó ella, con los lentes en la mano— ¡como que Modesto ha venido a visitarlo!

Luquín tartamudeó:

–Es buena persona. No lo creía así...

Vivamente, casi alegre, Ivo se incorporó apoyándose en uno de sus largos brazos nervudos.

–Claro que Modesto es una buena persona. Un gran tipo. Ya piensas de él de otro modo, ¿verdad?

Lentamente dijo Marcos que sí con un movimiento de cabeza.

–Me dio mucho gusto verlo...

–¡Y qué abrazo! —apoyó Lía—, le simpatizó usted, Luquín. Ivo intervino.

–No es cosa de simpatía únicamente. Modesto sabe conocer, como nadie, a los hombres que valen.

–Eso quería decir yo —afirmó ella, sin convicción.

–Y Marcos tiene lo suyo... No creas, Luquín, que Modesto es así siempre. Pero cuando descubre a alguien como tú, a un hombre de una pieza, lo ayuda, lo estimula, le da su apoyo...

Luquín sentíase pequeño, ridículo, pero íntimamente halagado por las palabras que escuchaba, por los comentarios que Ivo y Lía, con tanto entusiasmo, hacían de la visita de Modesto a la Empacadora; y, más que nada, de la cordialidad, el afecto y la simpatía que demostrara para con él. Enrojecía cada segundo y la adulación llenábalo de bochorno; pero no de un bochorno embarazoso o desagradable; al contrario: se apenaba por los elogios pero, en su fuero interno, deseaba que continuaran; que sus interlocutores, compañeros constantes de Modesto, prosiguieran ensartando frases de alabanza como cuentas de un rosario.

Ivo era el más entusiasta.

—Mañana o pasado —recomendó—, te llevaré a la oficina de Modesto, para corresponder a su visita.

—Como tú digas...

—Los periódicos de la tarde publicarán la noticia de que Modesto vino a visitarte. Eso te dará mucho cartel. ¡Cuántos líderes de sindicatos más grandes que el tuyo quisieran que Modesto se portara con ellos como contigo!

—Yo creí que era distinto —opinó Marcos—, se dicen tantas cosas...

—Y todas falsas, te lo aseguro. Modesto es un hombre bueno, inteligente y, sobre todo, íntegro: leal a su clase...

Terció ella:

—Las leyendas que le inventan las hacen sus enemigos...

Ivo se levantó; fue al espejo y comenzó a explorarse el rostro, en busca de un grano qué exprimir. Desde la luna de azogue podía ver parte del trasero de Lía, y a Marcos.

—Lo acusan de ser comunista —hizo una pausa. Sus dedos se cerraron en torno a un barro. Añadió después, retirando la masilla blanca—: comunista porque tiene valor para pelear por nosotros, los obreros. ¿Tú crees que lo sea?

Se volvió para encarar a Marcos, en tanto que con el dedo medio de la diestra se frotaba el sitio donde había aplastado el barro.

Marcos movió la cabeza, confuso.

—Bueno, yo no podría opinar... No lo conozco —miró de frente a Ivo, no retador ni insolente; apenas perplejo y en actitud de disculpa. Sólo sé lo que dicen los periódicos...

Ivo avanzó hacia Marcos, con un fulgor excitado en los ojos. Apuñó la mano.

—¿Y qué periódicos? La prensa reaccionaria. La que pertenece, precisamente, al grupo de capitalistas que combate Modesto. Si hubiese, en estos tiempos, un calificativo peor que "comunista" se lo aplicarían; te lo aseguro...

La mujer seguía la charla con sonriente atención silenciosa. Mirando a Ivo tratar de explicar o justificar o simplemente aclarar a su modo la personalidad de Modesto ante los ojos de Marcos Luquín, sintió un poquito de asco por ser comparsa de la comedia. "Es un miserable embaucador —pensó—; un traficante de carne obrera; un traidor peor que todos. El mismo Ivo lo detesta con toda su alma, pero lo obedece y lo pondera porque no puede hacer otra cosa. Lo odia porque lo conoce; porque conoce todas y cada una de sus pequeñas porquerías. Pero la comedia debe seguir. Modesto ocupa la escena y es el primer actor. Llegará el día en que baje para él, definitivamente, el telón. Ivo quiere estar allí; estará sin duda. Modesto ya no es, en nada, distinto a los que combate; es tan burgués como ellos, tan acomodaticio y sucio, también. Y, además, un farsante. Lo que vino a hacer aquí, esta noche, lo prueba. Y este pobre imbécil de Marcos Luquín tiene la cabeza llena de humo sólo porque el zorro le dio un poco de coba y ese abrazo que recordará toda su vida."

–¿No es así? —preguntaba Ivo, volviéndose a Lía.

–¿El qué? —dijo ella, tomada de sorpresa.

–Que si el compañero Luquín se porta como debe en este movimiento, tiene asegurado, para siempre, su futuro sindical.

–Sí, claro, así es. Modesto es un fanático de la lealtad.

Ivo le palmeó la espalda a Marcos.

–A la sombra de él, como otros muchos que todos conocemos, puedes hacer una carrera en el movimiento, compañero Luquín.

–Es que...

–Pero no olvides esto —el índice de uña negra pinchaba el hombro de Luquín—: Dos cosas aprecia Modesto en los tipos: su valor y lealtad. Sé que eres valiente —lo miró con ojos punzantes, como taladros— y sé que no lo traicionarás...

Luquín negó. No, él no traicionaría a nadie, en ninguna circunstancia y bajo ninguna presión. Sin embargo... Titubeó y estuvo dándole vueltas a la idea, por un rato, en su acalorado cerebro. Había algo que lo inquietaba; una pregunta para la que no tenía respuesta. Y planteó:

–Sé que esta huelga —carraspeó un poco, aclarándose la garganta— es muy importante para Modesto. No sé por qué, pero tú lo has dicho y él ha venido...

Vagamente, indicó Ivo.

–Así es. ¿Por qué?

–Me doy cuenta —Marcos sintió que pisaba terreno peligroso y siguió avanzando con tiento— que exigir la reinstalación de los despedidos no era más que un recurso...

Con el mismo tono vago aceptó Ivo.

–Podría ser... —Marcos no continuó.

Ivo dijo:

–¿Qué más?

–Comprendo, también, que si no me han dicho lo que en realidad se prepara es, o porque no me tienen confianza, o porque consideran que no debo saberlo...

Ivo rio brevemente. Pero fue la suya una risa desnuda de sinceridad; falsa como una moneda de plomo.

–Hombre, Marcos, ¿cómo piensas que haya algo que tú no sepas ya o que no debas saber? El movimiento es derecho, limpio; no hay trampa ni para ti ni para nadie.

Marcos alzó la cara y miró, rectamente, a los ojos de Ivo. Vio en ellos el hermetismo de la reserva. Disparó:

–Supon que entra por esa puerta, ahora mismo, el viejo Perkins...

–No vendrá, te lo aseguro —dijo Ivo, con énfasis.

–Lo sé. Pero, suponlo nada más. Que entra y dice: "Luquín dejemos las cosas así. Usted gana. Repondremos a su gente. Vuelvan al trabajo"; si eso pasa, ¿qué, Ivo?

–No pasará —reiteró el flaco. Adivinaba a dónde quería Marcos ir a dar y trataba de llegar antes, de encontrar una respuesta adecuada a la pregunta. Reconoció que Luquín empezaba a pensar por sí mismo; a intuir ciertas cosas; a atar cabos por su cuenta. Y si no, ¿por qué planteaba el conflicto en esos términos?

Marcos continuaba esperando la contestación. Ivo movía la cabeza como rechazando, por absurda, la mera idea de que Perkins, su abogado o cualquier otro títere de la empresa vendrían a doblar las manos; a aceptar las condiciones de la huelga.

–Bueno, ¿qué haríamos entonces?

Ivo fingió ignorar la pregunta. Se dirigió a U, que había escuchado todo en silencio, ni interesado ni tampoco ausente; presente tan sólo, pero con pasividad de ídolo.

–Búscame a Sergio. Lo necesito.

Salió U.

Ivo se limpió, con el dedo, el sudor acumulado entre el cuello de su camisa y la piel próxima a su abultada nuez.

–Hace demasiado calor para discutir...

Entró Sergio.

Ivo dijo entonces, con desenfado, sin dirigirse a nadie en particular, ni a Marcos ni a Lía.

–No vendré por lo menos en una buena hora larga. Así que...

Salió rápidamente.

En el pasillo preguntó en voz baja a Sergio:

–¿Sigue allí?

–Como un clavo. Uno de los muchachos está de guardia.

–Vamos allá...

Bajaron de prisa los peldaños de gastadísima madera.

3

Ella había estado ausente por unos minutos. Luego Marcos escuchó en el silencio caluroso del hotel el ruido del agua corriendo en el cuarto de baño. "Lo que te hace falta —recordó las palabras de Ivo— es pasar un buen rato con una mujer." A poco entró ella. Servía un poco de refresco en un vaso.

–¿Quieres, Luquín? —ofreció.

Se hallaba él frente a la ventana y dijo que sí. Abajo, la gente continuaba entretenida bebiendo, fumando, conversando en grupos. Hacía demasiado calor para que nadie ocupara las tiendas de campaña que estarían ardiendo. En el aire percibíase la presencia agobiadora del verano.

–Ten, te hará bien...

Lía se aproximó y puso el vaso en las manos de Luquín. Por un instante, sin proponérselo él, sus dedos tocaron los pechos de la mujer. Marcos farfulló:

–Perdón...

Ella rio entonces, echando la cabeza para atrás.

–No te preocupes.

Por hacer algo, sintiéndola muy cerca, casi encima de él puesto que ninguno de los dos se había movido y se rozaban, Marcos bebió. Luego dijo:

–¿Qué es lo que está pasando?

Ella se encogió de hombros.

–Pues, una huelga... Mira a tus gentes. ¿Por qué?

Él dejó el vaso en el repisón de la ventana. Se apoyó en ésta y enlazó sus manos en torno a una de sus rodillas.

–Quiero decir, ¿qué pasa en esta huelga?

–Nada, que yo sepa...

–O que no quiere decirme...

Ella volvió a reir, alzando la cara. Se aproximó un poco a Marcos hasta recargar uno de sus senos en su hombro. Luquín se puso tenso.

–Nada pasa. Es una huelga común y corriente. Pero te empeñas en ver cosas extrañas...

–No es para menos —el miraba ahora el exterior y lo hacía para que sus ojos no se juntaran al cuerpo de Lía. La Central se acuerda, repentinamente, de que existimos. Nos manda a Ivo... y, a propósito, ¿cómo se llama en verdad?

–¿Ivo? Pues... Primitivo Soto. Pero Ivo, a secas, suena mejor, según cree él... ¿Y qué más?

–¡Ah, sí...! Nos manda a Ivo como consejero político. Más tarde viene Modesto y hace y dice lo que usted sabe... ¡Todo, todo muy raro!

Ahora ambos se miraron. Ella, imperturbable; él con una asfixiante sensación de angustia y rubor.

–¿Es siempre así? —Luquín pasó un trago de saliva ardiente. Quiero decir, ¿en todas las huelgas es igual?

Ella hizo un gestito.

–Pues, sí; más o menos...

–¿Sabe qué? —aventuró él—, tengo la impresión de que Modesto, como Ivo y los demás, no han venido aquí por casualidad...

Lía lo miró oscuramente. Ensayó sonreir.

–Vaya que eres desconfiado. ¿No crees que hay en el mundo gente capaz de ayudar a otra sin que medie la ambición o un oculto fin utilitario?

Luquín abrió la boca como para decir algo; pero no pudo. Simplemente tartamudeó:

–Debe haberla, sí.

–Tú mismo, Luquín, ¿obtienes algún beneficio personal, ganas dinero o algo por el estilo, ayudando a tus compañeros?

–No. Es mi deber. Soy su jefe...

Ella le dio una alegre palmada.

–Pues lo mismo sucede con Ivo, con Modesto, conmigo. Ayudamos porque es nuestro deber...

No hablaron más en un tiempo. Lía bebió la mitad del jugo que aún había en el vaso y lo cedió a Luquín, que lo tomó y bebió a su vez.

Tras encender un cigarro, comentó la mujer:

–De todos modos esta noche aprenderás mucho. Quizá con el tiempo llegues a ser como Modesto.

–¿Lo cree usted?

–¿Por qué no? Hace veinte años Modesto era empleado de la Municipalidad. Recogía basura...

–Es un tipo inteligente.

–Tú también lo eres.

Él no dijo nada. Habló después de Lola; Lía lo escuchaba aburridamente.

—A ella le dará gusto saber que Modesto vino —concluyó Luquín.

Lía estaba muy próxima al cuerpo sudoroso, arrinconado casi, de Luquín. Sus rodillas hacían contacto al menor movimiento de ambos. A través del suéter y de la entallada falda percibía el calor de la carne de ese hombre maduro y fuerte, de amplio rostro limpio; miró sus manos, grandes y llenas de vigor, surcadas por una red de gruesas venas, y sus dedos espatulados, con uñas oscuras y de barniz de carpintero, macizos como cinceles; pero, más que nada, olfateó el olor masculino y áspero, a transpiración y ropas húmedas; ese olor que latigueaba en sus instintos y que le producía un insoportable y tenaz cosquilleo en el vientre.

Marcos se volvió para añadir algo y, al hacerlo, encontró la cara de Lía muy próxima a la suya, encima casi, en acoso mudo y directo. Quiso moverse lateralmente, pero la mujer permaneció quieta, persistente en su inmovilidad, obligándolo a tocarla, a frotarla con su propio cuerpo.

—Ya no hables más —le ordenó ella.

Estuvieron mirándose a los ojos hasta que ella empujó un poco su rodilla hacia adelante y dijo:

—Apaga...

Marcos Luquín, a tientas, buscó el botón de la luz. La cama rechinó cuando los dos se dejaron caer sobre ella.

—La puerta —indicó Marcos, en un susurro—; está abierta la puerta...

El aliento de Lía, caliente y levemente ácido, le cubrió el rostro.

—Déjala así...

4

Los cinco cruzaban rápidamente entre las sombras. Sergio que conocía bien el camino, abría la marcha. La máquina del patio se aproximaba con ruidosa laboriosidad tirando de un convoy de furgones vacíos. Ellos hicieron alto. El chorro de luz amarillenta que escupía el único ojo de la locomotora iba despejando la oscuridad. Con su monótono voltear, la campanita del tren sacudía el silencio.

Ocultos en la oscuridad estuvieron unos minutos. La máquina hacía maniobras, un poco más allá, para adelante y para atrás, enganchando las rojizas unidades del convoy. Ivo masculló:

–Si éstos —con la barbilla señaló a los del ferrocarril— no se van pronto, no podremos hacer nada.

Sergio lo tranquilizó.

–No te preocupes. El tren está ya formado. No tardarán mucho...

U y los otros dos permanecían en silencio. Ivo reiteró sus instrucciones a Sergio.

–No vayas a meter la pata...

–Descuida, Ivo.

–Tendrás que decirle que Marcos quiere hablar con él.

–¿Y si no viene?

Enfurruñado Ivo dentelló:

–Tiene que venir, ¿entiendes?

–Bien. Lo traeré.

–Lo metes por el patio hasta aquí. Y después vas a la oficina y me esperas allá. Te mandaré llamar con U o con alguien.

–Sí, Ivo.

La máquina frenó, resoplando vapor silbante. Las ruedas giraron sobre sí mismas, en marcha atrás. Tres agudos silbatazos se dejaron oir. Un minuto más tarde el convoy, con su traqueteo de hierro y madera, desapareció de la vista.

–Bueno —indicó Ivo—, ya vete.

Sergio, saltando entre las vías, salvó la distancia y se escurrió por la tronera de la valla metálica. Sus pies se encontraron avanzando rápidamente por una calle oscura; dobló en la primera esquina; volvió a cruzar varios espacios abiertos y tomó, después, por la calleja bordeada de bajas casas de un piso, semejantes a la de su padre, en la que vivía Quintana.

Golpeó con los nudillos en una puerta metálica. Dentro había luz. La puerta se abrió unos centímetros. Alguien preguntó:

–¿Quién?

–Quiero hablar con Quintana.

–No está —dijo la voz. Una voz, temerosa, de mujer.

–Sí está —insistió Sergio. Dígale que Marcos Luquín quiere hablarle...

Se escucharon pasos firmes, de hombre, cruzando el patio a espaldas de la mujer.

–¿Qué quieres? —demandó Quintana.

La puerta habíase abierto un poco más. Sergio pudo ver a Quintana ocupando el sitio que antes tuviera su mujer.

–Marcos quiere hablar contigo...

–¡Que venga él! —retó Quintana.

Sergio titubeó un instante.

–Perkins está con él. Arreglan ya el asunto. Perkins exigió que fueras...

–¿Sí? —interrogó Quintana, con vacilación.

–Sí. Pero si no quieres ir —dijo Sergio— no vayas. Se lo diré...

Hizo ademán de retirarse. La puerta se abrió por completo y Quintana, desconfiado, miró a ambos lados de la calle. Lo llamó:

–Bueno. Iré...

–Te espero, si quieres...

Quintana cerró la puerta y volvió al interior de la casa. Era muy parecida, en distribución y tamaño, a la de Marcos Luquín. Era en realidad, igual, y, como aquélla, había sido construida por la Empacadora para sus obreros. La mujer entró con él y lo vio colocarse un pistolón niquelado entre el cinto y el estómago.

–No vayas —explicó—, a lo mejor quieren hacerte algo...

Él no le hizo caso.

–Ya sabía que me llamaría. Perkins, lo oíste, está allá...

–Es una trampa. Los conoces...

Salió nuevamente. La esposa, una mujer muy delgada y triste, como si alguna vez hubiese sufrido paludismo, quiso disuadirlo.

–Llama a los muchachos. Que te acompañen...

–Yo sé lo que hago...

Tiró de la puerta y salió a la calle. La mujer lo miró alejarse, en dirección a los patios del ferrocarril, con Sergio. Alzó la mano y dibujó en el espeso aire caliente el buen deseo de una bendición.

Después de mucho rato de caminar por el centro de las calles en tinieblas, Quintana preguntó:

–Así que siempre sí cedió Marcos, ¿eh?

–Creo que sí. Llegó Perkins y...

Un autopatrulla cruzó en una esquina y fue tragado por la sombra. Quintana ya no tenía miedo ni aprensión. En realidad no los tuvo, desde que salió de su casa, pese a la advertencia alarmada de su mujer. Sentíase contento de que Mr. Perkins, según había dicho Sergio, exigiera su presencia para solucionar el conflicto. Era ésta, para él, una gran victoria moral sobre Marcos; victoria que, con el tiempo, en las próximas elecciones del sindicato, podría capitalizar.

–¿Qué dijo Marcos cuando Perkins ordenó que yo...?

–¡Qué iba a decir! Obedeció.

–¡Ah, muchachos...! Ustedes no tienen experiencia. A mí siempre me pareció una tontería hacer la huelga... así, como la hizo tu padre.

Sergio no habló más. Sonreía a medida que se aproximaba a los límites del patio ferrocarrilero. En un principio temió que Quintana quisiera hacer un rodeo para evitar el cruce de las vías y esto hubiese sido una contrariedad; pero, por fortuna, no ocurrió así. Se imponía la fuerza de la costumbre y el gordo resoplaba pisando el mismo polvo que sus pies pisaban todos los días al ir o venir de la casa a la Empacadora.

Estaban ya en el patio. Fanfarrón y seguro de sí mismo, Quintana decía:

—Cuando vuelva a haber una huelga la haremos de otro modo. ¡Ya verás!

—Sí, claro.

El corazón de Sergio comenzó a dar brincos en el pecho. Se acercaban ya al sitio donde Ivo y su gente estaban apostados. Deliberadamente se retrasó un par de metros, fingiendo que se ataba las cintas de un zapato. Quintana continuaba hablando en voz alta, muy tranquilo, muy contento; ya sin sospechas; a la vista de las luces que iluminaban la callecita de la Empacadora.

Entonces, de pronto, se vio rodeado. Cuatro sombras rápidas y silenciosas se le echaron encima, lo tumbaron, se revolcaron con él en el polvo. Sergio llegó en el momento en que los otros dos que Ivo había llevado con él y con U inmovilizaban a Quintana, tomándolo por los brazos.

Con su manopla de acero Ivo comenzó a golpear. Quintana no pudo ni siquiera lanzar un grito, ni defenderse. Ivo sudaba copiosamente machacando la cara y el cuerpo que no se movía, que no hacía nada por librarse del castigo. Y a Ivo siguió, en turno de tortura, U. Después de unos minutos Ivo dijo:

—Ya está bien. Déjenlo...

El maltrecho cuerpo sangrante de Quintana cayó como un costal. Sus verdugos jadeaban ruidosamente, llenos de sudor y de colérica satisfacción.

—Tú, Sergio y ustedes —acezando como un perro Ivo señaló a los dos auxiliares—, váyanse y no vuelvan esta noche... U, ven conmigo... Ah, y otra cosa: si alguien hace preguntas, no hemos visto a éste —le dio un puntapié a Quintana— ni nos hemos visto nosotros desde las nueve o diez...

Ivo y U esperaron a que Sergio y los otros dos, aquél por un lado y éstos por otro, se marcharan.

—Creo que me lastimé la mano —dijo Ivo, con fastidio.

U encendió un fósforo para examinársela.

–Bruto —Ivo lo apartó de un empellón. Deja, no es nada.

5

Lía se arreglaba un poco el rostro y el peinado ante el espejo. Marcos, con la cabeza gacha, estaba sentado en la cama.

–Tienes una cara... —comentó ella, volviéndose.

Él no dijo nada. Se levantó tan sólo cuando Lía, con sonriente desparpajo, comenzó a arreglar las sábanas y a estirar la colcha. En un minuto el cuarto recobró su aspecto anterior. Ella se detuvo. Encaró a Marcos. Le habló sin burla:

–¿Estás arrepentido?

Marcos sólo movió la cabeza, negando.

–¿Hacía cuánto que no estabas... con una mujer?

Rojo de vergüenza tartamudeó Luquín:

–Mucho...

Ella se sentó a su lado. Le hundió los dedos entre el pelo.

–Eres un buen tipo, Luquín. Tu mujer es afortunada... Sé que te sientes el hombre más asqueroso del mundo, ¿eh? No te preocupes. Así pasa la primera vez. Luego uno se acostumbra a traicionar y a que lo traicionen. Cuestión de paciencia...

Como un colegial, Marcos se entretenía en tirar de una hebra suelta de la colcha. Experimentaba una temblorosa sensación de debilidad y, también, por qué no aceptarlo, un regusto especial de placer satisfecho. Lía era una mujer que valía la pena; sí, señor. Toda una mujer.

Ella dijo, casi riendo:

–¿Te gustó?

–Sí.

–Pero tienes remordimiento... —ella vio cómo él rehuía alzar la mirada. Si mañana, o pasado, o un día de éstos hubiera modo, ¿lo harías de nuevo?

–Sí.

Ella se alzó.

–¿Lo ves, Luquín? Quieres mucho a tu mujer y le eres fiel hasta que tienes la oportunidad de engañarla... No te hagas mala sangre, camarada; todos en esta vida somos así: un puñadito de majada...

Lía colocaba la máquina portátil en su estuche y reinstalaba, dentro del portafolio, el papel de escribir, el de copiar, las plumas y los lápices que había sacado. Terminando fue de nuevo al espejo a mirarse.

Luquín preguntó entonces, bruscamente:

—¿Ivo también se acuesta contigo?

Con sinceridad ella repuso:

—No. Él no. Estas cosas no le interesan...

Luquín abrió la boca.

—¿No dirás que es...?

—¿Joto? No. Seguro que no. Para él no existen mujeres, sólo su trabajo.

—Entonces, es como un sacerdote...

Violentamente Lía se encaró a Luquín. Tenía la cara descompuesta y los ojos llenos de cólera.

—Como un sacerdote, no...

Marcos tuvo la certeza de que la había molestado diciendo esas palabras tan sencillas e ilustrativas de su pensamiento. "Como un sacerdote. Me consta que ellos no... Por ejemplo, el padre José. En fin..." Lía echó llave al portafolio y lo levantó. Marcos se puso en pie.

—Pero ¿te vas ya?

—Ajá —repuso ella, otra vez sonriente—, me voy. Es tarde. Y no olvides. Tengo hijos y los hijos deben ir mañana a la escuela. Paradójico que te hable como toda una burguesa, ¿eh?

La acompañó hasta la puerta. La abrió para que saliera.

—¿Vendrás... mañana?

Ella se encogió de hombros y salió. Él la estuvo mirando hasta que bajó por la escalera.

6

Ivo volvió un poco después. Al no ver ni a Lía ni a su máquina, preguntó:

—¿Se fue ya?

—Sí.

Mirando fijamente a Marcos, Ivo sonrió y luego se puso a olfatear.

—¡Cualquiera diría que Lía se quitó los calzones! —rio a carcajadas, advirtiendo que Marcos se ponía rojo. No te preocupes, hombre. Ella no es más que una perra. Lo hace con todos...

Sirvió agua en el lavamanos y tomó el jabón. Tenía la diestra hinchada en los nudillos y, con cuidado, empezó a quitarse los trocitos de piel sangrante. Volviendo un poco la cabeza indicó:

—Lía es una enferma... Su debilidad son los hombres... Creo que si se cortara las venas no le saldría sangre, sino semen...

Buscó la toalla y se secó las manos. El rugoso trapo se manchó de sangre.

Marcos lo notó, y notó también que en la camisa de Ivo había huellas rojizas.

—¿Qué te pasó?

Ivo se vio las manchas. Le restó importancia al asunto.

—Es sangre... Con el calor me sale siempre de las narices...

Marcos se tendió en la cama y cerró los ojos. Tenía sueño; sentíase relajado y tranquilo. De buena gana estaría en su casa. Pensó en su mujer, en la oscura muchacha del rostro afilado, sacudida ya por los dolores de un parto que sería difícil por ser el primero. Experimentó un amor ardiente y puro por ella; tan distinto, sí, a la pasión animal que lo había consumido, fugazmente, sobre esas sábanas sucias de sexo.

Se puso bocabajo, hundiendo la cara en la almohada. "La he traicionado —se reprochó. Mientras ella sufre y se destroza y arriesga su vida por darme un hijo, yo, como un perro, he estado revolcándome con una prostituta. Y mañana estaré de nuevo con ella y volveré a hacerlo; lo cual no impedirá que cuando vea a Lola la bese y le diga que la quiero y que la respeto y que la venero...", volvió a tenderse con la cara al techo. "¡Por qué poca cosa la he traicionado! ¿Y no es la vida una serie de pequeñas traiciones a quienes nos aman, nos rodean o simplemente nos sirven y acompañan? Los muchachos, ésos que están abajo, ¿creerán que los traicionaré? Si lo creyeran ya me habrían echado a patadas. Confían en mí y, por eso mismo, la traición cuando ocurra será mayor. Digo, cuando ocurra. ¿No comencé a traicionarlos desde el momento en que admití que Ivo manejara las cosas así? ¿No es una traición de mi parte aceptar que sean otros quienes den las órdenes, quienes hagan todo? Si tuviera menos miedo, más casta, más hombría me enfrentaría a Ivo, a Modesto, y a los suyos y los correría de aquí. Pero, como dijo Lía, no soy más que un puñadito de majada."

Casi sin darse cuenta Marcos Luquín se dejó arrastrar por el sueño.

La hora octava

1

Calentaba por segunda vez en la noche los guisos de la cena cuando escuchó el golpear de los nudillos en la puerta. Bajó apenas el volumen de la azulada flama de la estufa de tractolina y salió al patio. Cruzó rápidamente y abrió. No era Quintana quien volvía. La mujer hizo un gesto de asombro; más bien, de desencanto, casi de tristeza. Tembló la angustia en su voz.

—¿No lo encontró, Danielito?

El hombre permaneció indeciso, con la mitad del cuerpo dentro de la casa; la otra mitad todavía en la calle silenciosa y desierta. Era uno de los que acompañaban a Quintana cuando fue a hablar con Luquín y, después, con Perkins al principio de la noche.

—Allá no está.

Ella movió la cabeza, con desesperación.

—Lo mandó llamar Luquín con su propio hijo.

Danielito abrió los brazos para explicar algo; pero sólo se encogió de hombros.

—Por lo menos, allá no llegó —dijo.

La mujer secaba y resecaba sus manos en el delantal, aunque no estuvieran húmedas; disimulaba con ello su nerviosidad, su temor, su angustia cada segundo más terribles. Los ojos se le humedecieron, pero las lágrimas no llegaron a rodar por sus pardas mejillas. Sorbió, resuelta.

—Iremos a buscarlo...

—Sí. Será lo mejor —aceptó Danielito, sin convicción.

Rápidamente la mujer volvió a la casa, agachando la cabeza para no tropezar con la ropa puesta a secar, en amarillentos hilos de henequén, en el patio. Entró en la estancia y siguió hasta la cocina. Retiró de la estufa el trasto donde calentaba la cena de su marido y apagó la llamita azul. Por unos segundos permaneció indecisa. Al regresar a la parte que servía de comedor y sala se detuvo. Sus ojos recorrieron, tal como si fuera a partir para siempre, los objetos, los muebles familiares. El radio, y, sobre éste, en un historiado marco, el retrato de su boda, cuando ella era robusta y Quintana espigado y soñador con su bigotito romántico; y junto otra foto, más reciente, ya con los rasgos actuales de ambos, rodeados por sus tres hijos, los chicos que dormían en la pieza contigua.

Luego, salió.

Caminaban por la calle y sus pisadas, como si fueran chispas, arrancaban rápidos ecos al silencio.

—Hay que llamar a otros amigos —sugirió la mujer.

—Bueno, si usted quiere...

Tocaron en dos o tres puertas. Se asomaban, al cabo de unos minutos de espera, hombres en camiseta o mustias mujeres soñolientas que luego llamaban a sus maridos. Se juntaron cinco de los compañeros de Quintana. La esposa les habló:

—Yo creo que le han hecho algo. Vinieron por él, hace mucho.

Danielito intervino:

—Lo mandó llamar Luquín, con Sergio, pero allá no llegó —la mujer tomó de nuevo la palabra:

—Yo sabía que era una trampa. Pero él se empeñó en ir solo.

Uno de los hombres comentó:

—Nos hubiera llamado.

—Sí —expresó Danielito—, pero no lo hizo...

Todos juntos echaron a caminar, al centro del grupo la mujer de Quintana.

—¿Qué dijo Luquín? —quiso saber uno.

Daniel informó:

—No pude hablarle. Que estaba dormido.

—Pero ¡cómo se le ocurrió a Quintana ir solo!

La mujer sorbió ruidosa, furiosamente.

—Tiene, a veces, cosas de niño. Yo le advertí...

—Iremos todos a ver a Marcos Luquín...

Por unos minutos caminaron sin hablar. Dejaron atrás las oscuras calles polvosas. La mujer comenzó a sollozar, gimiendo que el corazón le avisaba que algo malo había ocurrido a su esposo. Los hombres trataban de calmarla.

—Yo sé que le hicieron algo —repetía—, lo sé. Me da aquí —se golpeaba el pecho desesperadamente— y no me engaño...

Llegaron, por fin, a los límites del patio del ferrocarril. Un convoy se arrastraba, con martilleo de ruedas metálicas en las junturas de los rieles, tirado por la incansable locomotora jadeante. Entraron de uno en uno por la tronera abierta en la valla y siguieron adelante a las lejanas luces de la calle de la Empacadora.

Con su lámpara, que era sólo una prolongación de su brazo, Dimas les marcó el alto.

–Epa —gritó. ¿A dónde van?

Ellos se detuvieron.

–Somos nosotros, don Dimas —dijo uno, vagamente.

El hombre alzó la lámpara para alumbrarlos. Los reconoció y entonces se acercó con más confianza.

–Ah, ustedes. ¿Qué buscan a estas horas?

La mujer de Quintana preguntó, vivamente:

–¿Vio a mi marido?

–Sí. En la tarde.

Ella movía la cabeza.

–No. ¡Hace poco... como una hora!

–Entonces, no. ¿Por qué?

Danielito intervino:

–Salió y no ha vuelto. Y su señora cree que...

Saltó la mujer, con la voz estrangulada.

–Dios mío, le hicieron algo... Sé que le hicieron algo.

–Pero ¿quién iba a querer hacerle algo? —habló don Dimas.

Ella alzó el rostro.

–¿Quién? Pues, Marcos Luquín. El maldito...

Sufrió un violento acceso de llanto y sollozos. Danielito la calmó. Ya más tranquila la mujer ordenó:

–Vamos a buscarlo...

Don Dimas expresó:

–Por aquí, se lo aseguro señora, no ha pasado. Pero, si lo veo, le diré que...

Ya no lo escuchaba. Llena de ansiedad la mujer caminaba de prisa, corría, casi, entre las vías. Bastante atrás, con su balanceo irregular, percibía a Dimas, con su lámpara. En lugar de seguir sobre la raya marcada en el polvo por los hombres y las mujeres que la convirtieron en vereda, la esposa de Quintana torció bruscamente hacia la derecha. Allí, en la oscuridad, se adivinaban las bajas formas pesadas de los vagones en reposo. Trotaban ahora, agachándose un poco para ver mejor entre el claro de las ruedas, a lo largo de interminables hileras de carros vacíos

Y de pronto, un grito agudo, desgarrador, de la mujer.

–Allí está...

Corrieron todos. La mujer, llorando a gritos, vio el cuerpo de su esposo tirado en el polvo, abiertos los brazos en cruz, revolcado y lamentable. Se lanzó sobre él y lo abrazó.

–Dios mío. Lo mataron... Lo mataron...

Llegaron los otros y permanecieron de pie, silenciosos como postes, contemplando la escena. La mujer de Quintana, arrodillada, sostenía la cabeza sangrante y polvosa de su marido entre sus manos; y juntaba su cara, diciendo cosas que ellos no entendían, a la destrozada cara de su esposo.

Daniel se agachó y trató de separarla.

–Cálmese... —se volvió a sus amigos—avisen a la Cruz, pronto.

Uno de ellos echó a correr en dirección a la salida. Daniel acuclillado junto a la terca mujer que abrazaba al esposo, luchó para que lo soltara.

–Está muerto —gemía la mujer. Me lo han matado... ¡Pobrecito, hijo mío!

Pero Quintana no estaba muerto. Su corazón latía débilmente y la sangre no manaba ya de sus heridas. Llegó entonces don Dimas y con su lámpara alumbró la escena. En torno al cuerpo se había formado un charco lodoso: las ropas de Quintana estaban enrojecidas y su cara, horriblemente triturada por las manoplas de acero, era una masa hinchadísima e impresionante.

El alarido inicial de la mujer era ya sólo un hilo de sollozo, constante e inalterable. Hablaba en voz baja, con la ternura con que se arrulla a un niño, en tanto que sus manos temblorosas acariciaban sin cesar el pelo de su marido.

–Pobrecito mío... Hijito de mi alma...

Quisieron retirarla, pero ella parecía no darse cuenta de lo que ocurría a su alrededor. Gentes de otras partes llegaban corriendo; vecinas arropadas con rebozos puestos de prisa sobre sus cuerpos; hombres de camiseta, con las bragas todavía abiertas; trabajadores del patio con gorras llenas de aceite, con lámparas en las manos; y uno o dos policías, seguramente avisados por quien había ido a telefonear a la ambulancia. Y la miraban todos, en silencioso estupor, aferrarse al cuerpo sangrante y sin sentido y la oían decirle trastornadas palabras de cariño; repetir su arrullo maternal y doliente.

–Pobrecito, mi niño...

Ya sólo podían aguardar. Daniel apartó a los que espiaban la escena, empujándolos casi, para que no ahogaran a la mujer. Alguien preguntó:

–¡Cómo es posible!

–¿Quién lo hizo?

–¿Quién había de ser? Marcos Luquín.

–Asesinos...

Daniel dijo:

–Asesinos y cobardes. Pero van a pagarlo caro...

2

Marcos se estremeció en la cama y abrió los ojos. Lentamente miró en torno. Los objetos tornaban a ser familiares a medida que los identificaba: el espejo, la mesa, el aguamanil. Al volverse encuadró a Ivo, que lo observaba con una sonrisita.

–¡Vaya que roncaste!

Luquín estaba sudando copiosamente. Tenía empapado el cuello y gotas de transpiración cayeron sobre sus rodillas cuando se incorporó para sentarse. Con el rostro entre las manos sacudió la cabeza.

–Me dormí —comentó.

–Se ve.

Se levantó y fue a beber un largo trago de agua, llevando a sus labios el borde desportillado de la jarrilla de peltre. Comenzó a sentirse mejor; menos embotado que antes. Ivo sonreía. Luquín se estiró, desperezándose, y bostezó después varias veces. Le ardían los ojos y experimentaba una pesadez agobiante en la cabeza, como el día siguiente de una juerga.

–¡Qué bárbaro —comentó Luquín, entre dos bostezos—, si no me hablas me amanezco!

Ivo sonrió.

–Por eso te desperté —apoyó los dos puños en el alféizar de la ventana y se asomó, con el cuerpo inclinado—; es conveniente que los muchachos te vean; que hables con ellos. Que les des ánimo...

Marcos fue a la ventana y miró. La gente continuaba entretenida jugando, charlando, bebiendo los vasos de refresco que las mujeres enviadas por Ivo hacían circular.

–No la pasan mal —dijo Marcos.

–Claro que no. Hay organización. Pero es conveniente que estén en contacto con su jefe. Y otra cosa...

–¿Qué?

–Dentro de un rato vendrá gente a visitarte.

–¿Gente? ¿Qué gente?

Ivo se irguió, sacudiéndose el polvo de los nudillos que ya habían dejado de dolerle por más que siguieran un poco inflamados.

–Compañeros de otros sindicatos.

–¿Qué buscan aquí?

–Ellos, nada. Vendrán a darte apoyo.

–¿Qué vela tienen en nuestra huelga?

Ivo se apartó de la ventana y prefirió tenderse en la cama:

–Son compañeros; eso es todo —al cabo, hablando como para sí, añadió—: Los necesitaremos a partir de mañana.

–¿Para qué?

Con los ojos fijos en el techo y como si resumiera en voz alta sus pensamientos, Ivo explicaba:

–La huelga empezará, verdaderamente, mañana...

–¿Acaso esto no es ya la huelga?

–Bueno, sí... Quiero decir que la huelga se hará en grande ya para la tarde. Para eso vienen los camaradas: a planear contigo, y conmigo, los paros de solidaridad.

–No hemos pedido solidaridad.

–Nos la ofrecen, que es mejor, Luquín. Esos otros sindicatos votarán huelgas parciales... Esto ha sido dispuesto ya.

–¿Por Modesto?

–Por la Central. Después de esos sindicatos, se nos unirán otros. Y así hasta que la huelga sea algo grande...

Luquín se sentó en la cama, junto a los pies de Ivo. Sin mirar a éste, y más que nada, como si hablara sólo para sí, dijo:

–Es lo que no me explico, Ivo. ¿Por qué hacer un gran lío de esta huelga? ¿Por qué enredar más las cosas?

–No tienes ninguna visión política.

–Claro que no. Además, no entiendo a los políticos. Y tú eres un político y Modesto también.

–¿Tiene algo de malo serlo? Si no fuera por nosotros ustedes no sabrían cómo ejercitar sus derechos.

Casi con acritud dijo Marcos:

–En cuanto ustedes se meten, enredan todo. ¿Por qué no dejan que los obreros arreglemos nuestras cosas?

Sonrió Ivo con desdén.

–Porque no sabrían cómo. Las empresas tienen recursos de toda índole superiores a los de los obreros. Los embaucarían, los triturarían sin compasión.

Rechazó Luquín.

–No, si hay buena voluntad de arreglar los problemas.

–Los obreros necesitan estar organizados.

–Hablas mucho de los obreros; los llamas compañeros, camaradas, hermanos. Pero ¿qué sabes tú de ellos? Tú que nunca has trabajado...

Ivo se incorporó violentamente. Estaba pálido, y sus ojos de hiena miraron con furia a Luquín. Éste le sostuvo la mirada. Al cabo de unos segundos la cólera desapareció de la cara de aquél. Tornó a echarse en la cama.

—Yo también soy un obrero —comentó Ivo—, un obrero especializado...

—¿Has trabajado alguna vez en una fábrica, en un taller, en cualquier parte?

—Sí, y más que tú, quizá. No en el sentido material de trabajar, sino en otro más difícil...

—¿Hablar... buscar camorra?

Negó Ivo tranquilamente.

—Yo soy organizador... —se apoyó en el codo y miró a Marcos. ¿Sabes lo que es un organizador?

Luquín se encogió de hombros, con desdén.

—Uno como tú, supongo.

—Un organizador es un tipo político y sindicalmente capacitado para orientar a los obreros en todo movimiento... Sin organizadores, el movimiento proletario no tendría sentido; carecería de profundidad, de mística... Cada huelga sería una pelea vana, cada grupo de huelguistas, una chusma incapaz de actuar razonablemente. Cuando un pueblo o un grupo de hombres, como ése de allá abajo, se agita y va a la pelea necesita que alguien lo oriente y le dé un significado a su lucha; si carece de idea, de mística, entonces sólo produce un motín. Un caos...

Asintió Luquín, tal como si aceptara la explicación de Ivo. Se alzó y fue nuevamente a la ventana. Desde allí, sin volverse, preguntó:

—Supongamos que los otros sindicatos van a la huelga por solidaridad, ¿cuando ya todo esté parado, qué?

Pasó casi un minuto antes de que Ivo respondiera:

—Se habrá demostrado que continúa vivo y pujante el espíritu de solidaridad.

Marcos machacó:

—Correcto. Pero, ¿qué buscan ustedes... tú, Modesto y los demás... haciendo una huelga general?

Ivo sonrió.

—Lo irás aprendiendo por ti mismo. Es complicado de explicar en palabras...

Luquín comentó después:

–Creo que esto de la organización y la solidaridad y todo lo demás sale sobrando.

Ivo negó con la cabeza.

–La organización es básica, Marcos. Dentro de unos días me darás la razón...

–Quizá no tenga tiempo de comprobarlo. La huelga se arreglará en cualquier momento...

Ivo echó fuera de la cama sus largas y flacas piernas y quedó sentado, al borde del colchón, balaceándolas.

–Estás equivocado. Esta huelga durará más de lo que crees...

Con pausada firmeza expresó Luquín:

–Conozco a Perkins mejor que tú. No es hombre que se quede sentado esperando. Pero —vivamente se inclinó hacia Ivo— ¿no ves que él y su negocio no pueden estar parados? ¿Qué les resulta más barato perder la huelga que ganarla?

Se levantó Ivo y dejó caer una de sus manos huesudas sobre la espalda de Luquín.

–No te hagas ilusiones, Marcos. La huelga no terminará pronto. No puede terminar. Yo sé un poco de estas cosas... y por ello te digo que Perkins no cederá. Esto lo sabe Modesto. Será una guerra larga. Y dentro de unas semanas, cuando sigamos aquí, como hoy, me darás la razón.

A lo lejos percibieron el aullido de una ambulancia. Su delgado grito metálico fue convirtiéndose en un ronquido opaco y grueso. Un poco después tornó a dejarse oir, agudo por unos momentos y luego distante, a medida que se alejaba. "Dentro de poco tendremos jaleo aquí", se dijo Ivo.

3

Alguien le había prestado un chal y ahora ella encabezaba al grupo vociferante que empujaba sus pasos hacia la barricada. La mujer iba lloriqueando, y de cuando en cuando se enjugaba las lágrimas y se limpiaba las narices. Había mucho de patético, desgarrador y terrible en ese sencillo acto; en ese llantito constante que la acompañaba desde que dejó el recinto policiaco, mientras curaban a su marido, hasta que al frente de sus amigos, de sus compañeros, de los curiosos que se agregaban en el camino, saliendo de las cantinas nocturnas o de quién sabe donde, inició la marcha para enfrentarse a los agresores.

Los más cercanos en amistad y afecto a ella, como Daniel, iban un paso atrás de sus talones, contemplándola erguida y resuelta en su actitud vengadora. Caminaron entre una madeja de calles, orientados sólo por el resplandor, visible en la distancia, de la calle de la huelga. De la delgadez de la mujer, de su silenciosa fragilidad, emanaba, sin embargo, la terrible fuerza del odio. No hablaba, ni volvía el rostro para ver si la seguían. Marchaba de frente, recta la vista, fuertemente apretado el puño que ceñía, bajo su barba, los pliegues del chal. Los hombres comenzaban a fatigarse de ese paso largo, constante y presuroso en que estaban desde una buena media hora antes. Prefirieron caminar porque no hallaron otro medio para transportarse.

Cuando salieron del anfiteatro policial los encendía la quemante llama de la cólera. Pero, tras la marcha, esa misma cólera, en muchos era sólo rescoldo. Cuatro o cinco, tratando de no ser notados, se escurrieron en algún oscuro cruce de calle y se largaron a dormir. A los otros, los que seguían junto a la mujer, apoyándola, acompañándola, haciéndola sentir que no iba sola, parecíales insensata la ocurrencia de ir a reclamar, cara a cara, a Marcos Luquín su cobardía. Ella sólo había llorado, con histéricos gritos doloridos, cuando desnudaron a Quintana y lo colocaron en la plancha de granito de la enfermería. Allí vio su cuerpo lleno de moretones y de sangre; allí palpó, con sus dedos temblorosos, las bocas sangrantes de las heridas; allí apoyó su cara llena de lágrimas y de rencor sobre la magullada, informe, espantosa cara de Quintana; y allí, en una explosión colérica, juró vengarse personalmente, esa misma noche, de Luquín y de los cobardes matones que había alquilado para asesinar a su enemigo.

Fue preciso, para calmarla, que uno de los practicantes le diera una pastilla. La mujer permaneció, cogida entre sus manos la diestra del marido, hasta que terminaron de limpiar y curar a Quintana. El médico que se había hecho cargo le indicó entonces que nada podía hacer ya; que el estado de Quintana era grave por la brutalidad de los golpes recibidos pero aún no desesperado. Había dicho también que si conseguía pasar la noche aumentarían las probabilidades de que se salvara. Todo esto lo escuchó ella, muy apretados los labios, muy húmedos los ojos, sin hablar, asintiendo a cada frase, aceptando las palabras y los consejos de resignación que le daban los tipos de las batas blancas. Luego salió del quirófano, todavía con el olor a sangre y a medicamento en las narices, y se reunió con Daniel y los otros amigos de Quintana.

—Vamos a buscar a ese asesino —había dicho, y sin esperar a que ellos opinaran, más bien, para no darles tiempo a que lo hicieran, echó a caminar.

Y ahora llegaba, al fin, a la vista de la calle. En la pesada noche

de calor percibía el moderno perfil de las instalaciones de la Empacadora, las pulsantes luces rojas que arderían hasta el alba en lo alto de
la gran torre donde se almacenaba el agua, los relucientes muros de
vitricota que brillaban como espejos al ser heridos por los blanquísi-
mos destellos de los hilos de focos colocados por Cheve y sus gentes.

Se detuvieron a unos cuantos metros de la barricada. Fue allí
donde la mujer titubeó por primera vez. Los que guardaban la muralla de toneles se pusieron alertas. Alguien movió un reflector y el chorro
de luz iluminó a la esposa de Quintana y a quienes la acompañaban,
éstos un poco rezagados.

El que estaba al frente de la patrulla de vigilancia, gritó:

–Hey, ¿qué quieren?

La mujer de Quintana avanzó entonces, resuelta, a la barricada. Gritó, a su vez, para que todos la escucharan:

–Asesinos... Cobardes...

Sus acompañantes se acercaron más y se detuvieron en masa
compacta, atrás de ella, apenas lo suficiente para no arrollarla, para no
empujarla hacia los toneles y a los hombres tensos que los guardaban.
Uno de ellos sacó una pistola. No apuntó, no operó su mecanismo; la
extrajo de la funda, la empuñó con firmeza, sólo para mostrarla; para
que la vieran y midieran sus acciones.

–Si se acercan... —advirtió.

Todos, entonces, recularon. Únicamente la mujer continuó en
su sitio, ni temerosa ni retadora; presente y llena de ira.

–Mátenme, si se atreven —gritó, roncamente.

Más allá de la barricada se levantó una algarabía. Corrían todos sin saber a dónde ni por qué; intuían que algo extraño estaba ocurriendo, si es que no había ocurrido ya, del lado donde los guardianes
(en fila desplegada con porras y piedras en las manos, y uno de ellos
con una pistola), se encaraban a otros hombres, inermes y un poco
asustados, que no huían para no parecer cobardes pero que no tenían
ganas de atacar. Corrían, en grupos, en parejas o simplemente solos
y se detenían a distancia hasta formar un compacto tapón de cuerpos
que bloqueaba la calle.

Creyeron, al principio, que eran las brigadas de esquiroles que
venían a echarlos, a arrancar la bandera de la huelga, a aplastarlos con
sus armas, a expulsarlos de allí con bombas de gas; pero, después, al
acercarse, comenzaron a reconocer algunos rostros familiares, y a no
ver ni saboteadores ni los característicos uniformes azules ni las cortas armas niqueladas de los granaderos.

–Es la mujer de Quintana —dijo una voz.

–¿La mujer?

–¿Qué diablos anda haciendo aquí?

–Quintana nos la manda ahora...

Pero ella alzaba los brazos y luego se golpeaba el flaco pecho hundido con los puños.

–Mátenme... Poco hombres... Mátenme...

Y nadie en verdad, ni siquiera aquéllos a los que iba dirigido el reto, sabían de qué hablaba esa mujer que ya no sollozaba; que tenía ahora el rostro enrojecido por la furia.

U entró al cuarto, gritando:

–Ivo. Hay lío en la calle. Será mejor que bajes...

Marcos Luquín saltó a la ventana y echó la mitad de su recio cuerpo afuera para ver qué ocurría en la barricada. Ivo se asomó también, a su lado. Desde allí veían, a ambos lados de la frontera de toneles, grupos de gente, y en el centro, a una mujer.

–Parece que comienza el jaleo, camarada Luquín.

Éste había reconocido a la mujer.

–¿A qué diablos vendrá?

–Baja y averíigualo...

Luquín movió la cabeza.

–Claro que bajaré...

Al tiempo que iba a sentarse en la ventana Ivo dijo a U:

–Di a los muchachos que dejen pasar a esa gente.

U arguyó:

–Son muchos...

–Que los dejen pasar, digo.

Salió U. Escucharon el redoble apresurado de sus pasos corriendo escalera abajo. Ivo le sonrió a Luquín.

–A ver cómo te las manejas. La mujer parece brava... —y cuando Luquín trasponía la puerta alcanzó a oir—: Es "tu" huelga, camarada...

Retiraron los barriles apenas lo suficiente para que pudieran pasar unas personas. Entró primero la mujer y luego todos los demás. Los huelguistas, que cerraban la calle, retrocedieron más allá de la puerta del hotel. U estaba alerta y cuando cruzó el último hizo señas para que reinstalaran los toneles en su sitio.

–Que ya no pasen más —gruñó.

La mujer seguía caminando, muy duros los ojos, ya sin lágrimas, ni mocos en las narices. Se echó el chal a los hombros, descubriendo su cabeza. Vio entonces a Marcos Luquín, que estaba en la puerta, con las manos colgando flojamente del cinturón; no en actitud fanfarrona o retadora, ni soberbia siquiera; sólo tranquila y descansada. Ella se detuvo. Lo miró de cabeza a pies.

Gritó después:

—¡Asesino...!

Los hombros de Marcos se desplomaron, resbalaron hacia abajo. Sacó sus pulgares del cinturón.

Ella caminó otros pasos, y reiteró:

—¡Ya estará contento... asesino!

Marcos se apartó de la puerta y caminó un poco hacia la mujer. Quedaron frente a frente, mirándose tan sólo; llena de colérica fiereza, ella; de estupor, él. Quienes contemplaban la escena estaban silenciosos, fascinados casi, sintiendo el aleteo de la violencia en el aire caliente de la noche. Desde la ventana mientras mordisqueaba la uña de su pulgar, Ivo sonreía divertido.

Luquín sintió palidecer.

—¿Qué diablos está diciendo? —preguntó.

Ella repetía:

—¡Asesino...! ¡Cobarde...!

—Señora... ¡Cálmese! Explíqueme qué...

Como un aullido ella dijo:

—¿No sabe por qué he venido, asesino? ¿Ya se le olvidó lo que le hizo a mi marido... a un hombre honrado y decente que vale más que usted?

—Señora... —farfullaba Marcos.

—¿Ya no se acuerda que hace menos de una hora lo mandó llamar para después golpearlo y dejarlo medio muerto allá en los patios?

Luquín avanzó otro paso.

—¿Está usted loca?

—Sí, de coraje... Por eso he venido; a que me pegue a mí también. Pero a que lo haga usted solo, si es tan hombre y tan valiente; no a que utilice a los matones que tiene aquí...

Él la sacudió por un brazo.

—Cálmese... ¡Cálmese, no grite!

Ella, violentamente, se libró de la mano de Luquín. Retrocedió un poco y luego, puesta en jarras, retadora como un gallo de pelea, ladró:

—¿No quiere que lo sepan ellos, verdad?... Ande, pégueme... Patéeme, hágame pedazos como sus gentes hicieron con mi marido... Pero ha de ser usted... Acabó con él, pero no conmigo. ¿No contaba con eso, verdad? Con que yo vendría aquí...

Las gentes estaban tensas, abrumadas por lo que escuchaban, viendo cómo la enfurecida mujer de Quintana llamaba asesino a Luquín y cómo éste, confuso y perplejo, sólo empalidecía y trataba de calmarla.

–Aquí me tiene —repetía, retando, frenética. Pero no me hará nada porque no vine sola... Porque hay aquí muchos verdaderos hombres que me defenderán...

Luquín no sabía qué hacer. No comprendía nada de lo que la mujer gritaba. Lo llamaba asesino, pero ¿por qué? Miró hacia atrás y vio una apretada barrera de obreros, hombres y mujeres silenciosos y estupefactos, que lo veían, que esperaban que hiciera algo. Mas ¿qué? Y allá, en la ventana, Ivo, tranquilo y sonriente; y pegadas a la pared, sin miedo, sólo ajenas a la representación, las gentes de Ivo; y del otro lado, Daniel y los compañeros de Quintana, también en apretada barrera, en apoyo de la mujer.

Dijo él:

–No sé de qué me habla...

Ella sonrió con desdén. Repuso, más calmada, hablando sin gritos, con hiriente claridad:

–Voy a decírselo...—alzó la voz— despacio y claro para que todos oigan... Hace menos de una hora mandó usted a su hijo, a Sergio, para llamar a mi marido... Mandó decirle que deseaba hablar con él, aquí. Escogió bien el momento... Él estaba solo... y cayó en la trampa. Yo se lo advertí, pero no me hizo caso... Óigalo bien: su propio hijo fue quien buscó a mi marido... Después lo encontramos tirado entre los rieles, en el patio del ferrocarril, medio muerto... lleno de sangre... con la cara despedazada...

Marcos Luquín, a medida que ella hablaba, experimentaba la sensación de que iba hundiéndose en un pozo, oscuro y frío. Comenzó a transpirar, no por efecto del calor, sino a causa de la ira. El relato, tan lleno de pormenores, producíale el efecto de un repetido puñetazo en el estómago, en las ingles. Ella continuaba su narración pero Marcos no la escuchaba, no podía escucharla. Dentro de sus oídos zumbaba, como un ensordecedor timbre eléctrico, la furia helada, la vergüenza infinita de ser llamado asesino y cobarde; de ser acusado, a la vista de sus compañeros, de sus amigos, de esas gentes que creían en él y que por creerle habían ido a la huelga, de haber ordenado una mezquina agresión contra Quintana.

Supo que ella había terminado de hablar sólo porque sus labios no se movían como antes; porque ya no agitaba su puño en actitud amenazadora y resentida; porque ya sus ojos no relampagueaban con la oscura cólera del odio. Entonces él dijo:

–No he sido yo... Jamás mandé buscar a Quintana.

Ella gritó a las gentes, a los grupos de obreros que presenciaban todo desde sus respectivos bandos.

–¡Óiganlo...! ¡Él no fue... él no preparó la trampa!

–Se lo juro, señora... Soy el primero en sentir que...

–¡Maldito asesino...! —bramó la mujer y se echó encima de Marcos Luquín, para abofetearlo.

Él pudo detener el puño y sujetar a la mujer. Daniel intervino rápidamente, pero fue necesario luchar con ella, que se defendía como una fiera lanzando arañazos al aire, puntapiés y mordiscos. La retiraron de allí, arrastrándola casi, hacia la salida.

Mientras luchaba por librarse de los brazos de Daniel, la mujer de Quintana escupía insultos.

–Asesino... Pero si mi marido muere, te mataré yo a ti... —y luego, a los hombres y a las mujeres que habían sido testigos, que eran parte de la huelga, que eran la huelga misma—: Y ustedes sólo son un atajo de castrados... de hijos de perra... Asesinos todos... Cobardes...

La muchedumbre que acompañaba a la mujer, desbordada como un torrente, arrasó la barricada, arrastrando los toneles, volcándolos, haciéndolos rodar hacia la avenida. Los grupos, en silencio, con las cabezas gachas, con ojos que miraban de soslayo, comenzaron a apartarse de Marcos Luquín. Éste fue quedándose solo, a mitad de la calle, con los brazos colgando a los lados de su cuerpo. Se sintió observado por todos; barrido por el desdén; lleno de una culpa que no era suya pero que no había podido rechazar. "Su hijo, su propio hijo, Sergio, fue a buscarlo."

Apretó los puños y los dientes y se dirigió rápidamente al hotel.

4

Al cabo de unos minutos volvió Ivo, abrochándose los botones del pantalón. Violentamente lo enfrentó Marcos.

–¿Dónde está? —gritó.

–¿Quién?

–El hijo de perra de Sergio.

Se encogió de hombros Ivo. Se dirigió al espejo para hurgarse una vez más, con sus flacos dedos, en las mandíbulas. Repuso sin darle importancia.

–Yo qué sé. Andaba por aquí hace rato...

Marcos Luquín pegó un puñetazo en la mesita y el espejo vibró. Estaba rojo de furia, y así lo vio Ivo al volverse.

—¿Qué te pasa, hombre?

—¿Dónde está ese... ese...? —rugía Luquín.

Pausadamente Ivo fue a la ventana. Permaneció allí, mirando cómo el lejano humo de las locomotoras, de las chimeneas de las fábricas del barrio, empujaban contra las bajas nubes todavía rojizas vaharadas de humo negro. Escuchó a Marcos apartar con violencia un mueble, y el sonido, inconfundible, de la jarrilla de peltre aplastándose en el suelo. Ni siquiera entonces se volvió.

—No lo sé. Ya lo dije.

Vino Marcos y lo hizo volverse, casi con brusquedad, tirando de su frágil hombro. Ivo lo miró con esa cólera concentrada y lenta, peligrosamente tranquila, que asomaba a sus ojos en los momentos de excitación.

—¿A dónde lo mandaste?

Ivo continuó mirando de frente a Marcos y luego dejó que sus ojos se movieran hasta detenerse en la mano del otro que aún lo atenaceaba. Luquín la retiró.

—No lo he visto. ¿Para qué lo quieres?

—Para romperle la cabeza. Como él lo hizo con Quintana.

Volvió Ivo al centro del cuarto. Se inclinó, recogió la jarra ya vacía y la depositó en su lugar, entre las patas metálicas del soporte del lavamanos.

—¿Cómo sabes que él fue?

—La mujer lo dijo. La oíste...

Ivo hizo una mueca despectiva y se dejó caer en la cama.

—Dicen tantas estupideces...

Violento Marcos se le echó encima, lo tomó por la camisa y lo obligó a levantarse. Ivo sonreía, pero no hizo ademán alguno, ni siquiera un gesto instintivo, para evitar ser zarandeado.

—Esto no es una estupidez. Es una canallada...

Ivo echó a la cara de Marcos su aliento, levemente agrio y lleno de desprecio.

—No tienes por qué castigarlo a él.

—Claro, se merece un premio, el muy... —rechinó Luquín.

Lo atajó Ivo; en realidad no lo interrumpió. Se limitó a reanudar la frase.

—En todo caso, a mí. Y él no se metió en esto. Lo hice yo...

Se miraron largo tiempo. El rostro de Luquín fue poniéndose pardo, haciéndose duro como de cemento; el de Ivo continuó inalterable, suavizado más bien por la sonrisa hiriente que ensayó al ver cómo Marcos abría la boca, y tornaba a cerrarla, al escuchar sus últimas palabras.

—Pégame a mí, si quieres...

Marcos lo apartó con brusquedad, echándolo sobre la cama. Movía la cabeza incrédulo, incapaz, en apariencia, de comprender la acción de Ivo; la crueldad con que habían golpeado, casi hasta matarlo, a Quintana.

—Eres un cabrón...

A Ivo no lo afectó el insulto. Lo habían llamado así tantas veces en su vida, no sólo sus enemigos, sino hasta los que eran o decían ser sus amigos y compañeros, que ya no le importaba.

—Alguien tenía que hacer las cosas —dijo.

—Pero ¿para qué?

—Táctica de lucha. Necesidad del movimiento.

—¡Bah! —gruñó Luquín— eso no tiene nombre. ¿Qué ganabas con golpear a Quintana?

Ivo fue echando su cuerpo hacia atrás hasta quedar tendido, de través en la cama.

Respondió con otra pregunta:

—¿Qué ganó Quintana con atacar a tu gente, Luquín? —repitió las propias palabras de éste. ¿No fue también una canallada?

Luquín no respondió. Tenía la boca seca, amarga y estropajosa. Sirvió en el vaso un poco de jugo, ya tibio como caldo, y bebió. Le quedó en la lengua una sensación almibarada y desagradable. Sin dar la cara a Ivo dijo:

—De todos modos... —se interrumpió.

El flaco muchacho tumbado en la cama se desperezó.

—Era necesario hacerlo, Luquín. Por eso... En fin. Quintana trajo esquiroles; los lanzó sobre los tuyos: lastimó feamente a cinco o seis, sin respetar mujeres... Los muchachos se quedaron furiosos, tú lo viste; esperaban que tú los defendieras, tú, su jefe... Querían ojo por ojo, diente por diente... ¿Y qué hacías tú, en tanto? —pegó con la mano, abierta sobre el colchón, rechinó la cama metálica, como si fuera a desbaratarse—: Estabas aquí, aquí mismo, revolcándote con una...

—Cállate... —gritó Luquín, saltando de nuevo hacia él.

Ivo continuó:

—Y mientras le olías el trasero fui a darle su merecido. Yo solo, ¿entiendes? Sin necesidad de matones...

Luquín volvió a gritar que se callara, que cerrara de una vez la cloaca inmunda de su boca; que no siguiera diciendo sandeces.

Lo zarandeó otra vez.

—¿Me oyes? Vas a callarte... ¡A callarte!

Ivo se puso serio. Ya no había sonrisa en su semblante. La luz del foco desnudo acentuó la delgadez de su cara, la rugosidad de su piel. Tenía los labios blancos, polvosos, como de cal. Apartó las manos de Luquín que lo sacudían.

—Te gustaría matarme, ¿eh? —Luquín retiró sus manazas de pálidos nudillos. Hazlo. Mira. No tengo armas. No me defenderé. Échame, si quieres, por el balcón. Los tuyos te lo agradecerán; ellos que chillan porque dicen que yo soy el que manda aquí...

Sudoroso y colérico, respirando con dificultad, Marcos se acodó en los angostos barrotes de la cama y metió su cara entre las manos. Trataba de calmar sus nervios; de retirar las telarañas de la confusión de su cerebro; de comprender cuál era, en verdad, su situación, su sitio, en esa maniobra oscura e incomprensible; en ese extraño juego en el que intervenían fuerzas ajenas a las suyas, voluntades superiores y crueles.

Ivo se había levantado.

—Es mejor que descanses un poco. Sería preferible que te embriagaras para no pensar en esto...

Lentamente Marcos retiró de su cara sus manos y lo miró.

—¡Qué más quisieras! —dijo, con desdén. Pero no será así. Esta huelga es mía; las que la hacen son mis gentes...

Ivo movió la cabeza. Tornaba a sonreir.

—Camarada Luquín —planteó suavemente—, estás equivocado. Esta huelga ya no es tuya, ni siquiera mía o de Modesto. Es el principio de un movimiento, de una acción, en la que nosotros como personas no contamos.

Luquín lo interrumpió.

—No contamos, ¿eh? —señaló hacia la ventana. ¿Y los que están allá abajo, tampoco?

Firmemente contestó Ivo:

—Tampoco ellos —tomó a Luquín por el brazo y lo arrastró a la ventana—: Míralos. Son la masa anónima, que no piensa, que sólo obedece; que sólo tiene conciencia de su fuerza cuando uno se lo señala... ¡Tus camaradas, tus gentes! No les preocupa su destino...

Algunos saludaban a Luquín desde abajo, moviendo sus manos. Unas mujeres, que seguramente habían bebido, gritaron vivas a Marcos y otras aplaudían.

—¿Los ves? —Ivo hablaba con burla desdeñosa. Están de juerga. ¿Qué saben ellos de la importancia, de la responsabilidad de ser parte del movimiento obrero?

Luquín retornó al cuarto. Ivo había quedado en la ventana, de espaldas al pesado cielo de julio.

—Ahora están contentos —habló Marcos—, pero mañana, o pasado, no será igual... Hoy todo es novedad; después veremos caras tristes...

—Aguantarán. Haremos que aguanten.

—¿Con palabras? ¿Con promesas? —movió la cabeza. Tú no sabes lo que es no llevar un peso a casa... Y cuando el hambre apriete, comenzarán a largarse... Esta noche, cuando vino la mujer de Quintana, se fueron los primeros...

Escupió Ivo:

—Pueden irse todos. No importa.

—Se acabaría la huelga, y sin huelga, ¿qué harías tú y tus amigos?

Repitió:

—Pueden irse todos esos y, sin embargo, seguiríamos teniendo gente. La traeríamos de donde fuera pero la huelga continuaría. Ellos no nos hacen falta...

—¿Y cuando intervengan las autoridades?

Ivo repuso, convencido, casi confidencial:

—Se ha pensado en eso —sonrió, sardónico—, la Central tiene abogados... buenos abogados que saben enredar las cosas.

—Perkins los tiene también.

—Me los paso por aquí —hizo Ivo una seña obscena—, por entre las piernas.

—Si todos se fueran, pensarías de otro modo...

Ivo fue a pararse ante Luquín. Hizo que lo mirara rectamente. Habló después, con calma, masticando cada una de sus palabras.

—Paparruchas. En todo esto el único que importa eres tú. Nadie podrá echarnos mientras tú seas el jefe.

—Ellos me eligieron...

—Y también pueden quitarte, ya lo sé. Pero no lo harán. No dejaré que lo hagan, ¿entiendes?

—No los conoces.

—Me conozco y eso basta —le palmeó la espalda, amable, risueño; hablándole con la dulce ternura que se emplea para tratar a los niños o a los locos. Tú seguirás...

—Supon —conjeturó Marcos— que yo tiro el arpa, que renuncio, que dejo que ellos elijan otro jefe...

Sonrió Ivo.

—Tampoco harás eso. Le causarías un disgusto tremendo a Modesto.

Marcos comentó:

–Has pensado en todo.

–En todo, sí. Eres muy valioso para el movimiento. Sin darte cuenta, puedes tener en la mano un gran poder, o tirarlo. ¿Comprendes ahora por qué ellos, los obreros de tu fábrica, no tienen importancia para nosotros? Tú, sí. La huelga durará eternamente... Habrá dinero para tus muchachos; no les faltará la raya semanaria; ni a ti tampoco... Tú empezaste el paro; y en su debido momento, cuando Modesto lo decida, lo terminarás...

–¿Cómo; tan fácil?

–Firmando con Perkins —le dio una nueva palmada—, firmarás, pero a su debido tiempo... Tu nombre al pie de un papel y —chasqueó los dedos— fin a la huelguita...

5

Desde hacía más de una hora venía pensando en ello. Era una idea terca, que bordoneaba como una avispa dentro de su mente. Cuando dejó el cuarto y en éste a Marcos lleno de confusión y azoro, decidió hacerlo. Indicó a U que lo siguiera. Cruzaron la calle y entraron a la Empacadora por la puerta de tronera. Caminaban por los patios desiertos. Allí dentro el aire olía a verduras agrias, a chiles fermentados, a frutas que empezaban a podrirse.

–¿A dónde vamos?

Ivo dijo:

–Shhh, a jugarle una broma a Luquín.

Pasaron a través de los vacíos galpones donde se amontonaban latas de todas clases, aún sin etiquetar. U tomó algunas y se llenó los bolsillos. Al notarlo Ivo le ordenó que las dejara. Con una de ellas en la mano U se aproximó al pequeño altar del fondo. Lanzó el bote de conservas contra la imagen.

Llegaron al departamento de vinagres. Se percibía el parejo ronroneo del motor que hacía circular el vinagre en proceso de elaboración dentro del ventrudo tonel. U comenzó a toser. A Ivo el agrio aire frío del lugar hacíale estornudar. Se tapó las narices con las manos.

Localizaron el motor y buscaron después el mecanismo que detenía su movimiento.

–¿Qué es esto? —quiso saber U.

–El chisme que cuida Luquín. Es lo único que trabaja en toda la fábrica. ¿Dónde está el maldito switch?

No lo hallaron. El áspero olor les quemaba los ojos y los pulmones. Ivo gruñó:

—Busca algo con qué pararlo...

Corriendo U regresó al patio. Ivo lo escuchó hurgar por los alrededores. Al cabo reapareció con una barreta metálica en las manos.

—Fue lo único... —dijo.

Ivo la tomó y luego, con toda su fuerza, descargó sólidos golpes sobre el motor. Hubo algunos azulados chispazos eléctricos y la máquina se detuvo.

Cuando volvían, recorriendo a la inversa los patios, Ivo comentó:

—Echar a caminar nuevamente ese motor le costará muchos miles a la empresa.

Damián, al lado de otros hombres, jugaba a las cartas con barajas sacadas de la Empacadora al principio de la noche. Recogía las monedas que acababa de ganar cuando miró a Ivo y a U salir de la fábrica. Eso le extrañó un poco y lo comentó con sus compañeros.

—¿Qué andarían haciendo?

Los otros los miraron también.

—De seguro los mandó Marcos...

Nadie volvió a ocuparse de ellos. Se repartieron cartas y una nueva tanda de albures se puso en juego.

La hora novena

1

En mangas de camisa discutían los hombres. Erán, aparte de Marcos y de Ivo, seis, que estaban sentados en la cama, en la silla, o a horcajadas en la mesa. El cuarto había ido llenándose de humo de cigarro y de ecos de disputas. Ivo actuaba como moderador de una discusión que no interesaba a Luquín por más que el tema fuera su huelga, y lo que debía hacerse con ella. "Que se vayan al diablo", pensó, cansadamente. Se había operado en él un fenómeno extraño. Cuando empezó el movimiento, cuando fue inevitable llegar a la huelga y poner las banderas rojinegras en las puertas y detener las máquinas y establecer el sitio, como un cinturón humano, alrededor del perímetro de la Empacadora, Marcos Luquín sentíase lleno de entusiasmo por conducir a los suyos a una victoria legítima y noble en ese conflicto que si bien no había sido buscado por él sí le correspondía arrostrar. Tenía la convicción de luchar por un derecho de ser él y nadie más que él quien decidía las cosas; quien las ordenaba y vigilaba que se cumplieran. Pero luego, sin llamarlos, enviados por alguien tan infinitamente poderoso como Modesto, llegaron Ivo y los demás. Con amargura reconoció: "Me tomaron el pelo. Me hicieron sentir importante al principio y luego me dejaron de lado". Se volvió entonces y los miró con rencor. Ellos hablaban, se irritaban, volvían a hablar y a reñir, orientados, encauzados siempre por ese odioso y taimado muchacho de la cara granujienta. ¿Y quiénes eran? Ivo lo mencionó cuando entraron al cuarto: delegados de sindicatos fraternos; y el más joven, el que no era mayor de edad que Sergio, representante de los estudiantes; y los seis, sin cortesía, tal como si él no existiese o no contase, lo ignoraron; volvieron a ponerlo al margen y se entendieron con Ivo, como si fuese éste quien manejaba el paro.

"¿Y no es así?", se preguntó Luquín. Lo aceptó, porque era cierto. La huelga llevaba nueve horas. En ese tiempo, ¿qué de lo dispuesto por Marcos se había hecho? Nada. Ya había estallado la violencia y el encargado de manejarla había sido Ivo. Tuvo que reconocer que era un imbécil, un pelele manejado ya sin discreción, abiertamente, por tipos con más agallas y con mayor experiencia que él. Una cólera sorda le zumbaba en el pecho al verlos allí, en el cuarto, hablando de cómo hacer las cosas: de cómo ir combinando los planes trazados por Modesto; de cómo utilizar esa huelga, que ya no era sindical sino política, para conseguir algo que Marcos no alcanzaba a precisar, a definir. Lo habían olvidado. Su presencia no era notada por los seis hombres que fumaban sin cesar, que maldecían al calor y que parecían perros tirándose dentelladas.

Escuchándolos tuvo que reconocer que él no entraba en la combinación, fuese cual fuese, que ellos organizaban; que para él no había sitio en el oscuro juego político que desarrollaba Modesto por conducto de Ivo. Lo que hablaban le era incomprensible, por más que fuera claro para los otros; percibía, sí, las palabras; mas no el sentido que se les daba. Se sintió aturdido, y se encontró de pronto lejos de ahí; más allá de la ventana, de la calle de la fábrica; al otro lado del patio del ferrocarril. Le pareció escuchar, no las voces de los delegados sindicales, sino el jadeo doloroso de la mujer que daba a luz, que hacía florecer, en forma de vida, un germen que fue placer, luego amor y, por último, milagro. "Dios, cómo quisiera estar a su lado", suspiró. Ella estaría tan sola como él, pero ¡qué distinta soledad! Para Lola habría, pronto, esa misma noche de seguro, la sangrante compañía de un recién nacido; para él, en cambio, únicamente la calurosa incertidumbre de estar, pero no participar; de figurar, pero no contar en la huelga.

Y luego quedaban los otros hombres y las otras mujeres, el cuerpo y el alma de la huelga, que estaban allí porque él los había llevado; que seguirían mientras él dijera que siguieran; y que, sin embargo, ignoraban todo lo que sobre ellos decidían gentes desconocidas, ni siquiera de su misma clase obrera, para quienes no contaban como seres humanos, con los que se alterna a mañana y noche durante toda una vida, sino únicamente como unidades a las que se puede mover, combinar, dividir sin conocerlas, igual que a mercancías. ¿Y qué dirían los camaradas que lo estimaban al enterarse de que él, Marcos Luquín, su brazo fuerte en las tribulaciones de toda índole, era el títere que manejaban los tipos como Ivo?

Los hombres discutían el plan de Modesto, con la misma paciencia inagotable con que lo habían hecho desde el momento mismo en que Ivo los hiciera pasar.

–Yo creo que están equivocados —indicó el más terco de ellos.

Era un sujeto bajo, de piernas cortas y manos gruesas, cuyas opiniones irritaban a Ivo.

Éste movió la cabeza.

—No quiero discutirlo, Pérez. Yo no hago los planes, sino Modesto.

El joven terció:

—El plan de Modesto nos parece bueno. Los estudiantes...

Pero otro de los delegados, el que menos hablaba, le impidió continuar.

—Hay que ser prácticos...

Ivo saltó.

—No acostumbramos ser idealistas. Eso queda para los estúpidos.

—Bueno, entonces, ¿por qué no dar un solo golpe seco?

—Pérez, comprende —dijo Ivo, masticando las palabras, con rencor.

—No puedo. No veo por qué...

Ivo aspiró profundamente el aire viciado del cuarto.

—Las cosas se harán como dijo Modesto.

—Echar veinte huelgas al mismo tiempo impresionaría a todos.

—Sí, pero no se trata de eso.

—¿De qué, entonces?

—De impresionar, sí; pero en otra forma.

Pérez se levantó. Abrió sus brazos y dijo, entre fastidiado y furioso:

—¿Cuál?

A él se dirigía, concretamente, Ivo.

—Ya lo hemos discutido mil veces. Modesto no quiere un golpe que mate, ¿entiendes?, sino una pequeña serie de golpes que molesten.

El estudiante se encontró mirando a Marcos Luquín. Al hallar sus ojos le sonrió con simpatía. Marcos hizo lo mismo. Los otros seguían lanzándose dentelladas.

—Modesto está loco —masculló Pérez.

—Yo no lo diría —repuso Ivo, con acritud.

Pérez se volvió a sus colegas.

—¿No es estar loco lo que piensa hacer? Puede, con sólo pedirlo, organizar una huelga general y no quiere...

Pálido de ira, porque la atención le era arrebatada, gritó Ivo:

—Siéntate...

Hubo un instante de silencio. Una ráfaga de lejano sonido trajo hasta el cuarto del hotel el jadear del barrio obrero; el eco de alguna fábrica; el pitar de un tren de carga que llegaba o se marchaba del patio; las carcajadas de los obreros que cuidaban la Empacadora; las palabras, mal cantadas, de alguna melodía popular. Todos miraron a Ivo y luego a Pérez, que se sentó; y una vez más a Ivo.

Éste, de un manotazo, se limpió el sudor de la frente.

Continuó:

–Una huelga en grande alarmaría. Lo que se necesita es que todos los días estallen pequeños conflictos en diversas fábricas... Empezaremos con este distrito. Para mañana, a esta hora, diez o doce sindicatos habrán puesto las banderas por solidaridad... Y así sucesivamente —hizo una pausa. Los otros lo escuchaban con atención; incluso Pérez. Prosiguió Ivo—: Yendo paso a paso, con huelgas locales y foráneas, todas conectadas y provocadas por ésta, lograremos interesar a la prensa reaccionaria... que nos servirá para destacar el hecho que Modesto quiere que se señale: que sobre el país se abate una grande e incontenible ola de huelgas... Necesitamos no un alud que aplaste; sino algo que se desborda. A la postre se obtiene lo mismo —encaró a Pérez. ¿Comprendes o vuelvo a explicarlo?

Pérez movió la cabeza, no muy convencido. No quería enemistarse con Ivo; no deseaba echárselo de enemigo, ni de malquistarse, sin razón, con Modesto. Él tenía ciertos planes y precisaba de la buena voluntad de los hombres de la Central. Aunque, en el fondo, era partidario de manejar el asunto en forma más radical y directa, más efectiva (como sería lanzar a la lucha a miles de obreros simultáneamente, no en pequeños grupos aislados). Aceptó:

–Comprendo...

Ivo se dirigió a todos:

–¿Ustedes?

–También —dijeron.

Sonrió Ivo y le picó el vientre a Pérez.

–Aunque eres bruto como un baúl —le dijo, amable— a veces pareces inteligente...

Rieron todos. Se había terminado, al fin, la tensión que reinó durante el tiempo que discutieron. Lo importante estaba aprobado: convencer a los delegados, para que transmitieran después los acuerdos a sus respectivos sindicatos, de que la mejor forma de llevar adelante el plan era la sugerida por Modesto. Venía ahora otro punto, menos difícil, pero igualmente laborioso:

–Hay que decidir el rol de huelgas —Ivo sacó un papel de la

bolsa trasera de su pantalón. La hoja estaba húmeda de sudor. La desplegó ante sí. Ésta es la lista que hizo Modesto. Contiene los nombres de los seis primeros sindicatos que se sumarán a éste en la pelea...

Marcos Luquín ya no los oía. Se levantó del sitio que ocupaba y, con los pantalones pegados a las ingles por la transpiración, fue hacia la ventana. Durante unos minutos estuvo observando a sus hombres. El calor era intenso, agobiante. Algunos buscaban refrescar sus carnes con improvisados abanicos hechos de papel de periódico; o untando sus espaldas a los muros; a la puerta metálica. Más allá, muy cerca sus cuerpos, en busca siempre de los rincones oscuros, situó a Lupe y a Pancho Bicicleta, tan ajenos a la huelga como él mismo. Sonrió. "Son felices, al menos"; y esta sensación de que había alguien que no sufría, alguien que gozaba la maravillosa libertad de esas horas nocturnas, lo hizo sentir mejor.

2

Habían formado un cuarto de dominó con el español del hotel. En realidad fue éste quien invitó al Güero y a otros dos, y quien sacó la caja con las fichas blanco y negro, y la mesa cuadrada, y las sillas plegadizas. Colocaron todo eso a un lado de la puerta y entretenían así las lentas horas nocturnas de la vigilia. El hotelero se llamaba Nicandro, era natural de Tarragona y llevaba veinte años en el país. Los tirantes colgaban a sus costados y un mantecoso sudor escurría constantemente por sus mejillas de cerrada barba cárdena.

Jugaban todos sin entusiasmo, pero no con desgano, o mal. No. Ponían atención a las fichas, a las combinaciones, incluso a los lances de malicia; y, sin embargo, no se advertía en ellos el gusto, la pasión de otras partidas, de las que acostumbraban celebrar, los sábados por la tarde, en La Castellana o en la parte de atrás de Los Patitos.

Nicandro, con su sucia camiseta de punto olorosa a sudor de muchos días, rumiaba sin cesar el pedazo de puro. De cuando en cuando se inclinaba un poco y de sus labios caía un goterón del tamaño de una moneda de a peso. Se limpiaba con el dorso de la mano, clavábase el tabaco entre los dientes y colocaba una ficha; siempre la necesaria para que el de junto pasara y el Güero, que iba con él, cerrara o terminara el juego.

Los contrarios revolvían las fichas para iniciar una nueva mano cuando Nicandro se inclinó un poco, confidencial:

—¿Cuánto va a durar esto? —dijo en su ininteligible ceceo.

El Güero alzó los hombros.

–Nadie lo sabe...

–Nadie lo sabe...

–¿Y qué peleáis, pues?

–Ah —hizo el Güero, bostezando.

–Es lo que pasa —comentó Nicandro escogiendo sus siete fichas—, nadie lo sabe nunca. Se hacen cosas, como ésta, y vosotros...

El Güero abría.

–Bueno, a jugar...

Se sucedieron varias vueltas y Nicandro cerró. Echaron sus fichas sobre la mesa y de una ojeada el español contó los puntos. El Güero, que anotaba, hizo la suma.

–Ganamos por sesenta...

Los jugadores cambiaron sitios, para iniciar una nueva ronda. Ahora tenía otro compañero y de enemigo al rojizo orangután peludo. Así que ordenaba sus fichas, el español chasqueó los dientes.

–Lo que son las cosas —suspiró; retiró el puro y escupió—: Vosotros hacéis el follón y yo salgo perjudicado...

–Usted, ¿por qué?

–Hombre, coño, ¿no lo veis? El hotel cerrado...

–Será sólo por esta noche.

–Qué va... El flaco puñetero ese —con el pulgar apuntó hacia la ventana— ha dicho que no dejará entrar a nadie.

–¿Y quién es? No lo había visto nunca...

Otro de los jugadores comentó:

–Nosotros tampoco...

Intervino el Güero:

–Es un compañero... de otro sindicato.

–Pues tiene unos aires de marqués.

–¿Sí?

–¡Bah! ¿No me echó fuera a las muchachas y a los clientes? Se fueron sin pagar algunos. Una pérdida...

Jugaron sus fichas y obligaron a Nicandro a pasar, por primera vez en la noche. Arqueó las cejas.

–Una de cal... —sonrió el Güero.

–Si fuera sólo una, pasaría... pero si me tienen cerrado el negocio me arruinan...

–¿Por qué no llama a la patrulla? —preguntó el otro jugador.

Nicandro lo miró oblicuamente. Negó con la cabeza.

–¿Para que me zurren, como a Quintana? No...

La alusión a la paliza propinada a Quintana ensombreció el rostro, siempre franco y abierto, del Güero. Arrugó el ceño y colocó la ficha de su turno con una violencia que no era la usual. Él también había estado pensando en ello. "¿Por qué lo habría hecho Marcos?", se dijo, y desistió para no enredarse, para no ser juez de alguien a quien estimaba tanto como a Luquín. "Sus razones tendría", pensó y comenzó a sentirse más tranquilo. El otro medio millar de hombres y mujeres habían aceptado el suceso como algo natural; la mayoría con regocijo, pues Quintana era enredador y convenenciero, poco leal y ventajoso; el resto, con indiferencia.

—Además —añadía el español—, me echaría a Luquín de enemigo, y yo pago por no tenerlos...

—Esto va a acabarse pronto —dijo el Güero. Tiene que...

—¡Quién sabe! Pero hace un rato pensábais de otro modo.

No repuso el Güero. Terminó la mano, que perdió Nicandro; y éste empezó a mezclar las fichas.

—Vosotros —dijo— podríais venir...

—Vendremos —sonrió el Güero. Cuando estemos aburridos sólo nos quedarán las mujeres...

Rieron los cuatro.

Nicandro lo señaló con el extremo ensalivado de su puro.

—Tú no necesitas de huelga para venir.

El Güero arrugó los anchos hombros:

—Vengo sólo cuando no se dejan montar dentro del camión. Hay algunas muy exigentes...

Al volver a jugar Nicandro dejó el puro, cuidadosamente, al borde de la mesa; ese borde ya dentado por cientos de quemaduras. Bajó el volumen de su voz, para que lo que iba a decir no trascendiera.

—Podríamos hacer un negocio... los cuatro.

Los tres obreros se miraron.

—¿Qué?

—Un negocio. Ganar plata, en tanto dura esto... y quizá también, después.

El Güero miró curiosamente a Nicandro.

—¿Cómo?

Cabeceó Nicandro hacia la fábrica.

—Allá dentro hay cosas qué vender... Latas de todas clases. Se me estaba ocurriendo... En fin: la huelga puede durar mucho. Lo he oído —se picó el pecho con el pulgar— y me da aquí, además. Mientras dure nadie ganará un centavo. Pero eso no importaría si vosotros...

Se interrumpió. Lentamente sus ojos fueron escrutando, uno a uno, los rostros sudorosos de los hombres. Ellos lo miraban sin comprender, o quizá comprendiendo demasiado; pero ninguno habló; nadie pidió explicaciones ni mayores detalles.

Sintiendo que empujaba sus alpargatas por camino firme, continuó:

—...si vosotros comprendierais, como yo lo comprendí hace tiempo, que lo único que vale en esta puñetera vida es la plata... Tal vez, por ser yo mayor que ustedes, sepa más cosas, y eso me permite contarles una pequeña historia... Hace años vino a América un muchacho. Honrado, trabajador, limpio por dentro y por fuera. Se empleó con unos paisanos, que eran respetados y muy ricos. ¿Cómo, pensó el muchacho, se puede ser rico y respetado? Masticó mucho la pregunta sin encontrarle explicación. Pero un día descubrió cómo era que sus paisanos tenían fortuna. De la madre al último de los hijos se dedicaban a comerciar con el culo de las mujeres... Y quienes los rodeaban lo sabían, pero no les importaba porque el dinero tapa los malos olores... Para no seguir haciendo el primo, el chico echó al excusado, y luego jaló la cadena, todas esas palabras de honradez, decencia, amor... Ahora —señaló hacia el hotel— puedo decir que el viaje a América desde Tarragona no fue en balde. Aparte de esto tengo otras propiedades. Y acaso, ¿no soy don Nicandro? Bah. Pamemas. La plata, la plata...

Ellos escucharon, con asombro, el discurso de Nicandro. Lo vieron enrojecer de satisfacción y tartamudear, entre buches de saliva atabacada, al resumirles su triunfo en la vida; al ponerse como ejemplo del hombre que sabe remontar la adversidad y los obstáculos.

Fue el Güero quien primero habló:

—¿Y todo eso, qué tiene que ver con nosotros?

Nicandro extendió sus manos hacia él, por las palmas, como si pidiese paciencia.

—Allá voy —dijo. Dio dos o tres fumadas al puro y lo ciñó firmemente con los dientes—; les conté eso para que comprendáis el valor del dinero y la importancia de aprovechar la oportunidad de tomarlo, donde y cuando se encuentre... Les decía que allá, dentro, hay mucha plata...

—Lo sé. Pero es de otros...

—Todo es de otros, en tanto que no es nuestro... Vean: todo mundo saca botes de conservas, y nadie reclama... ¿Qué tal si vosotros hacéis lo mismo? No se darían cuenta... Yo tengo modo de venderlos. Ganaríamos plata y si la cosa marchara podría seguir, aun después de la huelga...

Los miró interrogativamente.

Muy serios, con una oscura seriedad furiosa, permanecieron

los hombres. Nicandro creyó encontrar en ese mutismo de labios apretados y de ojos turbios la aceptación de su oferta.

–¿Qué? ¿Os conviene?

Se levantó el Güero; se inclinó después sobre la mesa, hasta apoyar en ella los marros de sus manos.

–Es usted un hijo de puta, don Nicandro...

Éste se echó un poco para atrás. Empalideció y, ceceando, dijo al cabo:

–Hombre, no te enojes: no es para tanto. Suena fuerte al principio pero...

Los compañeros del Güero se alzaron también. Aquél hizo a un lado la silla y se alejó, seguido por los otros dos.

Nicandro, tirando el puro, les llamó:

–Pero ¿no terminamos la partida?

Luego, renegando del calor, empezó a colocar, una a una, las veintiocho fichas dentro de la caja.

3

–¿Está aquí Marcos Luquín?

Ivo y los seis hombres en mangas de camisa, que ya se disponían a marcharse, se volvieron al mismo tiempo hacia la puerta. Entre la niebla de tabaco, gelatinosa y suspendida en el cuarto sofocado, divisaron una alta figura robusta, vestida totalmente de negro, que bloqueaba el angosto rectángulo vertical. Marcos también se movió al escuchar la voz, al reconocerla.

–¿Está? —preguntó de nuevo el hombre de negro, sin apremiarlos; tan sólo queriendo cerciorarse de hallar allí a quien buscaba.

Los delegados sindicales se levantaron lentamente, confusos, sin dejar de mirarlo. Fue Ivo quien dijo:

–Ahí está... —no señaló a Luquín, simplemente enunció el hecho.

El hombre de negro avanzó un par de pasos. Pero no era traje lo que vestía, sino una amplia sotana pardusca. Vio a Marcos avanzar hacia él, y entonces le ofreció una sonrisa antes de extenderle la mano.

–Buenas, Marcos...

–Buenas, José... —dijo Marcos, sintiéndose repentinamente lleno de rubores y de nerviosidad.

Los otros, incluso el delegado estudiantil, lo miraron entonces con dureza, con un hiriente desdén que el hombre de negro, al que Marcos con familiaridad llamaba José, no dejó de notar.

Dirigiéndose a ellos, pero hablándole a Marcos, comentó:

—A tus amigos como que no les gustan los curas, ¿eh?

Asintió Ivo, empujando a los otros hacia la puerta.

—Así es. No nos gustan...

El padre José sonrió. Era grande y fornido como Marcos, y más o menos de su edad. El rostro moreno tenía brillos de transpiración y en el pelo oscuro, lacio pero no largo, centelleaban las canas.

—Qué bueno —respondió sin animosidad, con ese su modo tranquilo y firme, tan característico. Así ustedes se largarán de aquí, y nos dejarán en paz...

Ivo lo miró con terca cólera fría. Lo midió, después, lentamente, escupiéndolo casi, de cabeza a pies. Sus ojos saltaron de la ancha cara indígena del padre José a la de Marcos.

—¿Vienes?

Marcos movió la cabeza.

—Acompáñalos tú...

Salieron. Pérez, antes de desaparecer por el pasillo, recomendó a Marcos:

—Que no te espanten las sotanas...

No hablaron, ni Marcos ni el padre José, hasta después de que dejaron de escuchar el pesado tropel de pasos en la escalera y en el vestíbulo.

—¡Qué noche! —resopló el padre, sentándose en la cama. Se limpió, con el índice que sacudió después, el sudor viscoso que había entre su nuez y el alzacuello.

Sin mirarlo, Luquín aceptó:

—Hace calor.

Sentado en la cama, abiertas las piernas bajo la sotana, el torso un poco hacia atrás, el padre José miró en torno durante un rato. Recorrieron sus ojos la silla, la mesa, el mueble del aguamanil, el espejo deteriorado, las paredes que tenían humedad, ¿o sería salitre?, y leyendas obscenas y fálicos recuerdos de anteriores huéspedes. Asintió.

—Así, que ¿ésta es la oficina?

—Sí.

—¿Tienes algo qué beber?

Extendió la mano Luquín para señalar una jarra en la que, de abajo, les habían llevado refresco.

—Sírvete, si queda...

El padre se levantó y llenó, hasta la mitad, uno de los vasos pegajosos de almíbar que había en la mesa. Bebió un trago.

–La pasan bien...

Marcos le dio la espalda.

–¿Qué quieres... tú? —interrogó.

Volviendo a sentarse en la cama, el padre José repuso:

–Nada. Vine a saludarte.

–Muy amable de tu parte...

–Hace años que no te veía. A tu mujer, sí. ¿Y a propósito, cómo está?

–Bien. Esta noche, o mañana, tendrá un hijo.

–Felicidades...

Y ya no tuvieron qué decirse por un tiempo. Marcos Luquín estaba tenso, lleno de recelos, dispuesto a decirle tres frescas al padre José en cuanto empezara a molestarlo; trataba de adivinar a qué había ido allí; qué motivaba su presencia en el cuarto esa noche precisamente. El padre lo observaba, siempre de espaldas, ocultándole el rostro, negándose a dejarse ver.

–¿Cómo van las cosas? Digo, esto de la huelga...

–Supongo que bien. ¿Te interesa?

Era imposible seguir de espaldas al padre y Marcos se volvió. Lo miró rectamente.

–Digamos, que sí...

–¿Perkins, no?

Hizo el cura un gesto de extrañeza.

–¿Qué quieres decir, Marcos?

–¿Te mandó Perkins? —el sacerdote movía la cabeza, Luquín quiso ser duro y cruel. Ahora utiliza esquiroles de sotana...

Sin inmutarse, rio el padre:

–Por lo menos eres ingenioso. Esquiroles con sotana —se puso serio. ¿Qué quieres decir con ello?

Marcos se sentó, a caballo, en la silla, apoyando sus antebrazos en la parte superior del respaldo.

–Ha utilizado todos los métodos. Sólo faltabas tú...

–Y aquí estoy —le arrebató la palabra— pero no me envía él, ni nadie, vine porque quise...

–Ustedes... —deliberadamente Marcos hizo una pausa— siempre andan tras algo...

Convino el padre José que así era.

–Es nuestra obligación. Como dije, hace años que no te veo.

Se encogió de hombros Marcos.

–No te has perdido de mucho.

El padre José sonrió tristemente.

–¿Aún no olvidas aquello? —Marcos no respondió. El rostro se le había ensombrecido. El padre dijo, entonces—: ¿Aún me odias?

–Mejor no hablemos de eso...

Con su revolar de sotana que olía a incienso viejo y rancio, el sacerdote se levantó.

–¿Crees que yo te quité a tu hijo?

Furiosamente Marcos alzó la cara.

–¿Y no fue así?

El padre se sentó a su lado, rozándolo casi.

–Bien sabes que no. Él entró al seminario porque quiso.

Dijo Marcos una palabrota y le refirió, por si lo había olvidado, uno a uno todos los detalles, los hechos, las circunstancias que se conjugaron para que Carlos decidiera ingresar al seminario.

–Y dices que tú, su padrino, no tuviste nada que ver...

–Porque es cierto, Marcos. ¿Acaso forcé yo a Sergio a hacerse rojo?

Marcos, con violencia, objetó:

–Sergio no es rojo.

Rio brevemente el religioso.

–Ya sabes que yo no distingo los colores... pero la clase de rojo que es Sergio no necesito verla; la huelo...

Marcos gruñó y fue a pararse ante la ventana, dando la espalda al padre. La alusión a lo rojo desencadenó, en la mente de éste, los recuerdos. Ambos eran pequeños, niños pobres del distrito obrero; chicos famélicos que vagaban, de la mañana a la noche, en las calles polvosas, entre los montones de desperdicios; que iban a robar frutas y granos y costales vacíos, cuando era posible, a los patios del ferrocarril. Y lo rojo se ligaba a un día especial en el patio. Marcos y otros muchachos jugaban, como hormigas incansables, en los techos de los carros, en las ahumadas torres señaleras, en los alrededores del gran tinaco del que se proveían de agua las locomotoras. Y él había ido a buscarlos, y los llamó por sus nombres y les gritó que dijeran dónde se hallaban; y no recibió respuesta. Y en eso vio a la pandilla venir corriendo hacia él. Marcos llevaba un trapo rojo en las manos y al pasar junto se lo dio. José se sintió entonces rudamente zarandeado y al rehacerse de la impresión se encontró siendo empujado rumbo a la casa de su madre por un don Dimas, todavía joven y vigoroso, pero iracundo y jadeante, que lo llama pillo, ladrón y mala cabeza. Ante la madre, que ya para entonces servía al cura del barrio, don Dimas acusó a José de haberse robado una bandera de señales; ésa que llevaba en la mano. Le zumbaron hasta que lloró y su madre lloró más tarde, abrazada a él, porque tuvo que castigarlo. Pepe descubrió entonces que sus ojos no distinguían el color rojo de los otros.

—La huelo; sí; por eso —añadió el padre José con desdén— aquí huele todo tan mal.

Ferozmente lo encaró Marcos.

—No me gustan los sermones. Ni en la iglesia ni fuera.

—A mí tampoco —dijo el cura, con sentido del humor.

Después de un rato, indagó Luquín:

—¿Sabes dónde estás?

—Sí. Contigo.

—Digo, ¿qué cuarto es éste?

—Uno del hotel...

—Sí, de un hotel de putas...

El sacerdote lo miró, sin alterarse.

—¿Y eso qué?

—¿Sabes que en la cama en que estás sentado, todos los días se revuelcan hombres y mujeres, haciéndose el amor?

—Lo supongo... Pero ¿a qué viene eso, Marcos? ¿Qué pretendes decirme, o probarme, con tanta rudeza? Acaso, ¿tienes remordimientos?

—¿De qué, o por qué habría de tenerlos?

El cura abrió los brazos. "Parece un murciélago", pensó Luquín, y luego volvió a dejar que sus manos reposaran sobre sus muslos.

—¡Oh!, de tantas cosas. No sólo tú, todos...

—Nada he hecho que me avergüence... hoy.

—Lo sé, lo sé —comentó el padre José, conciliador.

—¿Entonces, a qué remordimientos te refieres?

—A nada, en particular. Pensaba simplemente en Quintana.

—Es un hijo de perra...

Hubo un silencio, los dos hombres se miraron tranquilamente. La expresión del sacerdote se dulcificó.

—Marcos —preguntó, en voz queda—, ¿por qué lo mandaste hacer?

—¿Qué?

—Golpear a Quintana.

—Yo no fui.

—Eso es lo que me extraña; que hayas enviado a otros.

—Tampoco...

La mujer de Quintana fue a verme, después de que estuvo aquí.

—Está loca...

–Marcos, no lo comprendo. Tú has sido, desde niño, un hombre valiente. Recuerdo que defendías siempre a los más débiles. ¿Por qué has cambiado tanto?

–Figuraciones tuyas.

–Lo veo, Marcos. No necesito que me lo digan. Ya no eres el de antes.

–La vida nos hace distintos. Y yo no mandé golpear a Quintana.

Tras un corto respiro, el cura preguntó:

–¿Fueron ellos, verdad? Los que estaban aquí.

–No lo sé —mintió Luquín.

–Mientes —lo descubrió el padre— y lo sabes, además. Siento lástima por ti, Marcos. Te tienen atrapado.

–¿Por qué habrían de tenerme?

–Eso lo saben ellos. ¿Crees tú en esta huelga?

–Claro. De otro modo no estaríamos en ella.

–¿Y servirá de algo? Quiero decir, aparte de los que la organizaron, ¿alguien ganará con ella? ¿Se hará la justicia social que buscabas al poner las banderas?

–Naturalmente. Defendemos a cuatro de los nuestros.

–¿Estás seguro? ¿No crees que tu huelga, y tú mismo, y tus compañeros estén siendo utilizados para otros fines; para la conveniencia de otras gentes?

Violentamente Marcos Luquín lo obligó a callar. El padre José lo hizo y se reclinó en la cama. Miró a ese hombrote, que había estado ligado a él desde la infancia, pasearse nervioso, lleno de estupor y de desconfianza, por el cuarto. Advertía la inmensa tormenta espiritual que lo sacudía por dentro; notaba también, qué tremendo esfuerzo le era preciso realizar para no declararse vencido. El orgullo había sido una virtud, y a la vez el máximo defecto de Luquín. Y por orgullo no daba su brazo a torcer; no aceptaba allí, ante el cura, que las palabras de éste eran ciertas; que a él, a Luquín, lo tenían atrapado como mosca en una espesa y fina red de mentiras, de intrigas y recelos.

Más tranquilo, tratando de ocultar sentimientos en el desdén, en la burla, resopló Marcos:

–Tú no sabes de estas cosas José. No conoces al pueblo, ni a los obreros.

–¿Acaso no nací en este barrio? ¿Y no crecimos juntos, Marcos?

–Eso fue antes. Ahora, eres cura. Ocúpate de tus beatas y déjanos en paz.

–Nunca he dejado de ser un obrero...

Lanzó Luquín una carcajada hiriente.

–¿Tú, un obrero? Bah, ¿qué sabes tú de trabajar... de ampollarte las manos... de llegar a casa, por las noches, con la espalda rota de cansancio? Tú no tienes problemas; tú sólo pides y te lo dan... ¡Buen ojo tuvo doña Agustina haciéndote cura!

(Ella había enviudado cuando José contaba seis años de edad. Ya no era joven, pues el suyo había sido un hijo tardío, y la soledad la abrumaba; y más que la soledad, la necesidad de mantenerse y de mantenerlo. Cuando vendió hasta la más modesta de sus pertenencias fue preciso que se empleara en labores domésticas; pero, como el barrio era tan pobre, sólo pudo hallarlas, mal retribuidas, en la iglesia. Y a la sacristía llevó, no nada más el esfuerzo de sus lomos, sino también a su hijo. El niño, primero; el adolescente después, fue educándose en la línea de conducta del viejo sacerdote que los gobernaba, que los alimentaba con pocas migajas y muchas oraciones. Y una noche doña Agustina habló muy seriamente con José, en quien ya notaba ciertas inclinaciones hacia lo religioso. El chico le confesó que deseaba ingresar al seminario. La madre lloró de gusto y, años después, ya anciana y casi ciega, continuaba dándole gracias al Señor por haber dado a José la fuerza de voluntad necesaria para ser uno de sus ministros.)

–Muy buen ojo —machacó Luquín. Nosotros, en cambio, desde niños tuvimos que aprender a ganarnos el pan...

Serio por primera vez desde que llegó, el padre José dijo:

–Me juzgas como si fuera un parásito y te vanaglorias de ser un obrero.

–¿Y no es así? —retó Luquín, triunfalmente. Le mostró las palmas. Mira mis manos... maltratadas pero limpias de todo...

–Eso no está a discusión. No es preciso tenerlas encallecidas. Y cometería pecado de soberbia si...

Luquín arrugó las narices, con desdén.

–Palabras, palabras. Es lo que sabes decir.

El cura se irguió. Puso una de sus grandes manos en el hombro de Luquín.

–Marcos: razona.

–Ocúpate de tus asuntos. Déjame con los míos.

–Lo que afecte a los obreros, me afecta a mí. Soy el cura del barrio; ellos son mi gente... tanto como son la tuya.

–Te mantienen con las limosnas; a mí, no.

–Te ciega el orgullo, y también el miedo... Sí, Marcos; tienes miedo. Te has metido, o te metieron, en un atolladero del que no podrás salir si no usas la cabeza. Lo sabes, pero no quieres aceptarlo. No te atreves a encarar a quienes te manejan como a un títere, por cobardía exclusivamente... Y otra cosa peor aún: has olvidado a tu gente; la has echado como carnada a los lobos...

–Hablas demasiado...

–Y seguiré hablando, Marcos. La huelga es una idiotez.

–¡Bah...!

–Tienes engañada a la gente. Pero no será por mucho tiempo.

–Lo sé: bajarás a llenarles la cabeza de humo.

Piadosamente, con tranquila dulzura, rechazó el padre José:

–No lo haré, Marcos. Ellos lo descubrirán y entonces te odiarán. Perdonan todo, menos que les mientas.

–En este juego no hay trampa.

–¿Estás seguro, Marcos? ¿Seguro tú, aquí, en el corazón?

Luquín guardó silencio. Estuvo casi un minuto. Detestaba al padre José violentamente, no porque lo lastimaran sus palabras, sino porque tenía razón. De buena gana le hubiese abierto el pecho para hablarle con sinceridad; para confiarle sus temores; para demandar de su talento y de su cordura, que reconocía superiores a los suyos, un consejo, una orientación. Pero titubeaba. ¿No sería reconocer su incapacidad; admitir su propia estupidez? ¿No tendría con ello el sacerdote un arma que esgrimir en su contra en el futuro?

–Yo sé lo que hago —fue lo único que dijo.

–Ojalá y así fuese, Marcos. Pero lo dudo. Retrocede antes de que sea demasiado tarde...

–¿Quieres que venda la huelga, que vaya a lamerle los pies a Perkins y a pedirle perdón y a decirle que me equivoqué?

El padre José negaba, moviendo la cabeza.

–Eso no, Marcos. Quiero decir: no te prestes a que jueguen contigo. No seas tú, ni tu gente, quien sufra las consecuencias de una maniobra a la que ustedes, con todo y ser parte, son ajenos. Eso pido. Que no pongas tus manos para que te las aten; ni el cuello para que te lo corten...

En eso, a sus espaldas, escucharon a Ivo batir palmas y decir, con burla:

–Bravo... Muy bien... Bonitos consejos.

Pálido de miedo, Luquín trató de explicar. Ivo le ordenó que callara. Se encaró al padre José, con una retadora insolencia.

–Te previne del lobo... pero quién sabe qué sea peor; si que te coma el lobo o te devore el buitre...

El padre José lo miró con desdén.

–No es un símil muy afortunado.

–Pero es verdad —Ivo se volvió a Marcos. ¿Te convencieron ya?

El sacerdote repuso:

—Marcos Luquín no es fácil de convencer, aunque lo parezca —lo vio con cierta antigua cordialidad. No lo olvide, por lo que a usted concierne...

Insistía Ivo:

—¿Te hablaron de la salvación de tu alma?

Con los puños crispados gritó Luquín:

—¡Cállate...!

Sonrió el sacerdote, viendo a Marcos y luego a Ivo. Éste se dejó caer en la cama.

—Te aseguro —dijo, pensativo— que este señor nos traerá la mala suerte.

El padre dijo a Marcos:

—No me has presentado a tu amigo...

En un tartamudeo Marcos recitó los nombres del sacerdote y de Ivo, y la explicación de que éste era un organizador de la Central.

Casi alegre, sentándose en la silla, el padre comentó:

—Nuestras chambas son parecidas. Ambos reclutamos gente.

—Con fines distintos.

—Naturalmente.

—¿Y qué vino a buscar aquí? Marcos, ¿quién llamó al señor?

—Nadie —el cura no dio tiempo a que Luquín respondiera. Vine porque quise; a ver a mis amigos.

—¿Trajo la charola... o viene a hablarles gratis esta vez?

—¿Usted qué cree...?

—Yo nada. Sólo pregunto. Pero no me extrañaría que lo hiciera.

El padre José alargó el brazo y tomó la jarrita que aún contenía asientos de refresco. Bebió de ella, directamente.

—¿Qué buscan usted y sus amigos aquí? —disparó de pronto.

—¿A qué se refiere? —repuso Ivo, en guardia.

—Porque ustedes andan tras algo, ¿verdad?

—¿Qué podría ser? Usted, que parece saber tanto, no necesita preguntarlo.

—Me gustaría oírselo decir a usted... ¿Cuál es su nombre?

—Ivo...

—Sí, me gustaría. Todo lo que se refiera a mis muchachos me interesa...

—¿Sus muchachos?

—Bueno, mis amigos, mis compañeros...

—Sus borregos...

—Si le parece mejor, mis borregos. En cierta forma soy el pastor. ¿Qué busca con ellos... qué trata de venderles?

–Conciencia —Ivo arqueó las cejas. ¿Es malo?

–Naturalmente, no. Depende de la clase de conciencia.

–La que yo vendo es distinta a la suya; es la auténtica... La conciencia para no seguir dejándose explotar por otros...

–¿Por otros que no sean usted y sus amigos?

El rostro de Ivo adquirió, sobre su palidez, un tinte violáceo. Le temblaron los delgados labios.

Cambió bruscamente de tema:

–¿Por qué le interesa nuestra huelga?

–¿Nuestra? ¿Usted es de la fábrica? Marcos, ¿es uno de tus obreros?

Marcos negó con la cabeza. Ivo dentelló:

–No soy de la fábrica. Soy de la Central. Organizador.

El padre se palmeó los muslos. Lo divertía ver cómo Ivo comenzaba a irritarse.

–Me interesa porque me permite estudiar, de cerca, las reacciones de los hombres... Por ejemplo: los muchachos están tranquilos, casi contentos; es noche libre y se divierten... Pero mañana será distinto... y cada día que pase lo será más... ¿Y al final, qué?

–No tendrán tiempo de aburrirse. Se lo aseguro.

–Lo creo, Ivo. Ustedes son muy ingeniosos para proporcionar diversión. ¿Preparan otro zafarrancho... o van a matar a alguien?

El padre rio comedidamente. Ivo dejó la cama y se dirigió a la ventana. Estuvo mirando hacia el exterior unos segundos, antes de volverse.

–Y aparte de eso, ¿qué busca?

–Yo nada. Ellos son mis amigos...

–Oh, un obrero curita...

–Nací aquí.

Ivo se puso repentinamente de buen humor. Colocó sus angostas nalgas en la mesa y se cruzó de brazos.

–Quieren ver si aquí da resultado el truco, ¿eh?

–¿Cuál?

–El de los curas obreros. Ya ve, en Francia fracasaron.

–Eso dicen...

–Es cierto —con el puño, pero sin furia, golpeó Ivo la mesa—, rigurosamente cierto.

–Fue un ensayo...

–No, mi amigo. Fue una derrota. La iglesia perdió el tanto.

–Yo no diría eso. La iglesia no pierde nunca.

–Pues allí enseñó el plumero. Sus hombres fallaron.

–Es arriesgado asegurarlo.

–Fallaron, sí señor... —Ivo se dirigió a Marcos. ¿Sabes, Luquín? La iglesia estaba alarmada. Los comunistas, los cochinos rojos, comenzaron después de la guerra a tomar una fuerza tremenda. Influían, demasiado, en las elecciones; reclutaban cientos de miles de simpatizantes cada año; en Francia, en Italia, en Alemania, en todas partes, las gentes de carnet se multiplicaban como conejos. Especialmente entre los obreros, que son el puntal que sostiene la economía reaccionaria; que la sostiene a pesar suyo, naturalmente. ¿Y qué hicieron los señores de sotana? Querer combatir al partido con sus propias armas. Escogieron hombres probados; formaron células y las mandaron a trabajar a las fábricas. No por debajo del agua; sino con el apoyo de los patrones. Era preciso demostrar a la clase trabajadora que los comunistas son unos hijos de perra y que, en igualdad de circunstancias, un cura les gana la pelea...

Ivo hablaba rápidamente, con entusiasmo en los ojos; casi febril a medida que iba enumerando ante el asombrado Marcos Luquín, cómo la iglesia de Francia lanzó legiones de curas obreros a sus fábricas y talleres; cómo los dispensó de una serie de prácticas obligatorias a fin de hacerlos más humanos, más parecidos a aquellos entre los que iban a vivir.

Continuaba:

–Y allá, como aquí, la masa trabajadora seguía embrutecida por siglos de religión. Los obreros eran católicos porque los habían bautizado, porque bautizaban a sus hijos, porque lamentaban pecar contra el sexto mandamiento en tanto que volvían a hacerlo... Y los curas se movían a sus anchas; no se escondían para hacer su labor... ¿Y al final, qué ocurrió? —se detuvo. Miró al sacerdote—: Dígalo usted...

Sonriente, el cura indicó:

–Tú lo cuentas mejor. Sigue...

Tomando aire, para soltar una nueva parrafada, Ivo asintió.

–Los hombres del Vaticano, los probados, incorruptibles, leales servidores de la iglesia, en cuanto conocieron la verdadera situación de los obreros, en cuanto vivieron su vida, y tuvieron sus problemas y sintieron sobre el lomo el látigo capitalista, se olvidaron del seminario y de las mamadas que les habían metido en la sangre y comprendieron que la verdad no era la que ellos predicaban, sino la que la clase trabajadora buscaba, y por la cual llamábanla corrompida, comunista y despreciable. Y la mitad se enlistó en el partido, y otros ya no estuvieron tan seguros de su fe ni de su misión, y otros más se dedicaron alegremente a mover la cintura entre las piernas de las mujeres.

Marcos Luquín estaba enrojecido de cólera y hubo un momento en que pensó saltar sobre Ivo y estrangularlo. Le indignaba el tranquilo y gozoso cinismo con que Ivo relataba su versión de la conducta de los sacerdotes obreros; le molestaba la fruición que empleaba para relatar, en detalle, cómo los curas se echaban a cuestas amantes o se volvían homosexuales, o se dedicaban, borrachos de vino, a vociferar contra las instituciones que pensaban representar; pero el padre José, con un guiño imperceptible, lo tranquilizó.

—¿Y eso qué quiere decir? —exclamó Ivo, triunfalmente. El hecho sólo admite dos explicaciones: o que la idea que iban a combatir los curas era demasiado buena y pudo absorberlos; o la que les habían enseñado en el seminario era tan débil, tan frágil, que no resistió el contacto con el mundo exterior...

Marcos miraba ahora al padre José. Exigía, casi, una respuesta que anulara la serie de mentiras monstruosas dichas por Ivo. El sacerdote tranquilamente expresó:

—Lo último es un sofisma...

Ivo saltó.

—¿No fracasaron los curas obreros?

—Fracasaron, es una palabra dura... La iglesia jamás aseguró que el experimento era definitivo. La iglesia es una organización sabia.

—Palabras, palabras. ¿Por qué fallaron los curitas?

—Podría explicárselo, pero de seguro que usted rehusaría comprender. Quizá, citando a san Juan será más fácil: los curas obreros se olvidaron demasiado pronto que ellos son la iglesia; pensaron sólo en que eran hombres...

Ivo se aprestó a rebatir.

Abajo, en grupos, se comentaba:

—El padre José lleva casi una hora hablando...

—De seguro que viene a convencer a Marcos...

—Qué va. Entre ellos hay cierto pique. Por lo del hijo...

En otro lugar de la calle continuaban las conjeturas. La gente de Ivo, esa gente que no pudo cerrar el paso al padre José cuando llegó, hacía correr una versión distinta.

—Vino a apoyar la huelga...

—¿El padre?

—Naturalmente que sí. Eso demuestra que la razón la tenemos nosotros. Todos los curas son reaccionarios; pero éste, no. La prueba es que...

Tomados del brazo, rozando sus muslos y sus carnes llenas de deseo, escuchaban Pancho Bicicleta y Lupe. Para ellos lo que se discutía teníalos sin cuidado.

Él se inclinó y le dijo algo.

Lupe negó con la cabeza, al tiempo que volvía a ruborizarse.

Pancho siguió insistiendo. Su aliento cálido, susurrando al oído de la muchacha, enardecía a ésta. Él señaló a un punto. Ella volvió los ojos.

Veían ahora los dos una tienda, de las del Socorro Rojo Internacional, vacía, aislada, sin nadie rondando cerca.

—Vamos —rogó él en un murmullo. Un ratito...

Lupe:

—Deja oir —demandó, con su vocecita.

Un poco más allá dos gatos —el negro, de ojos amarillentos; el pardo, de lentos ademanes— se perseguían en lo alto del muro. Sin darse cuenta Pancho Bicicleta y Lupe se encontraron mirándolos.

El gato negro dio unos cortos pasos hacia el otro; que maullaba en tono lastimero. Aquél se le echó encima y desaparecieron. Se escuchó un estrépito de chillidos, y luego reaparecieron ambos, muy esponjados, satisfechos, moviendo sus colas y lamiéndose los traseros.

Pancho, con su codo, sin pretender que era por accidente, frotó el seno de Lupe.

Dijo:

—¿Viste?

Ella sólo enrojeció.

4

En el cuarto concluía la discusión. El rostro del padre estaba iluminado por un cierto íntimo placer. Se levantó.

—¿Conforme?

—En cierta forma —aceptó Ivo, sin entusiasmo.

—Usted ha reconocido que la iglesia, por vieja, es más sabia, y que tiene más experiencia para tratar a los hombres.

Ivo se levantó, a su vez. Bostezó ruidosamente.

—De eso tendríamos mucho que hablar.

—Me encantaría...

Volvió a abrir las quijadas:

—De seguro volverá. Estaremos mucho tiempo aquí.

—¿Lo cree?

—Absolutamente.

El padre José palmeó la huesuda espalda. Le sonreía abiertamente, sin resentimiento ni coraje. Casi paternal.

–Y no olvide que la cuestión es puramente matemática. Ustedes tienen cuarenta años de organizados. Nosotros dos mil.

Ivo se desperezó una vez más.

–A veces, los últimos serán los primeros.

El padre cerró el puño; le guiñó un ojo.

–Salud, camarada.

–Adiós, padre...

Cuando bajaba con José la escalera, dijo Marcos:

–Lo pusiste como palo de gallinero.

El padre rio brevemente, divertido.

–Es un tipo peligroso. Cree en lo que dice —se detuvieron en el descanso. Marcos: piensa bien las cosas...

Luquín arqueó las cejas.

Asintió:

–No te preocupes.

–Líbrate de ellos, ahora que todavía es tiempo. Después no podrás hacerlo —y añadió con punzante intención—: porque no te dejarán.

Afuera los esperaban los obreros. Algunas mujeres, rodeándolos, besaban la mano al cura, que los llamaba por sus nombres y reía y bromeaba con todos. El propio Nicandro se acercó también y dejó rozar sus labios en la diestra del padre José.

Éste pidió silencio. Al conseguirlo, habló alto, para que nadie dejara de oirlo:

–Muchachos... he platicado mucho con Marcos... Marcos es un buen hombre. Lo conozco desde niño y sé que es bueno, y es noble, y sólo piensa en ayudarlos a ustedes. Confíen en él... y lo que él arregle será lo mejor. Se los aseguro...

El Güero organizó una porra en honor de Marcos. A esa porra siguieron vivas y aplausos. El cura notó qué tan emocionado se encontraba Luquín; y le susurró:

–No los traiciones...

Se dirigieron luego a la barricada, seguidos por los muchachos, por las mujeres, que invitaban al cura a volver pronto. Algunos se adelantaron para retirar los toneles que bloqueaban la calle.

Marcos le tendió la mano.

–Gracias, José... ¿Por qué les dijiste eso?

El padre le sonrió:

–Porque es verdad...

LA HORA DÉCIMA

1

Por fin, sonó el teléfono. Perkins lo tomó con violencia. El licenciado Robles y los otros hombres silenciosos se tornaron tensos en su alerta.

—Aquí, Perkins...

El silencio era profundo en la biblioteca y por eso podía escucharse, en algún sitio del amplio salón alfombrado y recubierto de maderas preciosas, el ronroneo del aparato de clima artificial que refrescaba el ambiente.

Vieron, todos, enrojecer a Perkins y luego dejar el auricular en su sitio. Estuvo unos segundos enfurruñado, en el fondo del sillón de piel de cochino.

Dijo, a manera de furiosa disculpa:

—Dentro de cinco minutos...

Se levantó y a su espalda, mientras vertía whisky puro en un alto vaso de cristal cortado, escuchó renacer el rumor de las charlas. Bebió un trago. Uno estaba diciendo:

—Será necesario echarlo...

Perkins volvía al sillón...

—¿A quién?

—A Luquín, naturalmente...

—¿Por qué?

—Hombre —el que hablaba chasqueó la lengua—, lo que ha hecho.

Sentándose, Perkins cruzó la pierna.

—Nada que no debiera...

—Perkins —aulló su interlocutor—, es inaudito. Usted defendiendo a esa pandilla de rojos...

El gerente de la Empacadora Águila tomó su tiempo antes de contestar. Desde que el otro había llegado al país, como representante de la junta de directores neoyorquinos, sintió por él una aversión especial, que fue creciendo a medida que transcurrían las semanas, los meses: los casi dos años que llevaba allí, con las narices prontas a meterlas en todo y la lengua afilada para destilar comentarios y opiniones de crítica al sistema, a la organización, a Perkins. Lo soportaba porque no tenía más remedio; pero de buena gana... Alzó la mano y dijo:

—Tómelo con calma, Robinson.

—¿Con calma, después de lo ocurrido?

—¿Y en qué lo afectó a usted, personalmente?

—En nada, claro. Pero están los principios...

Perkins se rio burlonamente. Cuando él mismo no tenía qué decir, qué responder, acudía a los principios y los mencionaba solemnemente, con la seriedad con que ahora lo hacía el asno de Robinson. "Al diablo los principios —masculló para sí. Aquí se juegan otras cosas, y, por encima de ellas, la plata."

Se encogió de hombros.

—Hablemos claro, Robinson; eso de los principios déjelo para los otros...

Nerviosamente Robinson encendió un cigarrillo.

—La cosa es grave, Perkins.

—Eso lo sé.

—Es necesario, pues, tomar otras medidas.

Perkins rio con desdén.

—¿Por ejemplo, ir con una ametralladora para convencerlos?

Titubeó Robinson y añadió, con guasa:

—No sería mal sistema...

—Sí, muy norteamericano —gruñó Perkins, sin darse por enterado de que fuera una frivolidad de Robinson.

Éste expresó:

—Nos salimos del tema. Hay que ser realista. A Marcos Luquín lo manejan, a su antojo, los rojos...

Lentamente Perkins convino:

—Puede ser... Lo es. Pero la culpa no es suya. Sino nuestra...

Sorprendido, Robinson arqueó las cejas.

—¿Nuestra? ¿Por qué?

—Por tercos. Por hacerle caso a sus malditos consejos, Robinson. Usted convenció a la gente de Nueva York...

Rojo de cólera el otro machacó:

—No quedaba otro recurso... Y —amenazó a Perkins con el índice— lo volvería a hacer...

Perkins soltó una carcajada, que era incongruente con el tono, ya violento y personal, de la disputa.

Dijo:

–En toda la historia de la Empacadora jamás tuvimos un conflicto, hasta que usted ordenó que no se transara. Dicha nuestra palabra había que sostenerla... Y ahora, cuando ve la cosa en serio, se asusta... Se mea en los pantalones...

Se hizo uno de esos repentinos silencios molestos. Los que asistían a la discusión trataban de no ver, de no enterarse de los insultos que ya se cruzaban; y fumaban, o bebían nerviosamente, o se entretenían mirándose las manos.

Robinson se aclaró la garganta. Le temblaba el pulso, cuando respondió:

–Equivoca usted las cosas...

–Digo lo que hay. Es todo. Conozco mejor a esas gentes que usted, y creo saber cómo tratarlas.

–Cuando los rojos se meten...

–¡Deje en paz a los rojos! —gritó Perkins. Su disco ya lo hemos oído demasiado; tanto, que a veces yo mismo lo repito...

El licenciado Robles tosió discretamente, antes de hablar:

–Pero una cosa sí es evidente... —todos se volvieron para mirarlo. Y asintieron cuando él añadió—: Que en esta huelga hay intereses ajenos...

–Lo sé... Lo sé —expresó Perkins. Y lo supo a tiempo, Robinson; y no quiso que yo arreglara el caso a mi modo...

Ahora pálido y contenido, Robinson objetó:

–Necesitaba instrucciones de mis directores.

Perkins siguió hablando:

–Con haber dicho sí, cuando se nos pidió reinstalar a los cuatro tipos, les hubiésemos dejado sin armas...

–Habrían buscado otras —subrayó Robinson, triunfante.

–No lo dudo. Pero no habría sido hoy, con una millonada en las bodegas...

Aplastó Robinson el cigarro en un cenicero y fue, a su vez, a servirse un trago de whisky.

–Cuando esto se arregle —dijo poniendo un cubito de hielo en su vaso— habrá que separar a Luquín. Será peligroso...

Perkins manoteó sobre el sillón.

–No lo separaré. Un tipo decente como ése será difícil encontrarlo... —cáusticamente dijo a Robinson—: ¿O prefiere usted a Quintana?

Tornó Robinson a arrugar sus hombros.

–Quintana, si no muere, estará fuera de circulación un tiempo. Pero —bebió, haciendo subir y bajar rápidamente su nuez— sigo insistiendo en que un elemento radical, como Luquín, es un peligro latente...

Hizo Perkins un irritado gesto obsceno.

–Pamplinas... Si algo puede censurársele a Luquín es su falta de malicia política. Lo enredaron, sí; pero saldrá de la trampa.

Robinson sonrió y fue a sentarse junto a Perkins. Parecía estar muy tranquilo, casi divertido. Le palmeó el muslo.

–Ahora soy yo quien le dice que no se irrite, Perkins. La gente de allá —apuntó al teléfono— sabe, mejor que nosotros, manejar estos asuntos...

Mr. Perkins suspiró.

–Sí, eso dicen. Utilizan la vieja táctica de los esquiroles, del soborno, de la amenaza —alzó la cara para mirar a Robinson. Pero no estamos en Centroamérica, y la cosa aquí no da resultado... Y nos la echan a la mano como un remache caliente...

Tornó Robinson a palmearle la pierna.

–¿Y qué, Perkins? Si ellos quieren perder dinero peleando contra los obreros, déjelos. Usted está asegurado. Su dividendo anual no disminuye. Unos cuantos días y...

Movió enfáticamente la cabeza el gerente de la Empacadora. Sus fríos ojos azules se oscurecieron:

–No serán unos días... —miró a Robles. Dígalo usted, licenciado...

Robles se movió un poco en el sillón, para colocar más cómodamente su espalda.

–El señor Perkins tiene razón —principió calmadamente—; esta huelga es una maniobra política... Me lo han dicho en la Secretaría. Ellos mismos tienen miedo... Saben que la Empacadora servirá de núcleo a un gran movimiento nacional... Quienes planearon esto, y no dudo en pensar en Modesto y en las gentes de su partido, no quieren hacerlo espectacular; no buscan asustar de golpe... Andan tras la propagación, lenta pero firme e incontenible, de los conflictos... ¿Y saben para qué? Para impresionar a las autoridades, para obligarlas a ceder en ciertos renglones. Y si nosotros —volvió a cambiar de postura— nos obstinamos en no transigir estaremos haciéndoles, estúpidamente, el juego... Y ellos cuentan con eso...

El teléfono volvió a sonar. Una sola vez, pues ya Perkins levantaba el auricular. La operadora internacional anunció que la conferencia estaba lista.

–Aquí Perkins...

Durante cosa de cinco minutos, Perkins tuvo el auricular pegado a la oreja. De cuando en cuando asentía; otras objetaba, insistiendo siempre que lo dejaran hacer las cosas a su manera; sí, sí, él aceptaba la responsabilidad; claro, claro que los principios había que mantenerlos incólumes. Al fin terminó.

Suspiró ampliamente, levantándose. Los otros lo imitaron.

–Los principios —dijo, con desdén.

Robinson urgió:

–¿Qué le dijeron?

–Lo dejan a mi criterio. A mi entero criterio —martilleó sobre cada una de las palabras de la frase—, así que voy a arreglar el lío esta misma noche.

El licenciado Robles intervino.

–Será lo mejor...

Perkins se encaró a Robinson.

–Sus patrones también tienen los huevos en el cuello. Están enterados de lo que se trama y meten reversa. No quieren que la Empacadora sea el pivote de una gran huelga... Como a usted, se les mojaron las enaguas...

Terció de nuevo Robles:

–Prepararé el pliego de condiciones...

Casi gritó Perkins:

–Naranjas... Las condiciones las pondrá Luquín...

–Pero... —objetó Robinson.

–Se ha intentado todo —explicó Perkins— y todo falló. Hay que ir a hablar derechamente con Luquín. Reponerle a los tipos. Demostrarle que no hay nada personal...

Prudente, el licenciado sugirió:

–Me encargaré de eso...

–Déjelo Robles. Yo personalmente iré a verlo. Ni a él ni a mí nos gustan los abogados...

Echó a caminar hacia la puerta. Robles se quedaba rezagado, recogiendo sus papeles.

–No es nada personal, licenciado. Es sólo una manera de sentir. Vaya usted a dormir un rato y tenga todo listo para firmar mañana, en la junta.

Los otros siguieron a Perkins hacia el jardín, donde lo aguardaba la limousina.

2

Comenzó a llover. Al principio grandes gotas como monedas,

luego un diluvio lleno de fragorosa violencia. Hombres y mujeres, sorprendidos por la repentina tormenta, abandonaron lo que hacían y corrieron a refugiarse en las tiendas, en los quicios de la Empacadora, en el cubo del hotel. Las bombillas estallaban dejando en el aire, por un segundo, la huella plateada de la explosión. Se soltó el viento y la lluvia parecía una ondulada falda. Al polvo sucedió el barro y rápidos ríos de agua fangosa se escurrían, por el desnivel, acera abajo. El cielo se desgajaba coloreado de un irreal tono de plata carmesí. Sobre la ciudad también llovía y lívidos relámpagos llenaban de cicatrices el techo del valle.

Ellos estaban hasta el fondo de la tienda, Pancho Bicicleta sentía que el agua se colaba entre su espalda y el muro, pero no se movió. Muy cerca de él, casi encima, untada a su propio cuerpo, más cerca de lo que nunca habíanse hallado, tenía a Lupe; el sólido cuerpo de la muchacha. Los otros seguían entrando, para buscar refugio en aquellas paredes de lona que el viento abombaba y bajo ese toldo triangular que goteaba. Pronto el sitio se llenó del peculiar olor a gente atestada; a malos alientos; a sobaco. Pero nadie se quejaba. Reían haciéndose bromas; imitando sonidos de letrina. Una mujer, entre risas, protestaba porque alguien le metía mano y voces anónimas la remedaban en su fastidio, entre la hilaridad colectiva.

Pancho estaba feliz, por más que su espalda estuviese totalmente húmeda. Con las manos en las rodillas tocaba, sin que ella se opusiera, los pechos de Lupe. Movió los dedos, con cautela; ella, entonces, alzó la cara; enrojeció un poco pero no dijo nada. Durante un tiempo estuvieron escuchando el golpetear de la lluvia en el techo de la tienda, después ese ruido de gallinas picoteando maíz sobre una lata fue haciéndose menor, más suave, casi imperceptible, hasta desaparecer.

Alguien levantó la lona que cubría la entrada y se asomó al exterior. Con sus palabras se coló una ráfaga de aire fresco y húmedo, oloroso a tierra nocturna.

Dijo, saliendo:

—Ya no llueve...

La mesa de cuerpos apelotonados dentro de la angosta dimensión de la tienda de lona comenzó a aflojarse, a desintegrarse. Las gentes salían un poco inclinadas, algunas a gatas, y se alejaban riendo alegremente entre los charcos, por la calle.

Ellos no se habían movido. No se movieron, tampoco, cuando salió el último de sus compañeros. La lona que cerraba cayó y quedaron solos, en la oscuridad.

Lupe hizo ademán de marcharse. Él la retuvo. La muchacha no opuso resistencia.

–No salgas... —susurró Pancho, débilmente.

Ivo indicó:

–Vamos a verlos...

Cansadamente, Marcos Luquín se levantó de la cama y salió del cuarto.

La calle era un fangal; pero ya no hacía calor. En unos cuantos minutos, las mujeres que llegaron en el camión al principio de la noche, prendieron las estufas de tractolina y comenzaron a preparar alimentos calientes. Los hombres se acercaban a los puestos donde silbaban las cafeteras y recibían sus raciones. A nadie parecía afectar la tenue llovizna que había quedado suspendida en el aire. Algunos de los muchachos exprimían sus camisas.

El oscuro callejón lateral se había convertido en un pantano y a tientas lo recorrieron Ivo y Marcos. Aquél iba diciendo:

–La moral, ¿entiendes? A los muchachos les gusta ver que sus jefes se preocupan por ellos...

Luquín no decía nada.

El piquete de vigilancia, en la puerta dos, los alumbró con sus linternas. Al reconocerlos les permitió pasar. Allí también funcionaba ya una de las cocinillas y, dominando al de la tierra humedecida, percibían el olor a negro café amargo.

Les ofrecieron y bebieron con los hombres y con las mujeres. Una de ellas preguntó:

–Marcos, ¿cómo van las cosas?

–Muy bien —repuso sin entusiasmo.

Otro hombre, con los ojos legañosos, quiso saber.

–¿Y cuándo va a acabarse esto?

–Pronto. Tal vez mañana...

–Marcos, ¿es verdad que vino el padre José a verte?

–Sí.

–¿Qué quería?

Ivo contestó:

–Vino a apoyar a Marcos. A decir a todos que está con nosotros.

La mujer quería escuchar la respuesta de Marcos, no la de Ivo. E insistió:

–¿Es cierto, Marcos?

–Sí.

Terció de nuevo Ivo:

–Al final echó un bonito discurso...

El hombre de los ojos legañosos opinó:

–Es un tipo de oro, el buen padre José...

–Ya lo creo —aceptó Ivo.

Terminaron el café. Ivo habló a los que hacían guardia ante la puerta dos.

–¿Necesitan algo, muchachos? ¿Más café, cigarros? ¿Nada? Le respondieron varias voces:

–Noooo...

En la otra puerta ocurrió lo mismo. La gente quería saber cuándo terminaría Marcos la huelga; y él les repuso que pronto, que muy pronto. Ellos también estaban enterados de la visita del padre José y fue necesario repetirles que el sacerdote estaba de su lado, por considerar justo al movimiento, y que había dicho un discurso en honor de Luquín.

Cuando volvían, ya a solas, Ivo dijo:

–Eres demasiado optimista con ellos.

–¿Por qué?

–Y además, les dices mentiras.

–¿Cuáles?

–Que la huelga va a terminar pronto. Quizá mañana...

Marcos repuso, apenas engallado; cauteloso:

–¿Y no podría terminar mañana?

–Claro que no. Hay que darles esperanza, sí; pero no a fecha fija. Se desaniman si no se les cumple... Hasta ahora la situación es perfecta... Están contentos, hay que mantenerlos entretenidos... Se me ocurre que algunos camaradas pueden traer mañana, por la noche, un cine portátil...

Lo interrumpió Marcos.

–A lo mejor ya no estamos aquí, para entonces...

Oscuramente afirmó Ivo:

–Estarán. No te preocupes...

Resopló Luquín:

–¿Muy seguro, eh?

–Ajá.

–¿No cuentas con que ocurra algo?

–Ocurrirá lo que queramos que ocurra... que será bastante.

–Yo no sé nada de eso —dijo Marcos, con desdén.

–Lo sabrías de haber estado atento a lo que se discutió con los delegados que vinieron. De todos modos, te irás enterando...

De la tierra viva se levantaba una pesada niebla húmeda y tan pegajosa como el calor. Caminaban en silencio, aplastando el barro, resbalando en él, como ciegos o como borrachos de madrugada. Ivo perdió el paso y cayó, de rodillas, en un charco. Lanzó una andanada de injurias. Ya de pie volvió a maldecir.

—El que se enoja pierde, dicen —comentó riendo Marcos.

Ivo resoplaba.

Marcos iba pensando en algo que le daba vueltas en la cabeza. "Si pudiera llamar a Perkins... Nos veríamos fuera de aquí. Hablaríamos los dos. He aprendido mucho desde que empezó todo. Esto no ha sido nunca una huelga de la Empacadora; es de ellos, de los amigos de este flaco de mierda... Les he dicho a las gentes que esto puede terminar mañana; y puede. Será cuestión de un rato. Los detalles vendrán después. Pero ¿cómo largarme?" Se volvió para mirar a Ivo, que caminaba a su lado, con tiento. "Éste es desconfiado como ratón. No me deja un momento. Tengo que hacerlo sin que se dé cuenta... sin que se las huela. Le choca que les hable a los muchachos con franqueza... Claro que podría mandar a Damián o a el Güero, o a cualquiera, pero resultaría lo mismo. Los tiene vigilados, controlados. Lo de Quintana podría repetirse..."

Salieron del pantano del callejón y se encontraron bañados por las luces de la calle. Muchos focos se habían fundido o estallado durante el aguacero. Ivo sacudía el barro acumulado bajo sus suelas golpeando los zapatos en los adoquines. Casi todos los hombres se hallaban al otro extremo, en multitud frente a las cocinas, de pie, excepto algunos que improvisaban asiento en la banqueta, con periódicos.

Cuando pasaban junto a la primera de las tiendas, la más próxima al callejón, escucharon un rumor de voces ahogadas que venía de dentro. Ivo levantó el pedazo de lona que servía de puerta. Un chorro de luz cayó entonces sobre Pancho y sobre Lupe, ella semidesnuda y tendida en el suelo. Lanzó un pequeño grito y se bajó las faldas.

—Inmundos —gritó Ivo. Salgan de ahí.

Marcos se asomó, rápidamente.

—¿Qué pasa? —preguntó.

De una ojeada se dio cuenta de la situación. Pancho se había puesto de rodillas y no acertaba a abrocharse el pantalón. La muchacha lloraba, con la cara entre las manos, llena de vergüenza. E Ivo, con medio cuerpo dentro de la tienda, seguía vociferando:

–Salgan, par de... Esto es una huelga. No un burdel...

–Déjalos —gritó entonces, más fuerte, Marcos Luquín.

Ivo echó fuera de la tienda su cuerpo. Su rostro tenía un tinte verdoso y sus ojos de hiena parecían sopletes.

–Puercos... —vomitó, tratando de entrar de nuevo.

La pesada mano de Luquín lo detuvo por el hombro.

–Déjalos en paz, te digo...

Le dio un empellón, arrojándolo al suelo. Desde allí Ivo le miró con rencor asesino. Se levantó lentamente.

–No vueltas a hacerme esto —dijo, despacio.

Los dos hombres permanecieron uno frente al otro, con los puños apretados. Ivo jadeaba, colérico e impotente; lleno de una furia salvaje que le estrujaba el estómago; Marcos, tranquilo, seguro, otra vez él como única voz de mando, imponiendo al flaco muchacho granujiento su autoridad de jefe, de macho. Sonrió para sí. "El gran amor de su vida puede empezar en el suelo", se dijo.

Rápidamente Lupe y Pancho salieron de la tienda. Lo más próximo a ellos, y también lo más seguro, era la oscuridad del callejón, y hacia allí se dirigieron.

Marcos preguntó:

–¿Por qué eres así con ellos?

–Son unas bestias.

–No te ofenden. Son jóvenes. El amor no daña...

–Yo también soy joven —chilló Ivo— y no lo necesito. Es una porquería...

Cabeceó Luquín hacia la oscuridad.

–Ellos piensan de otro modo, te lo aseguro...

Ivo tornó a mirarlo con rencor. Sacudió un poco el fango que manchaba sus asentaderas y, caminando de prisa, se dirigió al hotel.

Azotó la puerta violentamente. Se tumbó en la cama, bocabajo, con la cara hundida en el colchón. Sollozó. Los recuerdos volvían, dolorosos como siempre; quemantes. Creía haberlos enterrado en el olvido; más no era así. No era así. Retornaban, como esa noche, inesperadamente; en un momento en que necesitaba de toda su tranquilidad; en que su mente debía estar limpia, libre, para todo lo que no fuera la misión, su misión. Y el estúpido de Luquín, que decía "El amor no daña".

Quiso no pensar más en aquello, pero era imposible. La mañana tornaba, con sus colores y con su dolor; con la tragedia de su vida. Todo volvía a ser nítido y él se encontraba caminando, sin saber por qué ni a dónde se dirigían, entre los hombres y las mujeres y los otros niños que clamaban justicia, que exigían ver al Presidente. Cruzaron barrios residenciales, invadieron los negros carriles del tránsito; desafiaron los automóviles que tenían que detenerse para no arrollarlos, y entraron a una bella avenida con un camellón de pasto esmeralda, bordeada de altos árboles también verdes de follaje nuevo.

Él iba allí, por curiosidad. Debía estar en la escuela pero prefirió seguir a esa multitud, desharrapada e incansable, de hombres de mezclilla; de oscuras mujeres de rebozo; de niños vestidos con andrajos de andrajos. "Si mi tía supiera...", pensaba entonces. Y al fin de la bien cuidada avenida se levantó ante ellos, imponente, la blanca barda tras de la cual vivía aquél a quien los otros iban a exigir justicia.

La masa humana que olía a sudor de pies cansados, demandó la presencia del hombre por el que habían votado; por el que la habían hecho votar, unos meses atrás, en las casillas erizadas de fusiles. Quería verlo, referirle de viva voz su problema, y escuchar de la suya palabras de aliento, de consuelo, de promesa. Pero se lo negaron. Y la chusma se encrespó y arrojó piedras y desahogó su coraje y su fatiga en improperios contra los oscuros hombrecillos, tan de barro como ellos mismos, que defendían la puerta, con uniformes color oliva, cascos de acero y fusiles en las manos.

Y entonces, amiedado, temeroso de la multitud que no estaba dispuesta a marcharse sin ver al hombre que les haría justicia, quien mandaba a los soldados ordenó disparar. Y los fusiles hicieron florecer anaranjadas rosas de acero y pólvora, y muchos de los que pedían que se abrieran las puertas de la fortaleza, cayeron rotos, muertos; no sólo hombres; también mujeres y niños.

Él, entre ellos.

Lo tuvieron en un hospital mucho tiempo. Vinieron a verlo muchas gentes al principio; y le tomaron fotos y su retrato salió en los diarios; y le daban de comer y le regalaban dinero, "para cuando saliera". La tía murió en ese tiempo. Quienes eran más asiduos eran unos hombres amables que, al enterarse de su desgracia, se ofrecieron a ayudarlo, a buscarle colegio, un hogar, educación. Eran, lo supo después, de un partido político que luchaba por defender a los caídos, por mejorar las condiciones de vida de las clases bajas; que fomentaba el odio en contra de la violencia; de esa estúpida violencia inútil de la cual, él, era una víctima.

Y un día comprendió todo. Era la primera vez que le permitían ir al retrete, por su propio pie. Al buscarse entre las piernas su mano no encontró nada.

Nada.

Ivo alzó la cabeza. Estaba más sereno. Se sentó en la cama.

"El amor no daña", pensó con todo el odio de que era capaz.

3

Acompañado por Damián y por el Güero retornaba Marcos Luquín del interior de la fábrica. Venía furioso, lleno de hirviente rabia homicida.

–Voy a matarlo —gruñía entre dientes.

Lo había llevado Damián a que viera lo que Ivo había hecho en el departamento de vinagre. Luquín estuvo unos minutos, con los ojos arrasados de lágrimas, contemplando la obra destructora de aquel tipo, tan cruel, tan decididamente malvado. Apretó los dientes y luego blasfemó contra él y contra la cochina madre que lo había parido. La máquina estaba inmóvil; el motor roto; el tubo del filtro de aire, en pedazos, en el suelo.

–Creí que tú lo habías mandado —explicaba Damián.

Luquín no respondía. Sus compañeros miraban su rostro colérico y escuchaban el rechinido animal de sus dientes. Casi corriendo salieron de allí, un paso atrás de sus talones.

–Voy a matarlo —repetía sin cesar.

El Güero trató de emparejar su trote al de Luquín.

–Déjamelo a mí. Lo voltearé al revés a punta de golpes...

Luquín movía la cabeza. Él quería hacerlo; sus manos exigían imponer el castigo.

Iba diciendo, como para sí:

–¿Por qué tenía que hacerlo? ¿Por qué?

Consideraba la cuestión como algo puramente personal. "Si yo le dije que eso no se tocara; que no permitiría que se tocara. El muy cerdo. Todo quiere destruirlo; dañarlo, hacerlo inútil. Pero, eso, mi barril; mi trabajo, mi orgullo."

–Así son —repuso Damián, reflexivamente—; vienen, se aprovechan. ¡Qué bueno que los vas conociendo!

Asentía Marcos, amargamente.

–Claro que los voy conociendo... Que los conozca, ya —sentíase retado, burlado. Por primera vez en la noche experimentaba el deseo de mandar todo al diablo, de largarse a su casa y abandonar a los demás a su propia suerte. Éste fue su primer impulso; pero reflexionó y descubrió que era su orgullo lastimado quien lo empujaba a pensar así. Hasta el momento, la huelga era algo confuso; algo que él mismo consideraba demasiado grande y arduo para sus recursos y capacidad, y apoyado en esta falsa premisa permitió que fueran otras manos las que manejaran el movimiento. "Pero eso se acabó. Sí señor; se acabó. Ahora mismo los echaré a patadas y les meteré sus banderas por..." Pero, ahora, era diferente. La acción de Ivo, al destrozar el tonel principal y el mecanismo que lo mantenía en acción, era más que un reto, más que un simple acto de sabotaje; era una bofetada en el rostro de Luquín, un desafío; tal como si, con ello, quisiera Ivo demostrarle que él, Marcos, nada tenía, nada podía hacer allí. ¿No acaso había dicho, una hora antes, que la huelga no les pertenecía?

Cruzaron la puerta tronera y se dirigían, los tres, hacia el hotel, cuando alguien vino, corriendo a avisarle:

—Marcos, el señor Perkins está allá...

Señalaba hacia la barricada. Los faros del gran automóvil negro eran como dos pasamanos luminosos. Entre la gente corrió el rumor de que Perkins venía a conferenciar con Marcos, y hombres y mujeres empezaron a reunirse a espaldas de su jefe, aun antes de que Luquín decidiera nada.

Optó por dejar a Ivo en paz, momentáneamente, y ordenó que se le abriera paso a Perkins. El Güero fue a la barricada a transmitir el mandato de Marcos.

—Que pase...

El compañero de Ivo, que tenía a su cargo la vigilancia allí, se opuso:

—¿Quién lo manda?

—Marcos...

—Sólo si Ivo lo dice...

—¡Que lo quiten! —rugió el Güero.

El otro le dio la espalda. Entonces el puño rojizo del Güero cruzó el aire caliente de la noche y se estrelló en la nuca del otro; cayó como un costal sobre los adoquines. Sus compañeros, sorprendidos, no hicieron nada por defenderlo.

El Güero dentelló:

—Quiten esos barriles...

Se abrió la brecha y el coche de Perkins entró en la calle. Desfiló lentamente, como horas antes lo había hecho el de Modesto, entre una valla de obreros silenciosos y llenos de curiosidad. Llegó ante la puerta de la Empacadora y se detuvo.

Bajó Perkins.

Algunas voces anónimas gritaron:

—Mueran los capitalistas...

Otras bocas silbaron, ofensivamente para las primeras.

Marcos avanzaba hacia el gerente. Se detuvo a unos tres pasos de él, sintiendo a su espalda las respiraciones de un medio millar de obreros, la fuerza que lo apuntalaba para enfrentarse, en igualdad de circunstancias, con el hombre cuya intransigencia los había empujado a la huelga.

Perkins sonreía.

—Buen recibimiento, ¿eh?

Marcos Luquín sólo dijo:

—Buenas noches, Mr. Perkins...

Éste se adelantó y le tendió la mano.

—Quiero hablar contigo, Marcos...

De la masa de huelguistas se levantó un caliente y sorprendido murmullo; un zumbido de conjeturas, de voces ahogadas, de ruidos guturales que no tenían forma; que no expresaban nada, excepto asombro.

Luquín afirmó con la cabeza, lentamente:

—Como guste...

Las gentes se habían acercado a ellos, rodeándolos, comprimiéndolos, presionándolos con su fuerza envolvente. Perkins dijo:

—A solas. Tú y yo, nada más... Quiero arreglar las cosas...

Esto último lo dijo en tono más alto; y sus palabras rodaron, del centro a la periferia, rápidamente.

—Viene a arreglar las cosas...

—Va a terminar la huelga...

—Ha doblado las manos...

De las últimas filas vino, entonces, otro rumor; el rumor fastidiado de hombres a los que apartaban a empellones, a codazos, con apresurada brusquedad. La masa se removió y las cabezas se volvieron. Ivo, sin miramientos, seguido por U, hendía la barrera humana tratando de llegar cuanto antes a su núcleo central.

Cuando estuvo ante Perkins preguntó:

—¿Qué pasa?

—Nada que te importe...

Por unos instantes Ivo quedó estupefacto, separados los pálidos labios, en actitud de replicar. Miraba, sin comprender, a Marcos y luego a Perkins.

Se rehizo.

—¿Qué dices? —encarando a Perkins, insistió. ¿Qué quiere éste aquí?

Tranquilamente Perkins contestó:

–He venido a hablar con Marcos.

Ivo tomó la iniciativa:

–Marcos no tiene nada qué hablar con usted...

Marcos lo echó a un lado, bruscamente, haciéndolo rebotar contra los hombres y las mujeres del cerco.

–Vete de aquí...

Un murmullo, tan confuso como los anteriores, coreó la acción de Marcos Luquín.

Ivo chilló:

–¡Luquín!...

Pero Marcos le había vuelto la espalda y decía:

–Venga, pues, Mr. Perkins...

Los hombres les hicieron un corredor entre ellos para que pasaran. Se dirigían al hotel. Rápidamente Ivo dio un rodeo, para enfrentarlos. Antes de que entraran los detuvo, bloqueando la puerta.

–Si quiere hablar, hablará conmigo...

Fríamente Perkins preguntó:

–¿Quién es éste?

–Nadie —dijo Marcos, retirándolo para que Perkins pasara. Ivo lo tironeó por la camisa.

–Tienes que obedecer, Luquín. Yo debo hablar con él.

–Eso, lo veremos...

–Son órdenes; Modesto lo dispuso así.

–Tú y Modesto vayan a...

Ivo no lo dejó terminar:

–Échalo de aquí. No tenemos nada que discutir con él... Vienen a enredarte...

Marcos Luquín lo apartó definitivamente y siguió a Perkins, que lo aguardaba a la mitad de la escalera.

Entraron al cuarto. Marcos había dejado la puerta abierta. Perkins indicó:

–Será mejor que cierres...

Lo hizo Luquín. El calor, allí, era intenso, molesto. Perkins se quitó el saco.

–¿Te importa? —preguntó con una cortesía que a él mismo, incluso, le pareció ridícula y fuera de lugar.

–Póngase cómodo —repuso Marcos, sentándose a caballo en la silla.

Perkins encendió un cigarrillo. Dijo, al cabo:

–He venido a buscar un arreglo...

Marcos indicó que comprendía.

–Usted dirá, Mr. Perkins...

4

El tic-tac del reloj sonaba, regularmente, con su tranquilo ritmo seguro, en la calurosa penumbra. La comadrona aguardaba, sin prisa, ya sin sueño.

–¿Duele? —preguntó al cabo.

Lola gemía como un animal moribundo. Su cuerpo estaba desgarrándose, en un dolor de muerte, desde hacía horas; desde que en la calle se apagaron los ruidos; desde que sintió que la hora definitiva, y tan esperada, había llegado. Sentía un miedo tremendo y lo único que acertaba a hacer, en cada espasmo, era llorar; un llanto casi infantil, continuo y no muy alto.

–Dentro de poco saldrá —opinó la anciana que la atendía.

Tenía ya todo listo en una silla junto a la cama; los lienzos, el agua, unos frasquitos con aceite; un pomo con el nitrato de plata y el gotero, cuya bomba aseguraba al tubo de cristal con una liga de hule. Ella no tenía prisa. Le pagaban por esperar y esperaba, pensando en que lo que tiene que ocurrir ocurre siempre.

Se levantó y, con un paliacate, limpió el sudor que humedecía el rostro moreno de la parturienta.

–Pobrecita —dijo. Pero no había lástima; ni siquiera sentimiento; un modo de decir, de consolarla en el trance.

Ahora los dolores eran más fuertes, más continuos. Lola pensó en el último, unos minutos antes, que se desmayaría; desesperada echó los brazos hacia atrás y sus manos, como garras, se prendieron en los barrotes del latón de la cama; el metal sentíase tibio al tacto. Se estremeció.

La comadrona, que había permanecido en la modorra aparente de la indiferencia profesional, se levantó; ahora no de un modo casual, tranquilo, sino en un apresurado revolar de faldas oscuras, olorosas a viejo.

–Ahora sí ya —suspiró.

Fue una lucha breve; una lucha de vida y dolor. La deforme y joven mujer tuvo un último, intenso estremecimiento, y del fondo de su cuerpo brotó un aullido desgarrado y taladrante.

Vino luego el silencio.

Las manos de la comadrona hurgaron rápidamente entre los muslos sangrantes y húmedos; y al cabo ocurrió el milagro. La vida se continuaba, se multiplicaba, se prolongaba en un nuevo ser, rojo y palpitante, al que sostenía por los tobillos, cabeza abajo, como un conejo muerto.

En el silencio, el primer grito.

Un poco más tarde, en cuanto hubo limpiado al niño, la mujer lo puso al lado de Lola. Era moreno y grande y abría la boca con el ansia angustiada de los peces fuera del agua.

—Ya tienes a tu muchachito —suspiró la comadrona.

Lola apoyo su mejilla en la mojada pelambre negra del niño. Sonrió. Lloraba mansamente, vacía de dolor; muy tranquila.

Al cabo, mientras las palabras silbaban al pasar entre sus labios resecos, suspiró:

—Marcos quería un machito.

La comadrona murmuró algo amable que no comprendió. No la escuchaba a ella; tan sólo al acompasado respirar de ese oscuro pedazo de carne que era su hijo; que algún día sería doctor, como Marcos quería. Sintió que el sueño le hacía cosquillas tras de los ojos y se abandonó a él, pensando que al amanecer tendría a su lado al hombre que había hecho fecundo su placer.

Y en el sueño se vio a sí misma con su hijo en brazos, al lado de Marcos, entrando a la iglesia, ya no con un traje blanco pero sí nuevo; y al padre José sonriente, aguardándolos.

5

Estaban sentados en la banqueta, frente al hotel.

U preguntó:

—¿Qué tanto hablarán?

—No sé —repuso Ivo, irritado.

—Llevan mucho encerrados.

—¿Y qué?

—Estaba pensando —indicó U—, ¿no nos irá hacer una tarugada?

Ivo negó con la cabeza.

—No es tan bruto. Quizá —añadió, con desdén— la haga después, si lo dejamos; pero no ahora...

La gente había vuelto a desparramarse por la calle. El gran cuerpo de la huelga estaba ahora fragmentado en docenas de pequeños grupos. Ya no jugaban, porque todo seguía húmedo por el aguacero; pero, aunque hubiese estado seco, tampoco lo habrían hecho. Los ojos seguían, con atención, las idas y venidas fugaces en el marco de la ventana, de Mr. Perkins y de Luquín. Ambos llevaban casi una hora en la habitación del primer piso, hablando, arreglando el problema. Y, abajo, los obreros esperaban verlos aparecer y anunciar algo: que el paro terminaba o seguía.

Comenzaban a cansarse, no tanto de la espera, sino de la huelga en sí. Se daban cuenta de que el movimiento era, visto en frío, algo que no tenía razón de ser; que ellos mismos, en la excitación de las primeras horas, se habían precipitado al apoyarlo. Casi todos deseaban acabar, marcharse a sus casas. La pasión habíase enfriado. Pero no reprochaban a Luquín haberlos llevado a la huelga. No. Les fastidiaba estar en ella, pero la continuarían mientras Marcos lo dijera.

Bostezaban las bocas su fatiga; los ojos ardían por el desvelo; los cuerpos exigían algo más que la dura banqueta para descansar. Incluso las mujeres que repartían el café carecían ya del brío, rijoso y sonriente, del principio. Algunos descabezaban un sueñecito ante las ollas humeantes.

U preguntó, después de un largo silencio:

—Después, ¿a dónde iremos, Ivo?

—¡Qué sé yo!

—Han hablado de ir a las minas...

En un bostezo Ivo dijo:

—Olvídalo. Eso será después. Aquí tendremos para largo...

Hasta la propia gente de Ivo se aburría. Los hombres formaban grupos de agrias caras con sueño pero no se mezclaban con los obreros. Permanecían aparte, como pastores cuidando a las ovejas. Pero no había tensión en ellos, ni siquiera la discreta vigilancia de la última hora. Aun en la barricada, y en las otras puertas, los piquetes habían aflojado, y sus componentes, lejos de la mirada dura de Ivo o de U, fraternizaban con los muchachos de la huelga y, principalmente, con las mujeres. Cerca del callejón uno de ellos se entretenía rascándole el lomo a la gata blanca que había ido a frotar sus costillas contra la pernera del pantalón. Quien estaba junto, comentó:

—Vamos a armar un relajo...

—¿Cómo?

—Ya verás...

El gato negro, hecho un ovillo, dormitaba un poco más allá, cerca de la puerta. El hombre se acercó sin ruido. El animal entreabrió los ojos amarillos y soñolientos y no hizo ademán de moverse cuando le pusieron la mano encima.

El hombre se reunió con su compañero, llevando al gato negro en los brazos.

—Búscate un mecate —indicó, guiñando un ojo.

El otro, sin soltar a la gata, cortó un trozo de la cuerda que sujetaba uno de los extremos de la bandera rojinegra. Su compañero, con regocijada perversidad amarró el áspero hilo a la cola del animal negro y luego hizo lo mismo con la hembra. Los dos bichos empezaron a maullar, lastimeramente.

–Ven...

Los dos hombres, llevando cada uno a un gato, se levantaron. El que tomaba la iniciativa explicó:

–¿Ves el poste?

–Ajá...

–Hay que soltar a los gatos, en tal forma que se enreden en el poste. Y haciendo un poco de boruca van a volverse locos...

Así lo hicieron. Los animales, asustados por el estrépito de los gritos y del batir de las manos de sus verdugos, corrieron desaforadamente; más de prisa el macho, que arrastró casi a la hembra; que la hubiese arrastrado más aún, hasta el oscuro pasadizo fangoso, si no hubiera encontrado en su camino, como se previó, el poste. Las bestias, empavorecidas, comenzaron a chillar con desgarrados lamentos, dando vueltas y más vueltas sobre sí mismas, en torno a la columna de cemento que los retenía y en la que iban enredándose inexorablemente.

Los obreros que estaban más próximos comenzaron a acercarse. Se detenían para mirar a los gatos debatirse en la angustia de su pánico, prisioneros de las cuerdas y del poste; azuzados por los que habían ideado esa diversión cruel y terrible que reían con un regocijo indignante. Nadie se atrevía a intervenir, por más que los enfureciera la tortura. Miraban tan sólo, con impotente cobardía. Luego se sumaron a los del primer grupo otros, que se hallaban rezagados, hasta formar un corro inmenso, silencioso y estupefacto.

Ivo preguntó:

–¿Qué pasa allí?

U también se puso en pie:

–Parece que alguien se está peleando...

Los dos corrieron hacia el grupo, apartaron a empellones a quienes les bloqueaban el paso y llegaron al espacio abierto en torno al poste, a los gatos y a quienes los hostigaban con gritos y con el batir ensordecedor de sus palmas.

Ivo se detuvo en seco y les gritó algo. Los otros dos no lo escucharon, ahogando el grito de Ivo con los suyos y con el maullar desesperado de los animales. Pálido de rabia Ivo metió mano a la bolsa y sus manos empuñaron la manopla de acero. Se aproximó al más cercano de los verdugos y descargó, con saña, un puñetazo detrás de su oreja. El hombre vaciló sobre sus pies, giró un poco con los ojos vidriados y cayó.

Sacudido por un temblor de furia asesina, muy pálido y lanzando palabrotas, Ivo alzó el pie y el tacón de su zapato se estrelló en la cara, ya sangrante, del caído. Y lo golpeó repetidas veces, ciego de ira, estremecido por un ansia salvaje de vengar el dolor y el miedo de los animales.

U luchaba por apartar a Ivo de allí. Lo quiso tomar por detrás pero Ivo se defendía, sin ver a quien atacaba, lanzando puñetazos y patadas. Entonces U cargó con todo el peso de su cuerpo y lo derribó. Se echó sobre él.

–Cálmate —gritó. Que te calmes.

Lo tuvo inmóvil, atenaceado por las muñecas, de espaldas al cemento de la acera, hasta que Ivo pareció recobrar la razón. Lo soltó, pero siguió a su lado, mientras el otro se incorporaba lentamente y gritaba a los curiosos:

–Largo...

La gente reculó. El círculo humano fue ensanchándose; casi todos retrocedieron hasta la acera opuesta, o se apartaron simplemente, sin preguntar qué iba a ocurrir ahora con el hombre que sangraba, inmóvil, en el piso.

U, que lo examinaba, dijo:

–Sólo está desmayado —y luego, a otros de sus compañeros, que se habían aproximado durante la pelea—: Llévenselo de aquí. Échenle alcohol o un cubetazo para que reviva...

Soslayando apenas a Ivo, que se dirigía lentamente hacia el poste, los hombres se llevaron al compañero caído. U los miró hasta comprobar que lo colocaban, sentado, de espaldas al muro, cerca de la puerta, y que una de las mujeres de la huelga, con un trapo húmedo, le limpiaba la sangre de la aporreada cara.

Al ver a Ivo, jadeantes y llenos de miedo, los gatos tornaron a maullar. Ivo se arrodilló y empezó a buscar la manera de librarlos del tormento. Los animales lanzaban desesperados zarpazos, hasta hacerlas sangrar, contra las delgadas manos huesudas de ese hombre todavía furioso, que repetía:

–Cobarde, hijo de perra...

Ellos seguían, muy cerca uno del otro, en la oscuridad. El silencio los envolvía con sus manos negras y calientes. Su mundo parecía haber excluido todo ruido que no fuera el de sus respiraciones; casi ya una sola. Pancho dijo entonces que regresaran. Ella, en la penumbra del callejón, movió la cabeza.

–Anda, vamos —insistió él—, es mejor regresar.

–No. Todavía no —rogó Lupe, con su vocecita. Me da pena...

Pancho trató de aparentar confianza.

–Pena ¿de qué? Nadie va a decirte nada.

–De todos modos. Espera...

Volvieron a abrazarse y siguieron así un tiempo. Una locomotora silbó en el patio. En el silencio percibían, muy claramente, el retumbar de las ruedas martilleando sobre las junturas de los rieles. Algún reloj marcaba la hora.

Pancho Bicicleta suspiró, hablándole al oído.

–Te quiero...

Ella pensaba en otra cosa. Con mucha formalidad indicó:

–Tendrás que ir a buscar al padre José.

Brevemente, con una tierna malicia que la hizo ruborizar en la penumbra, Pancho rio:

–Ya lo había pensado...

LA HORA UNDÉCIMA

1

Todos los rostros se volvieron hacia la ventana cuando apareció en ella Marcos Luquín.

—Compañeros —gritó, haciendo con sus manos una bocina. Tengo algo que decirles, algo que interesa a todos.

Instantáneamente hombres y mujeres guardaron silencio. Las pequeñas fracciones conversadoras, las parejas, los individuos solos, comenzaron a acercarse, hasta formar un apretado, compacto, quieto grupo en espera. Los que vigilaban las otras puertas llegaban corriendo, preguntándose qué iba a ocurrir, o sabiendo, por adelantado, cuál sería la noticia que Marcos les reservaba.

Marcos alzó los dos brazos.

—Compañeros —indicó. ¡La huelga ha terminado!

Primero fue el silencio, más severo y seco; después, una oleada de murmullos farfullados por lo bajo; y, por último, brotando de todas las gargantas, de todos los pechos, de todas las bocas, una gritería ensordecedora; vivas entusiastas y porras para Marcos Luquín.

Éste dejó que los obreros gritaran cuanto quisieran. Algunos, sin esperar a más, comenzaron a marcharse apresuradamente; pero el resto continuó al pie del muro, agitando los brazos, sonriendo, hablando, entre sí.

Ivo apretó los dientes. Habíase puesto color de yeso. Se recargó a la pared y estuvo mirando largamente a la ventana.

U preguntó:

—¿Qué pasó, Ivo?

Éste rechinaba:

—Lo hizo... El muy marrano lo hizo.

Movía apenas los labios; duro como una estatua, invadido por una helada cólera paralizadora.

U insistía:

—¿Qué vamos a hacer ahora, Ivo?

Pero Ivo no respondió ya; como uno de esos muñecos de resorte a los que se les da impulso, movía la cabeza de un lado a otro, rehusándose a admitir lo que escuchaba; las porras en honor de Marcos; las palabras de éste, que iban cayendo sobre los obreros como una llovizna.

–El hijo de perra vendió la huelga —comentó U.

Ivo no podía admitir aquello; era imposible que Marcos Luquín hubiese transado con la empresa. "No puede hacerlo. Le dije que no lo hiciera —repetíase. Todo se viene abajo. Los planes de Modesto. Los míos. Fue una estupidez mía dejarlo solo. Es un taimado y me engañó. En cuanto pudo sacó las uñas. Ahora, yo... Maldito bastardo..."

–¿Qué vamos a hacer?

Ivo no lo sabía.

–Cállate. Déjame en paz...

–Modesto va a enojarse mucho...

–Cierra la puerca boca —bramó Ivo.

Los aplausos habían acallado las últimas palabras de Marcos. Sus gentes, sus amigos, sus compañeros, lo vitoreaban con un entusiasmo desmedido, con una furia casi increíble. Ya no había sueño ni modorra. Todos vivían minutos de excitación inolvidable. Marcos era el héroe. Aun los que lo criticaban en los corrillos, en voz baja, por haber llevado a la huelga, a gente extraña a la Empacadora, reconocían que nunca habían dudado de él, ni de su habilidad para manejar la situación, ni de su talento para negociar, en los mejores términos posibles, un arreglo con la empresa.

Marcos sudaba, sonreía, tenía la sensación de haberse vuelto a encontrar; de ser nuevamente el jefe de la multitud que lo aplaudía y lanzaba vivas. Era él y ello le producía un placer casi físico. Si en alguna de las once horas que había durado la huelga habíase abandonado al desaliento, ya no lo recordaba; no quería recordarlo. En esta hora undécima del conflicto las cosas volvían a la normalidad; la gente tornaba a entregarle su confianza; a dársele sin reservas, sin reproches, sin oscuras miradas de soslayo. Lo miraban de frente, con los rostros francos y limpios de recelo.

Perkins se mantenía, dentro del cuarto, en un discreto segundo plano atrás de Marcos, sin dejarse ver. Respiraba aliviado y lleno de fatiga. Sus fríos ojos tenían un brillo de satisfacción. Sonrió, para sí. "La gente de Nueva York va a protestar. Por mí, pueden irse al diablo." Veía las espaldas de Luquín inclinarse un poco hacia afuera; y sus brazos moverse, en amplios ademanes, respondiendo a los saludos, a los vítores, a las ruidosas porras; a los que lo llamaban por su nombre. Perkins no deseaba, en ese momento triunfal, empañar la gloria de su enemigo.

Sin embargo, comentó en voz alta:

—Están felices, ¿eh?

Volviéndose apenas, aceptó Marcos:

—Sí...

Desde abajo, el Güero gritaba:

—¿Qué más, Marcos? ¿Qué otra cosa?

Demandaba silencio Marcos Luquín. Los rumores se apagaban, cuando él continuó:

—La huelga se arregló bajo nuestras condiciones —nuevos gritos lo interrumpieron. Aguardó casi dos minutos, antes de proseguir—; y obtuvieron, de paso, otras ventajas, desde ahora, algo que íbamos a pedir cuando discutiéramos el nuevo contrato colectivo —hubo risas. El mismo Luquín sonreía, feliz—: la Empresa se compromete a construirnos la clínica, la guardería y el parque de beisbol —sus últimas palabras fueron ahogadas por una ovación. Dentro del gran grupo, otro, más pequeño, comandado por el Güero que era un buen segunda base, lanzó al aire ya fresco de la noche que pronto sería amanecer, una ruidosa porra—; a cambio de eso he hecho un compromiso. Lo hice a nombre de ustedes; pero si ustedes no están conformes pueden decirlo...

Callaron todos, instantáneamente, otra vez. Los rostros se pusieron tensos; los ceños fueron frunciéndose, las mandíbulas se aflojaron; las orejas se abrían y las mentes poníanse alertas para escuchar, analizar, sopesar, escudriñar las próximas palabras de Luquín; que bien pudieran ocultar traición o trampa.

Luquín veía esas caras silenciosas y expectantes. Esas bocas abiertas y esos cuerpos, rígidos y extrañamente quietos, parados bajo la ventana; brotando como árboles sin follaje del piso de adoquines, todavía húmedo y fangoso.

Siguió, lenta, claramente:

—Éste es el compromiso: La huelga ha detenido, por once horas, la Empacadora. Once horas que pueden recuperarse si hacemos doble jornada, si echamos el resto, como sabemos hacerlo cuando es necesario. ¿Ustedes dicen: lo aceptan?

La multitud se removió; pareció volverse sobre sí misma, mezclarse dentro de un ámbito, fluir y refluir mientras hombres y mujeres pesaban, en la estricta balanza de su conveniencia, lo que a nombre de ellos se había comprometido Luquín a hacer. No fue necesario deliberar mucho; había, en todos los integrantes de esa masa humana, la convicción de que era preciso apoyar a Marcos.

Y fue entonces el Güero quien repuso interpretando el sentir de sus compañeros:

–Conformes, Marcos...

Otro gritó:

–¿Cuándo empezamos?

Luquín respondió:

–Ahorita... acaban de dar las cinco. Los del primer turno, ¡a darle!

Ésa fue la señal. La masa empezó a desplazarse ruidosamente por la calle. En su marcha comenzó a arrasar cuanto le estorbaba. Las tiendas del Socorro Rojo Internacional fueron arrolladas, pisoteadas, batidas por centenares de presurosos pies; las estufas rodaban por el suelo y los peroles con sopa y los baldes de café y las latas de combustible; e incluso los hombres más viejos o los más débiles o simplemente los que perdían el paso. Los demás, sin pánico ni salvajismo, sólo con la inconsciencia de la colectividad ciega que no razona en su huida, pasaban encima sin detenerse a auxiliarlos.

Una de las banderas rojinegras de la puerta principal fue arrancada y lanzada al paso de la chusma. Ivo corrió a rescatarla. Con ella en las manos la tremolaba y gritaba a la multitud que se detuviera, que razonara, que escuchara sus palabras. Pero no lo oían. Pasaban junto, rozándolo, haciéndolo rebotar, en una carrera loca llena de gritos y de risas; con una irresponsabilidad que él consideraba insensata, estúpida y criminal.

Había que hablarles, detenerlos, sacudirlos con algo. Corrió rápidamente, cruzando la calle, hacia la limousina de Perkins. De un salto llegó al cofre y luego al techo, en tanto que el chofer de uniforme trataba de detenerlo. Llegó, incluso, a tironearlo por los tobillos. Ivo se libró de él aplastándole la mano.

Tenía sólo unos segundos, un minuto quizá, para evitar la desbandada; para contener al torrente humano que aullaba al retirarse.

Gritó con toda su fuerza; con toda su rabia:

–Esperen, no se vayan...

Nadie le hacía caso. Nadie, siquiera, reparaba en él, ridículo allí en lo alto de la limousina, agitando la enfangada bandera de la huelga.

–No sean locos... Deténganse... Recapaciten... Marcos Luquín los ha vendido... Ha entregado la huelga a la empresa.... No dejen que los vendan como borregos... Vuelvan a sus sitios. La huelga se arreglará, sí, pero en otra forma... No se vayan... Esperen...

No lo escuchaban. Estuvo allí unos minutos, muy pálido su flaco rostro granujiento. Se dio cuenta, al cabo, de que estaba llorando. Saltó del auto. Ya casi no quedaba nadie en la calle. El chofer lo miraba rencorosamente, sin atreverse a tomar venganza. Sólo sus compañeros hallábanse con él, empuñadas sus macanas de plomo y los ojos crueles llenos de odio.

U preguntó:

—¿Qué hacemos, Ivo? —la ferocidad refulgió en su mirada. ¿Les damos una manita?

Ivo movió la cabeza.

Las luces se apagaron. Los hombres de Cheve retiraban los hilos de focos. Por unos momentos la oscuridad se hizo presente. Después, poco a poco, volvió a reaparecer, a emerger de la azulada penumbra, cuanto había en la calle; los muros, el auto negro, el hotel con su ventana amarillenta; las sombras silenciosas de los camaradas.

—Nada. Déjalos...

Perkins recorrió con Marcos Luquín y con sus compañeros del comité de huelga las dependencias de la Empacadora. Los hombres del primer turno volvían a sus labores. Las calderas fueron encendidas de nuevo. La subestación principal fue puesta en marcha. Ante el destrozado motor del gran tonel de vinagre Marcos volvió a experimentar el mismo impulso asesino que lo hizo pensar en matar a Ivo. Estuvieron allí, en silencio, como ante el cadáver de un amigo, un tiempo sin medida.

Al cabo el gerente dijo:

—Es una verdadera lástima.

—Lo compondremos en unas cuantas horas. Yo, personalmente...

—Lo sé, Luquín.

Poco a poco empezó a dejarse oir el zumbido de las máquinas, de los tornos, de las cadenas sinfin transportando miles de latas que no habían sido terminadas al empezar la huelga. El latir mecánico, metálico, de la Empacadora, se reanudaba. Algunas mujeres, tras de santiguarse, maldecían a la madre del hijo de perra que había roto la imagen sagrada, y algunas más confesaban, sin rubor, con una unción oscura, que comprarían milagros de plata, y aun de oro, para colocarlos en el marco del santo que había escuchado sus ruegos para que la huelga terminase cuanto antes.

Bajo las pesadas ruedas dobles de los grandes trailers de 25 to-

neladas se estremecía el pavimento de los patios; centelleaban los gritos de los jefes de sección, que remplazaban a los capataces; se percibía el silbido del vapor escapando de las maquinas recién echadas a
andar; el golpeteo ensordecedor de las troqueladoras perforando la
hojalata en el departamento de envases.

Y afuera, mientras el grupo que seguía a Luquín y a Perkins
caminaba con las manos bien metidas en los bolsillos, porque la madrugada tornábase fresca y casi hiriente, se hacían planes, se reorga-
nizaba la labor de los turnos siguientes.

–Para esta noche —decía Marcos— nos habremos puesto al
corriente...

–Me parece bien —admitía Perkins.

Ya sin tensión, los hombres bromeaban:

–Fue una bonita huelga, ¿eh, Mr. Perkins?

–Claro.

–¿Le metimos un buen susto, verdad, Mr. Perkins?

–Y cómo —respondía el gerente; políticamente. Espero que no
se repita...

Marcos respondió:

–No en mucho tiempo. Se lo aseguro...

–Eso es. Hay que ser sensatos...

–Y otra cosa, Mr. Perkins —decía Marcos—, pagaremos la mercancía que fue necesario sacar. Usted sabe...

–Bah. Olvídelo. Regalo de la casa. Yo habría hecho lo mismo.

Salieron de la Empacadora. Un grupo de siluetas aguardaba,
a un lado de la puerta. Marcos las reconoció. Las siluetas no se movieron cuando ellos, acompañando a Perkins, pasaron rozándolas.

Perkins montó a su limousina. Tendió la mano a Luquín.

–Ya nos veremos, Marcos.

–Sí, señor...

Reteniendo entre la suya la ruda mano de Luquín, indicó el
gerente:

–Ha sido una lección para ambos, ¿eh Luquín? —asintió éste.
De ahora en adelante, te lo prometo, no volveremos a pelearnos: los
dos tuvimos parte de culpa; pero, eso ya pasó. ¿Amigos?

–Amigos...

El motor de la limousina ronroneaba suavemente: las manos
de los compañeros de Luquín estrecharon, de prisa, casi anónimas, la
de Perkins.

Éste dijo:

–Los veré a las nueve, en la Junta. Allí firmaremos.

–Sí, señor...

Perkins dio orden a su chofer de marcharse.

Mientras veían las rojas luces traseras del vehículo trasponer la arrollada barrera de barriles, el Güero preguntó señalando a la gente de Ivo, que venía hacia ellos, compacta y amenazadora detrás de su jefe.

–Y con ésos, ¿qué?

–Nada. Yo los arreglaré...

Ivo indicó a los suyos que se detuvieran. Avanzó solo hasta encontrarse con Luquín.

Preguntó calmadamente:

–¿Por qué lo hiciste?

–Porque no había motivo para prolongar la huelga.

–¿No? ¿Por qué?

–Como dije a los muchachos, se arreglaron las cosas como queríamos. La empresa estuvo de acuerdo en reinstalar a los cuatro separados.

–¿Y bastaba eso?

–Para mí, sí.

–Ha sido una idiotez.

Marcos apretó los puños.

–¿No era lo que exigíamos? ¿No tú mismo dijiste que...? —sin alterarse Ivo lo interrumpió:

–Modesto va a enojarse mucho...

–Que se enoje...

–Eso no puedes decírselo.

–Se lo diré cuando lo vea. Cuando él venga...

Ivo se encogió de hombros. Movía la cabeza, con desdén:

–Te falta mucho que aprender, Luquín. Careces de tacto político. Y yo que creía que serías un buen líder...

–Lo siento mucho... Ivo —dijo después—, ahora que ya acabó todo, ¿qué buscaban ustedes aquí?

Casi un minuto necesitó Ivo para responder. Y sólo dijo:

–No lo entenderías —se volvió a los suyos—: Vámonos.

Al pasar junto a Marcos le dio una palmadita. Sonreía. Su delgada silueta se confundió con las sombras. Alguien, de un puntapié, hizo rodar un bote. El gachupín del hotel apagó la ventana.

–¿Qué hacemos, Marcos?

–Ustedes —dijo Luquín a los que lo acompañaban—, váyanse a dormir un rato. Me quedaré un poco aquí, arreglando lo que falte. Nos veremos, en la Junta, a las nueve. Para firmar...

Regresaba, solo, a la Empacadora. Sentíase feliz; ya no lo irritaba ni el cansancio ni el sueño. Una energía vital hacíalo olvidar que llevaba casi veinticuatro horas sin descansar. Respiró el fresco aire de la madrugada. Su cuerpo era fuerte, sólido, firme. Su mente estaba despejada, como si hubiera dormido una semana entera.

Dos siluetas se acercaron. Las reconoció en seguida y se detuvo. Eran Pancho y Lupe. No lo veían de frente y él sonrió recordando la escena de la tienda de campaña y aquella fugaz visión de la chica con las faldas levantadas.

Tartamudeó Pancho:

—Don Marcos... yo... nosotros...

—¿Qué pasa ahora, muchachos?

Vino un corto silencio. Pancho dijo, entonces:

—Acá Lupe... y yo, también, claro... queremos... hemos pensado que usted... si puede y quiere... nos haga dos favores...

—Tú dirás...

—Bueno, usted ya sabe... Ya vio...

—Sí...

—Queremos casarnos, en una palabra... Y los dos favores —Pancho tomó aire; saltaba por sobre las trancas del tartamudeo y recitaba de corrido, rápidamente, atropellándose— son éstos: que pida para mí la mano de Lupe... Usted sabe, su mamá no me puede ver y es capaz de...; y que sea nuestro padrino cuando...

Rio Luquín.

—Si la doña sabe lo que pasó, los casa con una escopeta en el lomo...

—¿Lo hará, don Marcos? —preguntó Lupe, con su vocecita.

—Mañana mismo... y ahora, cada quien a su casa... —los vio irse.

Silbando volvió al interior de la fábrica. "Después de todo —pensó— lo único positivo de la huelga fue este amor." Y no pudo dejar de recordar a Lía y su blanca cama sudorosa.

2

—Debe ser aquí.

—¿Entro contigo, Ivo?

—No. Quédate.

—Bueno.

U había detenido el viejo Ford ante la alta barda de piedra gris. Ivo abrió la puerta. La madrugada era fresca y el cielo continuaba oscuro y distante. Sintió que el frío se colaba hasta sus costillas. Se escuchó en alguna parte de aquel silencio, el silbido de un velador. "Por fin encontramos la maldita casa", pensó. Habían estado buscándola casi media hora, en aquel dédalo de calles sin señales; en ese laberinto negro sin alumbrado, que discurría entre ásperas rocas volcánicas.

Estaba fuera del auto, indeciso por unos segundos. La muralla era elevada. Tenía una presencia sólida, inexpugnable.

—No vayas a dormirte. No tardaré —ordenó Ivo.

—Está bien...

Dos parejas de vigilantes nocturnos cruzaron con sus bicicletas silenciosas por la calle, frente a ellos, pero no se detuvieron; no les echaron encima, siquiera, las luces de sus linternas. Ivo necesitó un minuto para localizar el timbre. Lo oprimió varias veces, y esperó. Estaba de mal humor, con una gota de odio persistente y cayéndole en el estómago. De mal humor y lleno de desprecio por su imbecilidad. No comprendía cómo pudo descuidarse al grado de propiciar el engaño, la mala jugada, la traición de Marcos Luquín. Y repetíase: "No debí dejarlo solo. No debí...".

Sobre su cabeza se encendió de pronto, como una regadera, un reflector y una apagada voz preguntó, desde el otro lado de la puerta; presumiblemente desde una tronera que él no podía ver, ni descubrir.

—¿Qué quiere?

—Ver a Modesto...

Tras un silencio dijo la voz:

—El señor está dormido.

—Despiértelo. Es urgente.

Un nuevo silencio:

—Él dijo que...

Gritó Ivo:

—No importa lo que dijo. Llámelo. Dígale que Soto está aquí.

Quien le hablaba por la tronera, lo pensó un tiempo; tan largo que Ivo supuso que se había ido:

—Veré qué dice el mayordomo...

Entonces se marchó. Lo supo Ivo al escuchar el sonido metálico de la tronera al cerrarse. Volvió al automóvil, con las manos en los bolsillos y los brazos pegados al cuerpo; pero no entró.

U preguntó:

—¿Qué pasó, Ivo?

—Fueron a buscarlo...

—Bonita casa, ¿eh? Nunca había venido.

—Yo tampoco.

—Modesto vive bien. Parece un patrón...

Ferozmente Ivo dentelló:

—Es un patrón.

—Ah —después de un rato. Ivo, ¿por qué tú, nosotros, no vivimos así?

Centellearon los ojos de Ivo, mirando intensamente a U.

Sus labios permanecieron inmóviles en tanto que el otro aguardaba una respuesta, cualquiera que fuese, con la boca entreabierta. Ivo movió la cabeza.

—No lo entenderías —fue lo único que dijo.

—Su otra casa era más chica.

—Sí.

—Dicen que ésta costó un millón.

—Ajá.

—¿De dónde habrá sacado Modesto un millón?

Ivo lo encaró:

—Preguntas demasiado. Te lo he dicho. No lo hagas.

—Tienes razón, Ivo —se echó para atrás, en el asiento, y enlazó las manos en su nuca. Me gustaría, alguna vez, ser como Modesto. Tener lo que él tiene. Pero ¡cuándo llegará eso!

—Nunca. Y no te hagas puñetas pensándolo.

—¿Por qué, Ivo? ¿Por qué si Modesto es, fue, como nosotros?

—Pero ya no es. Se está ablandando. Por eso.

—Ah.

Se abrió la puerta de la casa y una figura embozada, con una escopeta de cañón corto bajo el brazo, apareció en ella.

—¿Soto? —preguntó.

—Sí —repuso Ivo, acercándose.

—Pasa...

Entró Ivo y vio, por primera vez, la casa de Modesto. Era una construcción enorme, de líneas rectas, a la que se llegaba por un camino de arenillas que rechinaban bajo sus zapatos. De la puerta al pórtico principal mediaban unos doscientos metros. Cruzó al lado de una alberca, de forma irregular, de tranquilas aguas oscuras. Bajo un quitasol advirtió la presencia de otra sombra emboscada, con un arma de dos cañones. La sombra no se movió. Entre las piedras que rompían la perspectiva del jardín podía ver, diseminados y regularmente, en el fresco pasto, sillones, hamacas, mesillas.

El guía iba adelante unos cinco pasos. Los pies de Ivo dejaron el sendero de arena y se encontraron pisando, rechinando, sobre las pulidas baldosas de una terraza descubierta. Vio, entonces, que la casa no tenía muros; sólo techos y grandes claros cubiertos de cristal.

—Espera —ordenó el guía.

Ivo se detuvo. Media docena de grandes perros, de erguidas orejas y moteadas pieles, retozaban con el hombre sentado bajo el quitasol. Del lado opuesto divisó la parte trasera de cuatro automóviles, uno de los cuales era la negra limousina en la que Modesto había ido, al principio de la noche, a la calle de la huelga. El guía tocaba. En alguna parte se encendió una luz y luego una sombra comenzó a aproximarse, desde el interior. Encima de la puerta, un escudo de armas.

La puerta se abrió. El guía cuchicheó unos instantes con el que había abierto, y luego se volvieron a Ivo.

—Pasa —invitó el guía.

Ivo se encontró en un vestíbulo, de piso de mármol y pesadas cortinas, siguiendo al que había abierto; un hombre de edad, que se cubría con una bata de dibujo escocés. Lo condujo hacia otra sólida puerta de madera al fondo.

—El señor bajará dentro de un momento...

Abrió.

Ivo permaneció indeciso en el dintel y vio su larga sombra proyectada en la alfombra. El criado se adelantó y encendió las luces.

—Puede esperarlo aquí —invitó. Haré café...

Se marchó silenciosamente. Ivo siguió de pie hasta escuchar el chasquido de la puerta al cerrarse. Sentíase pequeño, infeliz, en aquel lugar. Era la biblioteca de Modesto. Tres de los muros desaparecían a causa de los libreros llenos de gordos volúmenes ricamente encuadernados. Una gran mesa, situada frente al ventanal, dominaba todo. En ella, media docena de aparatos telefónicos.

Ivo se sentó al borde de uno de los grandes sofás. Sus gastados zapatos llenos de barro se hundían en la alfombra gris. En alguna parte de la casa corrió el agua de un baño. Se puso en pie. Encima de la chimenea había un marco dorado y, dentro, una gran fotografía a colores con Modesto, su mujer y sus hijos, rodeando al arzobispo. Los chicos iban vestidos para la primera comunión. Sobre la mesa, en otros portarretratos, imágenes de Modesto con el Presidente y con otros personajes.

—Cerdo —silbó Ivo para sí.

El lujo ostentoso de Modesto lo irritaba. Le habían dicho, sí, que Modesto no se privaba de nada, que vivía y gastaba como rico; él había aceptado que así fuera, pero no lo creía; no admitía que un paladín de la causa obrera pudiera llevar un tren de vida como ése. Pensó en sí mismo; en el angosto cuartucho húmedo de la azotea donde sólo había un camastro para dormir; en la lluvia que se colaba por el techo; en las paredes carcomidas y mohosas; en el piso helado y lleno de mugre; en el retrete maloliente, al que había que vaciar con baldes porque Modesto se rehusaba a autorizar el gasto de una cañería. Pensaba también, con punzante cólera, en las migajas que le daban a comer y que traían, para él y para los otros habitantes de la azotea del edificio de la Central, en peroles de hierro; y en los exiguos viáticos que cobraba, los días quince y último de cada mes, para sus gastos.

–Cerdo —repetía.

Pero no envidiaba la comodidad burguesa de Modesto. "No —se dijo. Sería tanto como dudar de mis ideas, de mí mismo. Modesto es un traidor, por más que sea al que tengamos que obedecer. Traidor a su clase y a su origen. Tiene la tripa llena. No sabe lo que es el hambre, ni la soledad, ni la necesidad. Cerdo, más que cerdo. No deseo lo que él tiene. De ninguna manera. Prefiero seguir así, más pobre que un pobre. Busco algo más importante que esto, que el lujo y las alfombras y los muebles caros. No quiero que mi rabia se apague, ni que me domen, ni que me compren como han comprado a Modesto. Por encima está lo que pienso, lo que siento respecto a los que son como él. Si creyera en Dios, le pediría fuerza para seguir odiando hasta el final."

Se abrió la puerta e Ivo se volvió.

Era Modesto quien entraba, con los ojos enrojecidos y el pelo sin peinar.

–¿Qué diablos quieres a esta hora? —riñó.

–Necesito hablar contigo. Por eso vine.

Modesto había ido hasta la mesa y tocaba, furiosamente, un timbre.

–Podías haberme visto en la oficina.

–Es urgente, camarada —Ivo dijo la última palabra con sorna, con desdén, abofeteando con ella el rostro de Modesto.

Éste eructó:

–Camarada... Camarada. No digas pendejadas aquí —se sirvió un vaso de agua y de la bolsa de su bata de seda roja sacó unas pastillas. Las puso en su lengua, bebió un trago y echó la cabeza para atrás. Dios, qué mal me siento...

Apareció el mayordomo empujando un carrito que transportaba un servicio de café, de plata reluciente.

–Déjalo allí —hipeó Modesto, de mal humor. Serviré yo...

Aguardaron a que el mayordomo saliera. Modesto, entonces, mientras ponía café en la taza, preguntó:

–¿Qué pasa, pues?

Ivo lo miró, extrañamente sonriente, mientras tomaba la taza que ofrecía el otro.

Dijo:

–La huelga terminó...

–¿Qué?

–Eso. Camarada Modesto: la huelga de la Empacadora terminó.

Modesto abrió mucho la boca, movió los labios pero no pronunció una palabra. Su rostro de hombre con indigestión se tornó al carmesí y luego sombrío, color chocolate. Lentamente fue doblando las rodillas hasta sentarse. Por unos segundos se escuchó en la biblioteca el tintineo nervioso de la cucharita de plata removiendo el café en la taza.

Más tranquilo preguntó:

–¿Cómo está eso?

Ivo sonreía abiertamente. Experimentaba una satisfacción pueril en dar la noticia, por más que él mismo estuviese tan afectado como el otro. Pero ver tartamudear a Modesto, sentir cómo sus palabras le habían producido el efecto de un mazazo en los testículos; palpar casi la dolorosa contracción de su estómago, lo regocijaba, le hacía sentir que en alguna forma, él, un gusano miserable, un pequeño engrane de la gigantesca maquinaria política y humana que manejaba el jefe, tomaba revancha; retaba al lujo y a la suntuosidad; a la placidez burguesa del gran líder obrero. Se cobraba, en nombre de los traicionados, con el precio del fracaso.

–Ya lo oíste. La huelga terminó...

Violentamente Modesto puso la taza a un lado. El líquido se derramó, manchándola, sobre la pulida superficie de la mesa y goteó, después, hasta la alfombra. Llevándose las manos a la cabeza gritó:

–Cochinos... Imbéciles...

Ivo dejó que se calmara. Lo vio recorrer, de arriba abajo, de abajo arriba, la estancia. Luego Modesto se dejó caer en el sillón de su escritorio.

–Por eso vine a esta hora, camarada —dijo Ivo, con sarcástico tono.

Modesto volvió a levantarse y fue al sitio donde bebía Ivo su café:

–Pero ¿te das cuenta de lo que pasará si eso ocurre?

–Sí.

–¿Comprendes que no podemos dejar que la huelga termine?

–Sí.

–Entonces, ¿por qué permitiste que...?

–Marcos Luquín lo arregló.

–Pretextos... Pretextos...

–Es cierto, Modesto. Qué quieres, nos tomó el pelo.

Furiosamente, escupiéndolo así que hablaba, Modesto echó su rostro congestionado encima del de Ivo. Con palabras de mal aliento estalló:

–Bestia. Te lo tomaría a ti.

–A todos. Tus planes se caen con eso.

–Mis planes... Tú eras el responsable de la huelga. A ti se te escurrió entre los dedos...

Ivo se levantó...

–Sí. Lo acepto. Reconozco que fallé. Pero el jefe eres tú, Modesto. Nosotros sólo obedecemos órdenes...

Modesto movió la cabeza de un lado a otro mientras caminaba, mordiéndose los labios, en torno a la mesa. Se inclinó. Dio un puñetazo sobre el cristal.

–No sólo perdimos la huelga; sino algo más.

–Ya lo sé.

–¡Lo sabes y te quedas allí como una bestia!

–¿Qué quieres que haga?

–¿Y me lo preguntas? ¿No acaso eres un organizador? ¿No sabías que esta huelga, ésta precisamente, no podía perderse? ¿Que no era una huelga más sino el principio de un movimiento de gran importancia? ¿Que íbamos a desencadenar con ella una reacción de solidaridad en todo el país? Oh, Dios mío, ¡con qué atajo de brutos tengo que tratar!

Ivo no se inmutaba. Estaba serio, como las circunstancias lo exigían, pero se divertía íntimamente viendo a Modesto enfermarse de cólera. "Que se enoje, que sienta que ha fracasado, que se le amargue el día, que cuando vaya al excusado esté allí vaciándose. Este mal rato no me lo hubiese perdido nunca. Mira al Gran hombre, al Gran-Conductor-de-las-Masas-Oprimidas llorando, gimiendo, lamentándose como una mujerzuela. Me da asco. Cerdo. Retuércete; trágate tu cochina bilis."

–Mira, Modesto —dijo, al cabo, tranquilamente. Las cosas ocurrieron demasiado de prisa; no hubo tiempo de organizarnos. ¿No tú mismo, por tus informes confidenciales según dijiste, estabas seguro de que la empresa no cedería?

–Sí, pero...

–La huelga duró apenas diez, once horas. Todo comenzaba a marchar como lo habías planeado; estuvieron los delegados e hicimos el rol de huelgas de solidaridad...

Modesto se pescó, como a un tronco, de la palabra:

–Solidaridad... Pero sin esta huelga la solidaridad vale una...

–...la gente estaba tranquila. La calentamos, incluso, con la paliza a los que vigilaban y con lo de Quintana. Se divertían. Había qué comer y qué beber...

–¿Y entonces?

–No contamos con Marcos Luquín —lo miró de frente—; no contaste tú.

–Es un idiota. No tiene idea de nada.

–Eso pensé yo, también. Tal fue nuestro error. Quizá sea un idiota como dices; pero se las olió...

–¿Por qué lo dejaron buscar a Perkins?

–Fue a la inversa, Modesto. Perkins lo buscó a él.

–¿No estabas tú allí?

–Sí, pero no pude meter las manos. Hubiera sido peligroso. Algunas de sus gentes desconfiaban... y el plan, ¿recuerdas?, era dejar que las cosas las hiciera Luquín hasta donde nos conviniera... No creí, te lo digo, que se arreglara... Resultó más listo de lo que esperábamos...

Modesto se dejó caer en otro de los sofás, de espaldas, a Ivo. Éste lo vio ocultar su cara en las manos y permanecer así, hasta dar casi la impresión de que dormía, por unos cinco minutos.

Al cabo, Modesto empezó a hablar:

–Lo siento por ti, Ivo. De veras, lo siento.

Ivo se puso en guardia.

–Hice lo que pude...

–Lo sé, Ivo. Pero otros, en el Comité, no lo creerán. Te culparán del fracaso.

–Si eres mi amigo, les explicarás...

–¿Qué puedo hacer yo, Ivo?

–Ya lo dije. Explicarles...

Modesto caminó hacia el ventanal. Distraídamente entreabrió el visillo. Afuera comenzaba el alba, con su fría y sucia claridad.

–Llevabas una carrera interesante. Habrías llegado lejos.

–Pues, sí.

–Ahora te será difícil, Ivo. Muy difícil. Y de paso me has metido en un compromiso —se volvió. Lo miraba con una expresión paternal, cálida, afectuosa—; esa huelga no podía fallar; no podía. Y falló por un error tuyo. Los del Comité se oponían a que tú la manejaras. Pero yo les dije: "Ivo es nuestro hombre. Es joven. Tiene fibra. Tiene experiencia. Hará una bonita huelga". ¿Y qué paso, Ivo?

Éste arrugó sus hombros. Estaba tranquilo. Conocía a Modesto y sabía, casi, anticiparse a sus reacciones, a sus pensamientos. Lo había visto así, despechado como un amante, llenar de reproches a alguien, aplastarlo con su oratoria de lamentos, con su lloriqueo; para luego sugerir, pedir, exigir algo. Ivo sabía que eso ocurriría en los próximos minutos; sabía, incluso, qué sería.

—Tú lo has dicho —indicó. Fallé. Pero...

—Pero... —dijo Modesto, casi al mismo tiempo— no todo está perdido.

—Es lo que creo, Modesto.

—Aparentemente, Ivo, esto es un fracaso, tuyo y mío. Mas, viéndolo bien, no lo es tanto.

Ivo sonrió. El proceso mental de Modesto se desarrollaba como él lo previera.

—Claro que no...

—Un hombre inteligente, y tú lo eres, Ivo, puede convertir un fracaso en un éxito. Si manejas la cuestión atinadamente, tu fracaso de hoy puede ser el éxito de mañana.... Claro que se necesita comprender...

Ivo asentía.

—Yo comprendo, Modesto, sigue...

—Es una ventaja que comprendas. Ahorra explicaciones. Un gran mal, y esto lo es, exige un gran remedio.

—Ajá.

—Aplicarlo está en tus manos. Es, claro, una medida extrema, pero hay que tomarla.

—Eso vine a consultarte, Modesto. Quería saber si estarías de acuerdo...

—No queda otro remedio, Ivo. Y quizá hasta sea mejor para lo que buscamos.

Se miraron en silencio.

Ivo sonreía.

Modesto tornaba a mirarlo con ternura. Preguntó:

—¿Cuándo?

—Hoy mismo. Él va a firmar, en la Junta, a las nueve. Si no firma tendremos margen.

Asintió Modesto. Ivo lo vio, entonces, ir a la mesa escritorio y abrir una cajita de laca colocada junto a los teléfonos. Sacó de ella unos billetes.

–Toma. Por lo que se ofrezca.

–Gracias —Ivo miró: eran mil pesos en diez rectángulos flamantes.

–Bueno —suspiró Modesto.

Ivo se dirigió a la mesa. Descolgó un teléfono.

–¿Qué haces?

–Llamaré a Lorenzo.

Suavemente Modesto le quitó el auricular de la mano y lo puso en su sitio.

–Lorenzo salió anoche al norte. Y, además, eso no se trata por teléfono. Alguien podría estar escuchando... —le echó el brazo alrededor del cuello. ¿Quién está contigo?

–U.

–Llévalo. Es de confianza, lo ha hecho antes, ¿no?

Asintió Ivo.

Modesto lo tomaba ahora por el brazo. Ivo sentía su pesada mano caliente alrededor de su bíceps.

–Será mejor que salgas por el jardín —sugirió, abriendo la puerta de cristales. Cuando lo hayan hecho váyanse un tiempo.

–Descuida, Modesto.

–Y otra cosa —estaban ya en el exterior. Modesto bajó el volumen de su voz—, no olvides que si algo ocurre... si algo te ocurriera a ti... —puso énfasis especial en la última frase, al repetirla— tendrás que arreglártelas solo los primeros días. Después alguien irá a ayudarte... La Central tiene que quedar fuera de esto, ¿comprendes?... Y lo mejor será no llevar papeles ni nada encima...

Ya no hablaron más. Modesto lo despidió con una palmada y siguió allí hasta ver a Ivo cruzar el jardín, caminar rápidamente por el sendero enarenado y trasponer la puerta exterior.

3

Sentados sobre sus talones, formaban corro en torno al jefe mecánico. Marcos Luquín sostenía, un poco por encima de su cabeza, un foco con capuchón para alumbrar, más de cerca, las manos del hombre que trataba de reparar el motor del tonel principal.

–¿Podría hacerse, maistro? —preguntó Marcos.

El hombre alzó apenas su rostro y miró a Luquín, por un lado de la visera de su gorra aceitosa.

–A lo mejor, sí —dijo.

Seguía oliendo fuertemente a amoniaco, y los que no estaban

acostumbrados a ese tufo irritante tenían que salir, cada cinco minutos, a respirar el aire puro y frío del amanecer. Los destrozos causados por Ivo eran menos grandes de lo que se supuso al principio. Tenían un margen de varias horas para poner de nuevo en marcha el mecanismo del tonel de vinagre; en esas horas los millones de microorganismos que transformaban el alcohol mezclado con agua, alentarían, agonizando, en las virutas que llenaban el depósito. Habían mandado avisar al químico y lo esperaban de un momento a otro. Lo primero que Luquín dispuso fue resolver el problema del filtro de aire; urgía repararlo para que siguiera bombeando cincuenta litros por segundo, al interior de la gran barrica que era su orgullo. Pudieron hacerlo utilizando el de otro silo más pequeño.

Ahora quedaba por reparar el motor. El maestro mecánico estaba sentado sobre el frío piso de cemento, con las piernas abiertas en compás; y entre ellas el motor. Desmontó las piezas mientras resoplaba maldiciendo al ocioso que había destruido, en parte, una máquina tan linda, tan potente, tan nueva.

El mecánico dijo:

–¡Qué bueno que arreglaste la cosa, Marcos!

Asintió éste:

–Sí. Eso creo.

–Sucede que las gentes se olvidan de lo que uno sufre en las huelgas. He visto algunas y...

Escucharon, viniendo del exterior, el eco de unos pasos y luego una voz de hombre que decía:

–Marcos, te buscan...

Con el foco en la mano, Marcos se volvió. Junto al hombre había un chico, como de diez años, con cara de sueño y vestido de overol.

–¿Qué quieres?

Sin atreverse a entrar, deslumbrado por la luz del foco que le daba en el rostro, repuso:

–Me manda mi abuelita...

Marcos recordó instantáneamente. Ese niño era el nieto de la comadrona. Se levantó dejando a oscuras por unos momentos, hasta que otra mano retiró de la suya el foco, y alumbró al maestro mecánico.

–¿Qué pasó? —interrogó, ansiosamente.

–Dice mi abuelita que ya nació el niño. Que fue machito...

Entonces los otros hombres se pusieron en pie, todos excepto el mecánico, y comenzaron a palmear la espalda de Luquín y a desearle buenaventura y a hacerle bromas. Él estaba mudo de asombro y luego, como un chico, con los ojos llenos de lágrimas y un angustioso temblor feliz en la barbilla que le impedía hablar, empezó a sollozar.

El maestro mecánico, que nunca dejaba escapar la oportunidad de beber unos tragos, comentó:

—Eso merece que nos emborrachemos...

—Que alguien traiga una botella.

—No tequila.... Un Maderito, por el niño... Para el frío...

Marcos no sabía qué hacer; qué decir. Le zumbaba la cabeza como si ya estuviese ebrio y sonreía, sonreía como un tonto. Al cabo metió mano a la bolsa, sacó un billete y se lo dio al niño.

—Trae una botella...

—Que sea ron...

—Cualquier cosa pero pronto —urgió el maestro.

Los comentarios fueron apagándose y pronto, en el frío recinto, sólo se escuchó el rumor de las respiraciones y, esporádicamente, el fino chasquido metálico de las llaves de tuercas, de las pinzas y desarmadores que manejaba el mecánico. Marcos cerró los ojos. "Gracias, Dios mío", pensó, con los párpados bien apretados. "Un hijo —sonrió. Quizá no el último. Dicen que agarra uno su segundo aire." Y experimentó después, por Lola, por la dulce muchacha de las trenzas negras, un amor intenso, lleno de gratitud y de fe; una a manera de veneración porque, con el sencillo acto de darle un hijo, proporcionábale la certeza de que estaba vivo, de que en su hogar, y para su vejez, habría risas niñas; de que su sangre podría mezclarse y producir, con la de ella, nueva sangre. "El segundo aire", murmuró.

Después se dio cuenta de que el maestro había estado hablándole y de que los otros lo miraban, preguntándose tal vez por qué Marcos Luquín no respondía.

—¿Qué? —preguntó tartamudeando.

—Digo —respondió el maestro, calmadamente—, que si quieres irte a tu casa, vete. Yo veré que esto —acarició el motor— quede arreglado...

Luquín cambió el peso de su cuerpo al otro talón. Movía la cabeza.

—No se apure. Quiero verlo terminado...

—Como gustes...

Tras de limpiarlas colocó las últimas piezas del motor. Estuvo atareado en ello un cuarto de hora. Al fin, levantándose entre resoplidos, dijo:

—A ver si quedó bien... —y a los hombres que habían estado

allí, ayudándolo, alumbrándolo o, simplemente, curioseando—: Ustedes, una manita...

Todos aportaron su esfuerzo para levantar el motor y colocarlo en la plataforma de madera, con sus vibradores de resorte, junto al filtro de aire.

Silenciosamente vieron al maestro aprestarse a asegurar la base del motor, con grandes tornillos chatos, en la madera.

4

Cruzaban la ciudad y se dirigían, por calles desiertas, hacia el distrito obrero. Los cristales del Ford estaban opacos y los postes de alumbrado, con sus luces veladas por la neblina de los alientos, fingían ser tallos de margaritas. Ivo no había hablado desde que salieron de la casa de Modesto. Subió las solapas de su arrugada chaqueta y hundió en ellas el mentón.

—¿Volvemos allá? —preguntó U.

Ivo dijo brevemente:

—A la Central.

—¿A dormir?

—No. Y apúrate...

Pronto amanecería. El cielo dejaba de ser azul o gris y se tornaba color tórtola. Arreciaba el fresco y un vientecillo entraba, silbando, por las rendijas del automóvil. Ivo tenía los pies helados. De cuando en cuando se cruzaban con otros vehículos que llevaban sus luces encendidas; con gente que caminaba de prisa, con las manos en los bolsillos y las frentes inclinadas.

Ivo preguntó:

—¿Tienes gasolina?

U se encogió de hombros.

—No sé. La aguja no marca.

—Para donde haya y llena el tanque.

—¿Vamos de viaje?

—Tal vez...

Mientras se aprovisionaban de combustible, U quiso saber qué había decidido Modesto y por qué venía Ivo tan silencioso. ¿Acaso las cosas marchaban mal?

—Todavía no, U.

Ivo sacó los billetes y pagó con uno. El tipo del overol que les había vendido la gasolina fue por el cambio.

Silbó U.

—¿Te sacaste la lotería?

—Casi.

—Nunca había visto tanto dinero junto —hizo un esfuerzo de memoria. Desde... desde...

—Atlixco —indicó Ivo.

U afirmó y luego miró curiosamente al otro.

—Sí, desde Atlixco. Nos lo dieron para...

Ivo lo interrumpió:

—Para lo mismo que vamos a hacer —lo miró directamente a los ojos—, que vas a hacer hoy.

U abrió la boca:

—Ah.

—Eso ordenó Modesto —Ivo separó dos billetes de a cien y se los dio a U. Toma. Podrías necesitarlos...

—¿Y tú? —indagó U, con recelo.

—Iré contigo.

El coche frenó ante la puerta de la Central. El velador les abrió. Así que subían por la angosta escalera metálica que llevaba a la azotea, Ivo dispuso:

—Deja papeles y todo aquí. Si algo pasa, arréglatelas como puedas. Diremos que es cosa personal. La Central no tiene que meterse, ¿entiendes?

—Sí. Como siempre.

—Otra cosa: si te pescan los agentes, tratarán de hacerte hablar. Ya sabes cómo. Aguanta...

Cruzaron la azotea y entraron al cuartucho de Ivo. Alguien había estado allí antes de ellos. Recordó a Sergio y se tranquilizó. Metódicamente fue dejando, encima de la mesita de palo, cuanto llevaba en los bolsillos, excepto el dinero: lápiz, papeles, una libreta de direcciones, una lima de uñas. Revisó nuevamente, sólo para estar seguro de no olvidar nada comprometedor, todas y cada una de sus bolsas. A su lado, U hacía lo mismo.

—¿No dejas nada?

—No, Ivo.

Entonces Ivo se puso de rodillas y buscó algo bajo el camastro. Sacó una gastada maleta, llena de libros, folletos y revistas partidarias. Y al fondo, un objeto de madera. Con el pie empujó la maleta.

Los ojos de U brillaron con un relámpago de codicia; con una voluptuosidad casi tangible.

—Revísala —dijo Ivo. No quiero que falle a la hora buena.

U abrió aquel estuche, muy semejante a una pistolera. En su

interior había una Parabellum, de opaco pavón; y varios cargadores.

–Son cincuenta tiros...

Asintió U. Estaba concentrado en hacer operar el mecanismo del arma. Permaneció, revisándolo, unos minutos. Ivo no lo apresuraba por más que deseara estar fuera, en la calle. Cuando U metió el cargador en la culata del arma y con la palma de la mano la aplastó hasta el tope, el otro preguntó:

–¿Bien?

–Es de seda.

Salieron.

LA HORA VIOLENTA

1

El motor funcionaba regularmente. El maestro mecánico indicó que la reparación era sólo provisional.

—Pero aguantará hasta que traigan el nuevo.

—Bueno —dijo Marcos. Ya me voy.

—Espera. Hay que terminar con esto...

El maestro levantó la botella. Quedaba un tercio de aquel aguardiente que tan bien les había servido para amortiguar un poco el frío. Bebió el mecánico y luego cedió un trago al de junto, y así hasta que el Madero se concluyó.

—Pero lo grande vendrá después, ¿eh, Marcos? —le guiñaba el maestro.

Luquín rio.

—Claro. Cuando la boda y el bautizo.

—Pero ¿te vas a casar?

—Sí.

—¿Para qué —el maestro se encogió de hombros; eructó— si ya tienes a la mujer en casa?

—Bueno. Ella lo quiere. Se lo prometí.

—Te agarraron la medida, Marcos.

Rieron todos.

Alzó la mano Luquín para despedirse. En el patio el frío era intenso y lo hizo temblar. Subió hasta el cuello el cierre automático de su negra chamarra de cuero. Era agradable escuchar a la fábrica en pleno trabajo; estuvo unos segundos en la puerta sintiendo cómo llegaba a sus oídos el ruido de las cadenas de distribución; el resoplar gatuno del vapor; el martilleo metálico de las máquinas de envase; el parloteo de las mujeres en los departamentos que tenían puertas abiertas hacia allí. Marcos Luquín se sintió satisfecho: habían tenido una huelga que no llegó a ser grave, que no duró lo suficiente para apagar, haciéndola dura y amarga, la alegría de los trabajadores. No sin un gustillo muy íntimo y tibio pensó, también, en que la noche, en términos generales, resultó magnífica. Ellos (y se refería a Ivo, a Lía, a Modesto), habíanle dicho, con un sentido que él no comprendió al oírlo, que mucho aprendería en estas horas; y así era. Había aprendido a desconfiar, a recelar de quienes llegan a uno ofreciéndole la abierta mano del amigo y protestando que nada quieren. "Ésos son los más peligrosos", aceptó. Había aprendido que un jefe de hombres, como él, debe ser cauto, y nunca, nunca permitir que otros lo desplacen, como ocurrió. Las enseñanzas de esa noche no las olvidaría jamás. De eso estaba seguro. Y luego Lía. ¿Qué había dicho a propósito de la lealtad, quebrantada por Marcos, después de revolcarse en la cama? Trató de repetir las palabras de la mujer. No lo consiguió. No quedaban cenizas de voces ni de conceptos; tan sólo el gusto, presente aún en el olfato, de la tibia cama viciosa de la camarada. Por segunda vez en los últimos sesenta minutos se encontró pensando en que bien valdría la pena buscar a Lía y... "Al cabo —se dijo— Lola tendrá que cuidarse lo menos cuarenta días."

El amanecer estaba allí. Había una luz difusa, como agua mezclada con anís, que engrosaba las paredes; que iba transformándose en color violeta a cada minuto. En lo alto, una gran fractura en el cielo filtraba un resplandor cambiante: de casi verde a amarillo y luego a toda una amplia gama de rojos. Pronto saldría el sol. El parto del día tomaba su hora.

Avanzó, metidas las manos en las bolsas laterales de la chamarra, hacia la puerta, cruzando el patio. Una mujer volvía de la calle llevando, en el regazo, una de las fangosas banderas de la huelga. La detuvo:

–¿Para qué quiere eso? —preguntó.

Ella rio, temblando de frío.

–Está rebuena para hacerme unas enaguas coloradas...

Siguió su camino y entró a chilería.

En la calle desierta ráfagas de un viento todavía frío empujaban hacia los muros, papeles, botes vacíos, rotos envases de cristal. Nadie había venido a recoger las tiendas de lona y se las veía, abatidas y oscuras, rotos sus sostenes de alambre o cuerda, agitarse como banderas en derrota.

–Parece que hubo una kermés —se dijo Marcos.

Había, sin embargo, una parda tristeza en ese amanecer silencioso; un vacío muy grande y muy frío en aquel lugar en que, horas antes, latía la vida colectiva de los hombres y de las mujeres de la fábrica. Era como un día de campo, súbitamente interrumpido por la lluvia. El alumbrado municipal se apagó. Las fábricas cercanas hacían sonar sus silbatos. Marcos Luquín reconoció que dentro de veinte minutos serían las seis.

Echó a caminar.

Cuando llegaba a la esquina, pues había decidido tomar otro camino que no era el habitual a través del patio del ferrocarril, se encontró a Sergio, que volvía, no de prisa, pero sí con un sostenido paso vivo. Se miraban cara a cara, unos segundos, como dos personas que no se conocen y que titubean en atropellarse; que esperan a que sea el otro quien dé el primer paso.

Marcos preguntó:

–¿De dónde sales?

Pero Sergio no lo escuchaba; o si lo escuchaba, parecía no hacerlo. Escudriñaba la calle desierta, a oscuras, muerta.

Interrogó:

–¿Qué pasó aquí? ¿Dónde está la gente?

Tenía el ceño fruncido y las mandíbulas duras. Marcos se volvió un poco.

–La gente ya se fue.

–¿A dónde?

–A sus casas. Otros, a la fábrica. La huelga terminó hace una hora...

Sergio sacudió la cabeza. Era imposible, y él lo sabía tan bien como Ivo, que el movimiento hubiese concluido así, de sorpresa, en unas cuantas horas.

–¿Qué dices? —repitió.

–La huelga terminó. Yo la terminé.

–Ah —hizo Sergio.

–¿Qué, no te gusta? Ivo y tus amigos también dijeron: Ah.

–¿Cómo estuvo?

–Sencillo. Vino Perkins. Hablamos. Aceptó lo que pedí...

Rojo de cólera Sergio gritó.

–Ah, entonces, ¡la vendiste!

En otras circunstancias Marcos lo hubiese abofeteado. Pero no lo hizo. Gozaba viendo cómo su hijo se encolerizaba; cómo lo miraba con desdén glacial.

–No la vendí.

Al cabo de unos segundos quiso saber Sergio:

–¿Dónde está Ivo?

–No lo sé. Se largó con su gente...

Marcos lo tomó por el brazo. Sergio quiso rehusarse pero no pudo. La mano de su padre continuaba firme, atenazando su carne.

—Voy adentro...

—Nada tienes que buscar allí. Ven. Vamos...

Sergio se dejó arrastrar. A poco el padre lo soltó y continuaron caminando, uno al lado del otro, por la calle. Luquín comenzó a hablar, a referirle a su hijo, en detalle, lo que había transcurrido en la huelga. No ignoraba cómo Ivo, utilizando a Sergio y a otros, había preparado la golpiza a Quintana; ni tampoco (puesto que Ivo se lo dijo y lo mismo Perkins) qué se buscaba con esa huelga, tan poco sindical, tan eminentemente política.

—De no haberla acabado a tiempo, como lo hice, dentro de un año seguiríamos aquí.

—¿Y qué?

—Se ve que no piensas en la gente. En esos tipos que comen de lo que ganan. Sin empleo...

—Bah. Íbamos a sostenerlos. Lo sabías.

—Ajá. ¿Por cuánto tiempo?

—El que fuera necesario...

—¿Y qué buscaban, armando todo este lío?

—No lo entenderías...

Marcos Luquín zarandeó a su hijo, deteniéndolo. Sergio lo miraba con asombro receloso, puesto ya en guardia, con los puños amartillados junto a su flanco.

—Ya estoy cansado de que repitan eso. "No lo entenderías." Lo dice Ivo, y la mujer y Modesto, y ahora tú... ¿Qué es lo que no entendería? ¿O me creen, tú y tus amigos, tan bestia como para no...?

Quietamente lo interrumpió Sergio:

—Era algo grande —empezó—, algo de lo que se iba a ha' lar en todo el país. Una huelga como hace mucho no se veía.

—Se quedaron con las ganas.

—Ya lo veo. Y lo que no entenderías es esto, viejo: que la Central iba a echar la carne al asador, a armar un gran tinglado y, al final de cuentas, obtener grandes ventajas para la clase trabajadora.

—¿Y tú crees esas tarugadas?

—No son tarugadas. Lo creo. La Central sabe lo que hace.

—¡La Central...! —gruñó Marcos.

Volvieron a caminar.

Al cabo Luquín preguntó:

—¿Por qué sigues con ellos, Sergio?

—¿Con quiénes?

—No te hagas. Con ellos. Con gentes como Ivo, que sólo buscan molestar, hacer daño...

Sergio no contestó en un tiempo. "El viejo es un imbécil —pensó. Es tan ciego que no comprende lo que pasa a su alrededor; va muy retrasado en relación al movimiento obrero. Piensa sólo en función de su estómago, de lo que va a llevar a casa cada semana; olvida que el mundo vive en una hora especial, crítica y violenta, en la que va a decidirse su destino. No ve que el hombre va al suicidio si se detiene. Que sobre la tierra hay únicamente dos partidos: el de la corrompida clase capitalista y el de la clase trabajadora. Si no fuera tan burgués, tan tonto, tan reaccionario, habría comprendido la importancia de su huelga y habría contribuido, al menos con sumisión, sin estorbar, a hacerla un movimiento gigantesco."

–Te equivocas, viejo.

–Entonces, ¿qué quieren... qué persiguen, qué buscan empujando a los demás a que hagan lo que no desean?

–Ayudar.

–¿Es ayuda dejar a cientos de familias en la miseria mientras unos cuantos vivos trafican con ellas, como tu amigo Ivo?

–Déjalo en paz...

Sin detenerse, Marcos soltó una carcajada. Sergio iba furioso. "De buena gana le rompería la boca a puñetazos", pensó. Su padre siguió riéndose una docena más de pasos.

–Lo defiendes —dijo, al fin— como si fuera tu novia.

–Ivo es gente decente.

–¿Te parece? Es vividor; un farsante —después de una pausa, en un tono que volvía a ser paternal y amistoso, Marcos planteó—: ¿Por qué no dejas a esas gentes y te pones a trabajar en serio, eh?

Con los dientes fuertemente apretados Sergio caminaba sin voltear, dando su duro perfil a la mirada de su padre. Llegaron a una esquina y cruzaron la bocacalle.

–¿Eh? —insistió Marcos. Podrías estudiar, pero seriamente. Y cuando terminaras tendrías chamba segura.

Fue Sergio quien detuvo a su padre. Éste lo miró con cierta ternura al verlo así, retador, varonil, tan grande y fuerte como él, pero con veinticinco años menos.

–Tengo mis ideas y no voy a dejarlas por un cochino empleo en la Empacadora —resollaba, como si estuviera ahogándose. Aun bajo la parda luz de la mañana podía vérsele el tono escarlata del rostro lampiño y casi hermoso—: Eso está bien para gentes como tú.

Marcos lo interrumpió.

–Nunca he robado ni matado a nadie. Creo ser, soy, un tipo decente sin nada de qué avergonzarme.

Sergio arrugó los hombros.

–No me refiero a eso. Digo: uno no puede quedarse con los brazos cruzados mientras se juega su suerte. Si uno tiene glándulas y otras aspiraciones debe intervenir, luchar por los demás, por uno mismo. Si todos los obreros del mundo pensáramos así, ¡cuántas cosas se arreglarían!

–Te equivocas, muchacho. La idea puede ser buena, pero ¿lo son quienes tratan de ponerla en práctica?

Sergio le dio una palmadita.

–Tú tienes tu fe. Yo la mía. Déjame creer en ella, si así lo deseo.

–Algún día te traicionarán.

–No. Entre ellos he encontrado tipos rectos, decentes, que nada buscan para sí. Ivo, por ejemplo.

–Es un cabrón.

–Es mi amigo.

2

Se detuvieron ante la iglesia. Algunas beatas presurosas, con las cabezas cubiertas por oscuros velos, se colaban al interior como negras monedas en una alcancía.

–Voy a hablar con José —anunció Marcos.

–Que te aproveche —repuso su hijo, con sorna.

–¿Vienes?

–No —hizo ademán de irse.

Marcos lo detuvo.

–Espera. No tardaré.

–Tengo qué hacer.

–Espera, te digo —lo miró a los ojos, rectamente. Sonrió, al añadir—: Ya nació el niño.

El rostro de Sergio, en el que había una congelada sonrisa burlona, se puso serio.

–Vaya... Te felicito.

Y luego Luquín agregó:

–Voy a casarme con Lola, ¿sabes? Se lo prometí.

–Está bien.

–Quiero que vengas conmigo a conocerlo. Estaré sólo cinco minutos.

Marcos entró a la iglesia. Unos cuantos bultos oscuros, como enormes moscas, véianse arrodillados. No muchos; apenas una media docena de mujeres que oraban en silencio, entre bostezos, con ojos enrojecidos aún por el sueño. Sus propias pisadas arrancaban chispas al silencio así que avanzaba por el pasillo central. Un sacristán iba encendiendo, una a una, las velas del altar. Olía a cera y a incienso; un olor eterno. ¿Cuántos años hacía que no había vuelto por allí? Muchos; desde aquella noche en que tuvo una escena terrible con el padre José, a causa de Carlos y de su deseo de ingresar al seminario.

Se hincó al pasar frente al tabernáculo y se sorprendió al advertir cómo su diestra, en una espontánea acción, no calculada sino simplemente ejecutada, trazaba el signo de la cruz al santiguarse.

Empujó, después, la puerta de acceso a la sacristía. Se detuvo en el umbral. El padre José estaba revistiéndose en silencio, auxiliado por un chico, por el mayor de los hijos de Damián. El sacerdote se volvió.

—Hola, Marcos —dijo, con sonriente alegría—; pasa —Luquín, sin avanzar ni retroceder, farfulló:

—Mejor vengo después.

—No, hombre; pasa —el padre José le tendía la mano.

Luquín la tomó y, poniendo una rodilla en el suelo, la besó. En la cara del sacerdote se dibujó una sonrisa sorprendida y satisfecha.

—Venía a hablar contigo...

El cura, con una seña, ordenó al acólito que se marchara.

—Encantado...

—Pero estás ocupado.

—Bueno, eso siempre —contestó sin afectación. Dentro de un cuarto diré la primera misa.

—Entonces, no te detengo... —y sin saber por qué, burlándose a pesar de que no quería hacerlo, Luquín comentó—: Ya están las beatas esperándote.

Lentamente el sacerdote seguía vistiéndose los ornamentos sagrados. Faltaba tan sólo la casulla de opaca seda y oro sin brillo.

—Olvídalas. Me interesas más tú que las beatas...

Hubo un largo silencio. Por el alto ventanuco entraba, diagonal, un estriado y grueso rayo de luz. En alguna parte de la pequeña sacristía zumbaba una mosca; el tic-tac del reloj de pared machacaba los segundos. El padre José, enlazando sus manos en paciente actitud de espera, lo miraba sin cesar de sonreir, con ternura fraternal.

—Oí decir que terminó la huelga...

Asintió Marcos.

—Sí, fue lo mejor.

–Claro. Lo mejor. Hiciste bien, Marcos.

–Creo que sí.

–Esa huelga no los llevaba a ninguna parte.

–Era justa, José.

–Quizá, cuando la votaron. Después se complicó.

–Yo no tuve nada que ver en ello.

–Lo sé, Marcos. Fui a verte para decírtelo. Las cosas cuando se miran desde afuera, se comprenden mejor.

–Es cierto.

–No te culpo, Marcos. Tus amigos...

–No son mis amigos.

–Bueno, ésos que metían la mano, tenían otros planes; destinaban tu huelga a otro fin.

–Por eso decidí terminarla.

No hablaron en otro tiempo. El sacerdote seguía mirando a Luquín con tal persistencia que éste empezó a sentirse cohibido, fuera de sitio. El padre José puso una de sus manos sobre el hombro de Marcos.

–Eres un buen hombre. Y me ha dado mucho gusto que vinieras a verme.

–Yo tenía ganas —repuso Marcos y sintió que enrojecía.

–Un gran gusto, en verdad. Recuerdo la última vez que estuviste aquí... Pero eso está olvidado, ¿no? —el otro asintió. El cura miró el reloj. Faltaban siete minutos para las seis. ¡Cómo pasa el tiempo! El domingo pasado vi a Carlos...

Lentamente Marcos alzó la cabeza. Los ojos se le arrasaron.

–¿Cómo está?

–Oh. Muy bien. Es un chico inteligente. Quizá vaya a Roma.

–¡Qué bueno!

Tornó el silencio. El cura aguardaba a que Marcos dijera algo; pero Marcos, bajos los ojos, contemplaba la punta de sus zapatos y, luego, sus manos.

El padre José expresó:

–Le prometí llevarte a verlo. ¿Irías?

–Sí.

Entró el sacristán y miró al sacerdote; una mirada mustia con algo de urgencia cuando señaló el reloj. Ahora faltaban cinco minutos. El padre José asintió; comprendía, mas no se apresuraba.

–¿Quieres quedarte a la misa?

–Hoy no, José. Y a propósito... Vine a pedirte un favor —el cura movió la cabeza, invitándolo a proseguir. Mi mujer acaba de tener un niño. Le prometí desde antes una cosa: que nos casaremos...

—Haces bien, Marcos.

—Así que —continuó Marcos más animado— en cuanto ella pueda levantarse...

—Lo haremos con mucho gusto, y también el bautizo.

Marcos caminó, seguido por el cura, hacia la puerta. Allí se volvió:

—Pero no es todo, José... ¿Conoces a Pancho Bicicleta y a la Prietita...?

—¿La hija de...?

—La misma. Bueno, pues —sonrió Luquín, enrojeciendo levemente; no tanto por referir el hecho sino por hacerlo al sacerdote. Ellos, son muchachos, ¿comprendes?, aprovecharon la noche y...

—Comprendo —admitió el padre José, sin escandalizarse. Así que me han pedido que les arregle que tú los cases... Yo hablaré con la madre de ella... Y si tú puedes...

—Les echaré una manita...

—Gracias... por ellos y por mí.

Ya para despedirse, el padre José preguntó:

—¿Estás feliz, Marcos?

—¿Por el niño? Sí. ¿No sabes lo que es, a mi edad, saber que puedes tener familia chica...!

El cura asintió:

—Me da tanto gusto... ¿Volverás?

—Sí. Con Lola y el niño.

—Iré a verla más tarde.

Luquín volvió a poner la rodilla en el suelo y besó la mano del padre José.

—Adiós... padre.

Marcos Luquín, caminando por el pasillo central de la pequeña iglesia del barrio, se dirigió a la puerta. Se volvió al altar y tornó a santiguarse.

3

Sergio lo aguardaba, recargado al muro, cerca de la puerta. El día había roto, casi, en un estallido caliente y rojizo. Una gran nube escarlata, tendida y delgada como una momia, alargábase en el horizonte. La penumbra azulada era empujada, pulverizada, aplastada contra las paredes o sobre el pavimento, que ya no era gris mate, sino que comenzaba a refulgir en parpadeos de corcholatas, de restos de metal, de clavos y tornillos y un millón de pequeños objetos brillantes que formaban parte del mismo; un brillo de marmajas en el asfalto. Latía la calle en la primera hora de vida; obreros con sus bolsas de bastimento bajo el brazo; mujeres que venían al templo; lentos ciclistas friolentos que remontaban la avenida rumbo a sus trabajos, más allá del barrio; camiones repartidores de leche, de aguas gaseosas, de verduras, en ruta al zoco que llamaban mercado. Y en el aire el aullido constante de los silbatos de las fábricas o el humo negro, blanco, caramelo, de las chimeneas; y el grito, como alarmado y penetrante, de las locomotoras moviéndose en el patio, en el fragor intermitente de los choques de carro con carro, en tanto se formaba el convoy.

Lo aguardaba, con las manos en los bolsillos y la espalda encorvada para sentir menos el último frío del amanecer; un cigarrillo, sin lumbre, colgándole del labio. Al verlo venir, retiró el pie que apoyaba a la negra piedra del muro, negra y llena de cicatrices como si hubiera sufrido viruela.

Marcos sintió que se alegraba al comprobar que Sergio no se había marchado. Es más, cuando salió a la calle, antes de voltear el rostro en su busca, tenía la convicción de no hallarlo. Le sonrió con algo como gratitud; con una felicidad especial, tal como si se alegrara de ver que Sergio, con todo y ser ya un hombre, lo obedecía.

–¿Tardé mucho? —preguntó, reuniéndosele.

Sergio echó a caminar junto a él.

–Ya me iba.

–Me entretuve platicando con el padre.

–O ¿cobrando?

–¿Qué?

–Digo: cobrando las monedas de Judas.

–No te entiendo —Marcos lo miró.

–El precio de la traición. Ahora el cura y Perkins estarán contentos.

Tranquilamente Marcos dijo:

–Vete al diablo... No te pego porque...

–¿Cuánto te dieron? —Sergio le guiñaba el ojo. Aquí, entre nos.

Marcos Luquín sentíase tranquilo, apaciguado; ya no irritable o furioso. Tomaba a broma las punzantes palabras de su hijo. Una gran paz anidaba en su alma.

–Ahora me haré millonario —repuso, también de buen humor.

–¿No, de veras?

–De veras.

Sergio se encogió de hombros. Rumió un rato su silencio.

—Eres capaz de no haberte aprovechado —dijo, al fin.

—Así fue.

—Una tontería, viejo. Perkins hubiese soltado la plata.

—Ah —rio Marcos. ¿Por qué lo crees?

—La sueltan siempre, sobre todo cuando les pones la pata en el pescuezo.

—¿Eso buscaban ustedes, eh? La plata.

Sergio enrojeció:

—No, viejo. Nosotros no.

—¿Entonces, qué, si no el dinero?

—Otra cosa: apoyo para la fuerza. Un punto de partida para mostrar el poder de la clase trabajadora a los capitalistas.

—Palabras. ¿Y ahora que se les acabó la huelguita, qué harán?

—No faltará. La Central se las sabe todas —cambió de tema. No deseaba enredarse en explicaciones que él mismo no entendía. A decir verdad, el propio Sergio no estaba muy seguro de qué se perseguía con la huelga; sabía, sí, porque eso habían dicho Modesto e Ivo, que el paro en la Empacadora Águila sería el punto de partida para un gran movimiento nacional; pero desconocía sus alcances y su verdadera intención—; pero tú, viejo, metiste la pata no sacando nada para ti.

—¡Qué quieres! —Marcos se encogió de hombros. No es mi carácter. ¿Lo habrías hecho tú, en mi lugar?

—Siendo un reaccionario como tú, sí. Teniendo mis convicciones, no.

—Yo no sé si soy reaccionario o no. Lo único que sé es que no me gusta hacerle mal a nadie... a sabiendas. Hablas de convicciones, pero ¿acaso las tienes?

—Naturalmente.

—¿Sabes a dónde vas?

—Sí —aceptó Sergio, y repitió entonces algo que había escuchado decir a Ivo; algo cuyo oscuro significado lo intrigaba, fascinándolo. Pensó que al decirlo, su propio padre no dejaría de sentir el poder, casi abstracto, de las palabras—: Nosotros no nos quedamos nunca en el análisis de los hechos positivos. Vamos siempre al fondo de los problemas y por allí a la crítica y a la autocrítica más directas.

Marcos lo miró cuando terminó de hablar. Sergio estaba serio, muy serio, como un chico después de repetir, palabra por palabra, incluso con la misma entonación del maestro, los conceptos de una lección. Lo miró y entonces no pudo reprimir la carcajada; un chasquido de burla que enfureció al muchacho.

Sergio le echó a la cara un gesto de desdén.

–¡Qué vas a saber de esas cosas!

Marcos Luquín seguía riéndose.

4

U estaba en el asiento de atrás, tendido casi, tal como lo había dispuesto Ivo. Los ojos de éste continuaban fijos en la orilla de la sombra que iba, empujada por la luz, haciéndose cada vez más angosta; recogiéndose sobre sí misma en el piso de la calle. Las bajas construcciones gemelas parecían dados de hormigón, funcionales y sin gracia, unas junto a las otras, a lo largo de la acera.

Le preocupaba un poco el nacimiento de la luz. Por dentro sentíase sacudido por la angustia de la espera. Los minutos dolíanle entre las ingles y hubo un momento en que se vio las manos, vacías de sangre de tanto ceñir la ruda del volante.

–El tipo no viene —dijo U.

–No tardará —repitió Ivo, sin convicción.

–¿A dónde habrá ido?

–¿Qué sé yo?

–¿No estará ya adentro?

Ivo movía la cabeza. Ésa era la duda: que Marcos hubiese llegado antes que ellos. Sin embargo, reiteraba que era imposible. El hombre que dejaron apostado en la calle de la huelga les informó que Marcos continuaba, veinte minutos antes, en la Empacadora. Así, pues, no demoraría mucho.

U se levantó un poco, para mirar al exterior. Ocupaba el asiento trasero del viejo Ford para facilidad de sus movimientos; para estar libre de volverse para el lado que quisiera.

–Escóndete —gruñó Ivo.

Por fortuna la calle estaba vacía, aún. Pero ¿por cuánto tiempo? Ivo seguía mirando hacia la esquina, en dirección al farol, por donde aparecería Marcos viniendo hacia casa a través del patio del ferrocarril. Estaban a la distancia justa para avanzar en cuanto aquél se presentara. Le preocupaba la luz enemiga del día. Dentro de poco las casas empezarían a despertar y la gente a salir; algunas ventanas tenían ya incandescentes resplandores de focos desnudos. Sin embargo, la de los tiestos de flores, la que correspondía a Luquín, continuaba gris, como dormida, tras de sus visillos de cretona descolorida.

Desde atrás volvió a hablar U:

–¿Y si no viene?

–Oh... ¡Vendrá!

–¿Qué hacemos si no viene? —repitió tercamente U.

–Ya veremos.

–La cosa no será igual.

–Lo sé. No será igual. Pero hay que hacerla, de todos modos.

U tenía razón. Pronto darían las seis. Les quedaban sólo tres horas para convertir el fracaso de la noche anterior en el éxito de ése y los demás días. Ivo pensó que no podía fallar por segunda vez. Modesto se pondría furioso y nunca más, en la Central, le encomendarían una grande a él. "Si fuera necesario..." Pero no; era estúpido, insensato y peligroso. Se arriesgaba demasiado; se exponía todo un plan al fracaso. Eso sería peor, para todos. "Quién sabe que otras gentes están en su casa", se explicó.

De una de las casas salió una mujer. La vio avanzar en dirección al auto; estaba ya tan cerca que le era posible distinguir sus facciones. Era una mujer pequeña, enjuta, vestida de negro. Se detuvo a menos de diez metros; buscó algo en sus bolsas, hizo un gesto de contrariedad y optó por regresar.

El aire se llenó entonces de sonidos. Eran las seis de la mañana y las fábricas del distrito obrero lanzaban al cielo su reclamo.

Y de pronto U anunció, removiéndose rápidamente en el asiento:

–Allí viene...

Miraba por la ventanilla posterior. Ivo se volvió también y lo hizo a un lado. En efecto, Marcos Luquín había entrado a la calle, por la acera de enfrente y por el rumbo opuesto. Caminaba sin prisa sin recelo.

–No viene solo —bisbiseó U.

Ivo lanzó, por lo bajo, una colérica palabrota soez. Eso complicaba las cosas; eso, con lo que no contaban, frustraba y hacía inútil tan larga, tensa y angustiosa espera.

–¿Quién será, Ivo?

–Maldita...

–¿Qué hacemos, Ivo? —U temblaba; no de miedo sino de excitación. Antes de que Ivo dijera nada, bajó el cristal de la portezuela y apoyó en ella el largo cañón de la Parabellum.

–Shhhhh...

Estaba todavía lejos y, al parecer, no habían reparado en el automóvil. Con los ojos entrecerrados, frío todo él, Ivo miraba a los dos hombres. Dentro de diez segundos los tendrían enfrente y, dentro de otros diez, fuera de su alcance.

Ivo dijo por lo bajo:

–El otro es Sergio...

–Sí, es Sergio —admitió U.

La pareja prosiguió su marcha. Ivo pudo ver cómo Sergio venía hablando, moviendo los brazos como si explicase algo, en tanto que Marcos, con la cara un poco inclinada y las manos en las bolsas de la chamarra de cuero, parecía no escucharlo.

U miró de soslayo a su compañero; lo urgía, lo apremiaba, lo empujaba a tomar una decisión.

Ivo oprimió firmemente la marcha del motor.

–Dales —dijo.

U abrió mucho los ojos.

–Pero está Sergio.

Ivo repitió:

–Dales...

Embragó la velocidad, listo para partir. U fue alzando lentamente la pistola. Marcos y Sergio pasaron al alcance de su mira. El dedo se apoyaba, indeciso, en el gatillo. Los dos hombres que caminaban por la otra acera se hallaban ahora de espaldas, todavía dentro de la distancia segura para no fallar.

Ivo ladró:

–¡Mátalos...!

Los nueve tiros dieron en el blanco.

5

No hablaron hasta abandonar las angostas calles polvosas del distrito obrero. Ivo venía tranquilo, por más que las flacas piernas le temblasen dentro del pantalón. Lo invadía una dulce y enervante satisfacción. No habían tenido problemas para escapar. Nadie los persiguió ni dio voces porque nadie había en la calle cuando U jaló el gatillo; cuando Marcos y Sergio, como azotados por un vendaval, fueron tumbados al suelo. Aun Modesto reconocería que había sido un trabajo muy limpio, muy profesional.

U preguntó:

–¿Por qué a Sergio, Ivo? —había un temblor de emoción en su voz—, era uno de los nuestros.

Sin dejar de mirar hacia adelante (hacia la avenida por la que deslizaba el viejo y polvoso Ford; ya en plena mañana llena de sol y de calor, al lado de camiones atestados de gente que corría a sus empleos en las oficinas del centro; de automóviles de lujo o de simples vehículos de alquiler, de peatones que compraban los diarios en las esquinas o de los ciclistas que los llevaban al reparto, transportándolos en altas pilas a sus espaldas), Ivo suspiró y dijo quedamente:

–Dormiremos un rato, U...

–Modesto dijo que nos fuéramos.

–No será necesario. Tenemos mucho trabajo para hoy... Debemos organizar un bonito funeral... Haremos mañana una manifestación por estas calles... Marcos Luquín ha dado su vida por el triunfo de la causa de los trabajadores. Su sacrificio no debe perderse. Haremos de él un símbolo: el del limpio luchador victimado por los enemigos de su clase: los capitalistas —suspiró. Va a ser algo grande. Ya lo verás. Entonces seguirá la huelga. Sus propios compañeros comprenderán que sólo peleando harán justicia a la memoria de Marcos. Era un buen tipo, después de todo.

U volvió a preguntar:

–Y a Sergio, ¿por qué?

Bostezó Ivo. Sentíase cansado.

–¿Sergio?... La Central necesita un mártir. Hace mucho que no tenemos uno. Los estudiantes se movilizarán; los haremos entrar a la gran huelga que Modesto quiere...

El coche continuó rodando sobre el asfalto de la ciudad.

Las horas violentas,
escrito por Luis Spota,
muestra el abismo que aún
existe entre los ideales de justicia
social y una realidad donde priva la
inequidad, el abuso de poder y
la ley del más fuerte.
La edición de esta obra fue compuesta
en fuente palatino y formada en 11:13.
Fue impresa en este mes de agosto de 2001
en los talleres de Acabados Editoriales Incorporados, S.A. de C.V.,
que se localizan en San Fernando 484-B,
colonia Tlalpan centro, en la ciudad de México, D.F.
La encuadernación de los ejemplares se hizo
en los talleres de Dinámica de Acabado Editorial, S.A. de C.V.,
que se localizan en la calle de Centeno 4-B,
colonia Granjas Esmeralda, en la ciudad de México, D.F.